2018 개정판

해부·병태생리로 이해하는

SIM 통합내과학

연세대학교 의과대학
교수 고 윤 웅 편저

STEPS TO INTERNAL MEDICINE

1 Hematology 혈액

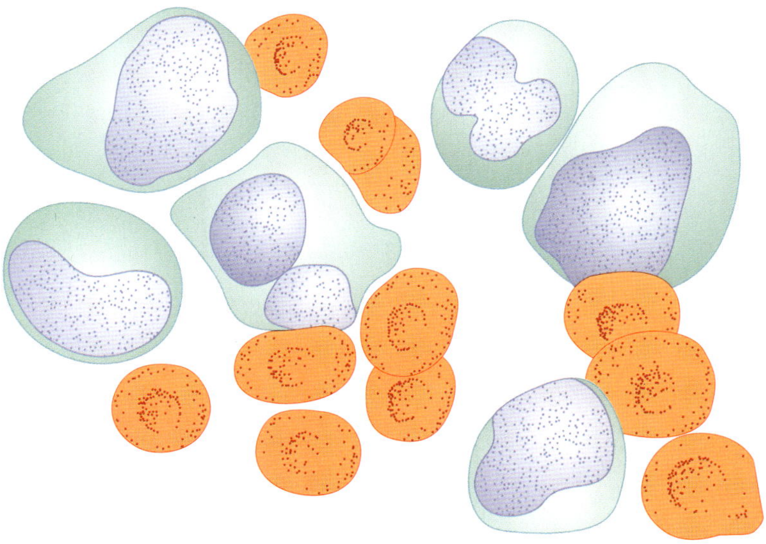

JN444763

도서출판 정담

해부·병태생리로 이해하는

SIM 통합내과학 1 혈액

1판 발행 / 2008년 4월 20일
2판 발행 / 2013년 3월 21일
3판 발행 / 2016년 3월 25일
4판 발행 / 2018년 1월 30일(1쇄)
2019년 5월 31일(3쇄)

발행인 김정찬
편집기획 손지현
편집디자인 최민수

발행처 도서출판 정담
주소 서울특별시 송파구 송이로17길 50-27
(가락동 13-10) 2층
전화 02-443-2791
팩스 02-430-7370
홈페이지 www.jdb.co.kr
등록 제 22-135호

정가 29,000원
ISBN 978-89-8085-825-5
978-89-8085-823-1(set)

머리글

의학이라는 험산준령에서도 그 본령을 이루는 것이 내과학이라고 할 수 있다.

내과학은 거대한 퍼즐이다. 양적으로나 내용적으로도 결코 만만치 않은 분야이다. 여러분들이 그동안 배워온 해부학, 조직학, 생리학, 생화학, 약리학, 병리학 등의 각종 기초학 지식들을 머릿속에서 퍼즐처럼 맞추어 임상현장에서 적용하기 위해서는 암기보다 질환에 대한 이해가 우선시되어야 한다.

결국 임상현장에서의 적용은 단순한 암기만으로 도달할 수 있는 경지가 아니다. 인체와 질병에 대한 기초의학에서 배웠던 모든 지식을 임상적인 지식에 접목시키고 그것을 다시 환자에 적용시킬 수 있는 수준으로 끌어올리기 위해서는 질병을 종합적으로 이해해야만 한다.

의과대학 본과생들 가운데는 참고서의 모든 것을 달달 외우려 했던 학생들도 더러 있었다. 그러나 아무리 기억력이 우수하다고 해도 암기만으로는 모든 내용을 기억할 수도 없으며, 아무런 연관성도 없는 의학용어의 나열만 암기한다고 해서 그 노력만큼 성적이 따라주지도 않았다.

이렇게 된 가장 큰 원인은 그들이 기초의학을 제대로 이해하지 못하였고 이를 임상의학과도 융합시키지 못했기 때문이다. 정상적인 인체의 구조, 생리, 병리에 대해서 잘 알지 못하면 각종 질환이 어떻게 초래되는지도 이해하기 힘들기 때문에 결국에는 책 속의 모든 내용을 외우려고 하는 악순환에 빠져버리는 것이다.

그렇다면 어떻게 해야 할까?

현실적으로 학교에서 임상의학을 공부하면서 다시 기초의학을 처음부터 공부한다는 것은 너무 어려운 일이다. 그렇기 때문에 기본으로 돌아가 그동안 공부했던 기초의학인 해부생리와 병태생리를 질환과 연계하여 다시 정리할 수 있도록 공부해야 한다.

이 책은 그동안 공부해왔던 인체의 해부학, 조직학, 생리학, 병리학 등의 각종 지식들을 리뷰할 수 있도록 간결하면서도 꼼꼼하게 서술하고 있다.

인체의 어떤 부위에서 어떠한 원인과 기전에 의해 질환이 발생하는지 이해하기 쉽도록, 또한 다양한 질환의 진단·증상·검사·치료 등에 대한 각각의 핵심내용을 명확하게 파악할 수 있도록 그림과 사진을 적절하게 활용하여 요점을 간결하게 서술하였다.

그렇기 때문에 이 책으로 공부하면 질환에 따른 병태생리와 증상, 치료 및 간호 모든 부분이 저절로 퍼즐이 맞춰지듯이 이해될 것이며, 따라서 자연스레 암기할 내용도 확연히 줄어들 것이다. 그리고 당연히 임상실습과 국시에도 반드시 필요한 지침서가 될 것이다.

2018년 편저자 일동

편저자 (가나다순)

김 세 규
연세대학교 의과대학 호흡기내과

고 윤 웅
연세대학교 의과대학 혈액내과

김 준 명
연세대학교 의과대학 감염내과

차 봉 수
연세대학교 의과대학 내분비내과

문 영 명
연세대학교 의과대학 소화기내과

최 규 헌
연세대학교 의과대학 신장내과

이 꽃 실
관동대학교 의과대학 감염내과

최 일 생
연세대학교 의과대학 신경내과

이 수 곤
연세대학교 의과대학 결합조직내과

홍 천 수
연세대학교 의과대학 면역·알레르기내과

정 남 식
연세대학교 의과대학 심장내과

일러두기

공부를 시작하기 전에 우선 이 책이 어떤 방식으로 구성되어 있는지 알아보도록 하자.

Ⅱ 적혈구 총론

A 적혈구 Erythrocyte/Red blood cell : RBC

1 적혈구란 무엇인가?

적혈구(RBC)란 무엇인가? 하는 질문에 대해서 대부분의 사람들은 '적혈구는 산소를 운반하는 세포'라고 대답할 것이다. 그러나 '적혈구는 붉은색의 세포'라고 대답하는 사람도 있을 것이다.

그럼 적혈구는 왜 붉은색일까? 그것은 적혈구가 혈색소(hemoglobin)라는 색소를 가지고 있기 때문이다.

혈색소란 무엇이며 적혈구 속에 얼마나 있을까. 또 적혈구의 모양은 어떤지 등등 이제부터 차례로 알아보도록 하자.

1. 적혈구의 양 Hematocrit(Hct)

적혈구는 얼마나 있는가? …… 헤마토크릿

한 변이 1mm인 정육면체 속에 약 500만 개의 적혈구가 들어 있다. 이 $1mm^3$ 속에 있는 적혈구의 수를 적혈구수라고 하는데, 일반적으로 남성이 여성보다 많고 성인이 노인보다 많은 경향을 보인다. $1mm^3$는 일반적으로 1μL와 같다.

'적혈구가 얼마나 있는가' 하는 질문에 다음과 같이 대답할 수도 있다. '혈액 100mL가 있다면 그중 적혈구가 차지하는 용적은 45mL이다(그림 2-1).'

이와 같이 혈액 속에 있는 적혈구만의 용적 비율을 헤마토크릿(hematocrit : Hct)이라고 한다. 위의 예에서는 'Hct가 45%'라고 기술한다. Hct이 낮다는 것은 혈액 속에 적혈구가 적게 있다는 것을 의미한다.

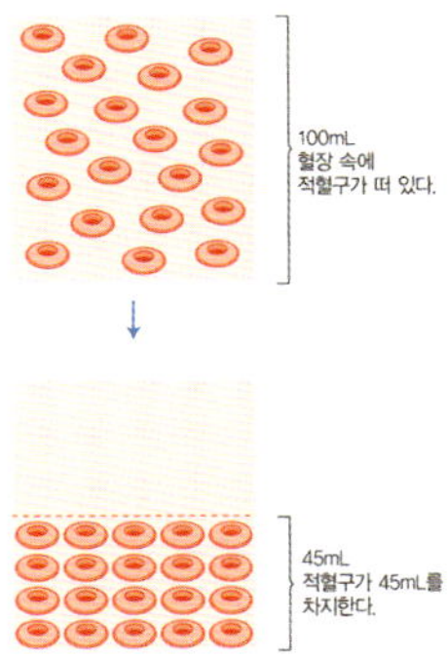

[그림 2-1] 혈액 속에서 적혈구가 차지하는 용적

II. 적혈구 총론 11

총론

각론에서 질환을 배우기 전에 그동안 기초학에서 공부했던 해부, 생리, 병리를 리뷰할 수 있도록 그림과 함께 간결하게 서술하였다. 이를 통해 각 질환의 이해가 더욱 빨라질 수 있다.

각론

총론의 해부, 생리, 병리를 토대로 각 질환의 병태생리에 대해 자세히 설명하고 있다.
질환에 대한 이해를 돕기 위해 그림과 표를 추가하여 쉽고 자세하게 설명함으로써
더욱 이해하기 쉽도록 하였다.

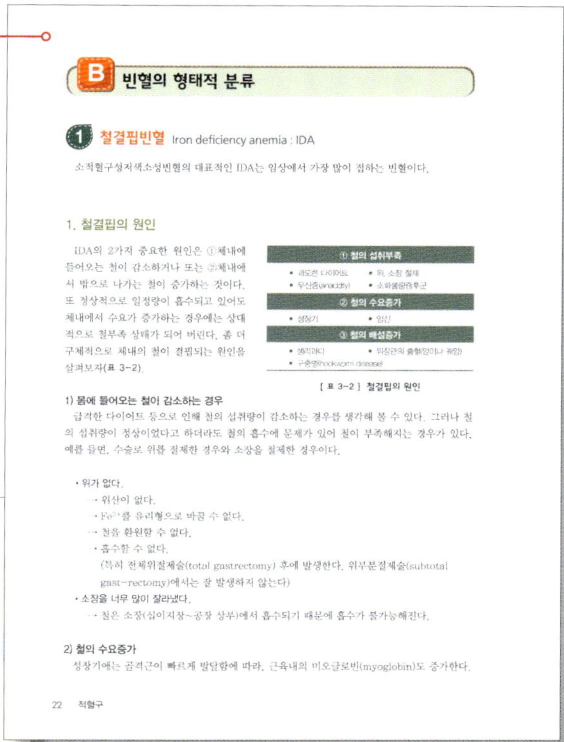

B 빈혈의 형태적 분류

1 철결핍빈혈 Iron deficiency anemia : IDA

소적혈구성저색소성빈혈의 대표적인 IDA는 임상에서 가장 많이 접하는 빈혈이다.

1. 철결핍의 원인

IDA의 2가지 중요한 원인은 ①체내에 들어오는 철이 감소하거나 또는 ②체내에서 밖으로 나가는 철이 증가하는 것이다. 또 정상적으로 일정량이 흡수되고 있어도 체내에서 수요가 증가하는 경우에는 상대적으로 철부족 상태가 되어 버린다. 좀 더 구체적으로 체내의 철이 결핍되는 원인을 살펴보자(표 3-2).

① 철의 섭취부족	
• 과도한 다이어트	• 위, 소장 절제
• 무산증(anacidity)	• 소화불량증후군
② 철의 수요증가	
• 성장기	• 임신
③ 철의 배설증가	
• 생리과다	• 위장관의 출혈(암이나 궤양)
• 구충병(hookworm disease)	

[표 3-2] 철결핍의 원인

1) 몸에 들어오는 철이 감소하는 경우

급격한 다이어트 등으로 인해 철의 섭취량이 감소하는 경우를 생각해 볼 수 있다. 그러나 철의 섭취량이 정상이었다고 하더라도 철의 흡수에 문제가 있어 철이 부족해지는 경우가 있다. 예를 들면, 수술로 위를 절제한 경우와 소장을 절제한 경우이다.

• 위가 없다.
→ 위산이 없다.
→ Fe^{3+}를 유리형으로 바꿀 수 없다.
→ 철을 환원할 수 없다.
→ 흡수할 수 없다.
(특히 전체위절제술(total gastrectomy) 후에 발생한다. 위부분절제술(subtotal gast-rectomy)에서는 잘 발생하지 않는다)
• 소장을 너무 많이 잘라냈다.
→ 철은 소장(십이지장~공장 상부)에서 흡수되기 때문에 흡수가 불가능해진다.

2) 철의 수요증가

성장기에는 골격근이 빠르게 발달함에 따라, 근육내의 미오글로빈(myoglobin)도 증가한다.

22 적혈구

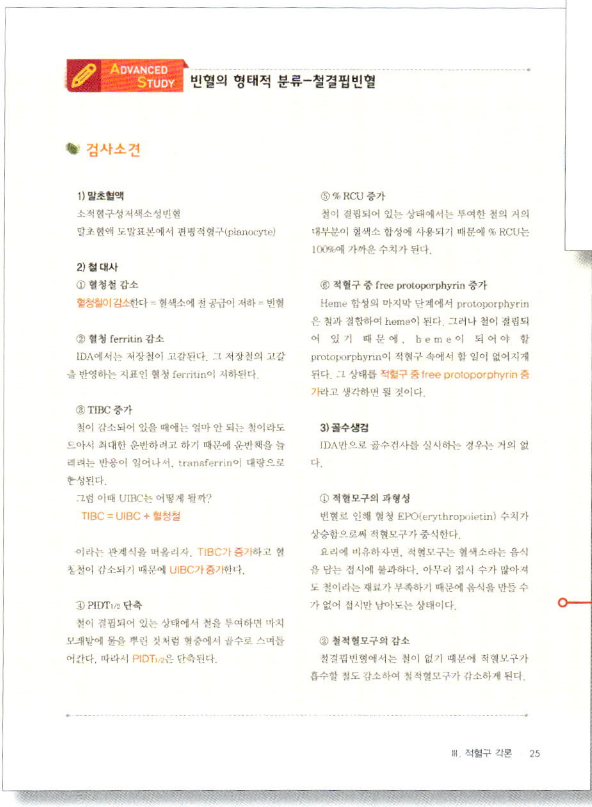

ADVANCED STUDY 빈혈의 형태적 분류–철결핍빈혈

검사소견

1) 말초혈액
소적혈구성저색소성빈혈
말초혈액 도말표본에서 편평적혈구(planocyte)

2) 철 대사
① 혈청철 감소
혈청철이 감소한다 = 혈색소에 철 공급이 저하 = 빈혈

② 혈청 ferritin 감소
IDA에서는 저장철이 고갈된다. 그 저장철의 고갈을 반영하는 지표인 혈청 ferritin이 저하된다.

③ TIBC 증가
철이 감소되어 있을 때에는 얼마 안 되는 철이라도 모아서 최대한 운반하려고 하기 때문에 운반책을 늘리려는 반응이 일어나서, transferrin이 대량으로 합성된다.
그럼 이때 UIBC는 어떻게 될까?
TIBC = UIBC + 혈청철
이라는 관계식을 떠올리자. TIBC가 증가하고 혈청철이 감소되기 때문에 UIBC가 증가한다.

④ $PIDT_{1/2}$ 단축
철이 결핍되어 있는 상태에서 철을 투여하면 마치 모래밭에 물을 뿌린 것처럼 혈중에서 골수로 스며들어간다. 따라서 $PIDT_{1/2}$은 단축된다.

⑤ % RCU 증가
철이 결핍되어 있는 상태에서는 투여한 철의 거의 대부분이 혈색소 합성에 사용되기 때문에 % RCU는 100%에 가까운 수치가 된다.

⑥ 적혈구 중 free protoporphyrin 증가
Heme 합성의 마지막 단계에서 protoporphyrin은 철과 결합하여 heme이 된다. 그러나 철이 결핍되어 있기 때문에, heme이 되어야 할 protoporphyrin이 적혈구 속에서 할 일이 없어지게 된다. 그 상태를 적혈구 중 free protoporphyrin 증가라고 생각하면 될 것이다.

3) 골수생검
IDA만으로 골수검사를 실시하는 경우는 거의 없다.

① 적혈모구의 과형성
빈혈로 인해 혈청 EPO(erythropoietin) 수치가 상승함으로써 적혈모구가 증식한다.
요리에 비유하자면, 적혈모구는 혈색소라는 음식을 담는 접시에 불과하다. 아무리 접시 수가 많아져도 철이라는 재료가 부족하기 때문에 음식을 만들 수가 없어 접시만 남아도는 상태이다.

② 철적혈모구의 감소
철결핍빈혈에서는 철이 없기 때문에 적혈모구가 흡수할 철도 감소하여 철적혈모구가 감소하게 된다.

III. 적혈구 각론 25

Advanced Study

질환에 대한 기본적인 설명 이외에도 깊은 지식을 쌓을 수 있는 Advanced study 코너를 만들었다.
이를 통해 질환별 병태생리와 검사 및 치료법에 대해 더욱 깊게 알 수 있는 심화내용을 보충하였다.

플러스 코너와 Tip

총론 및 각론의 본문 내용과 연계되면서도 흥미롭게 읽을 수 있는 배경지식들을 선별하여 별도로 편집하였다.

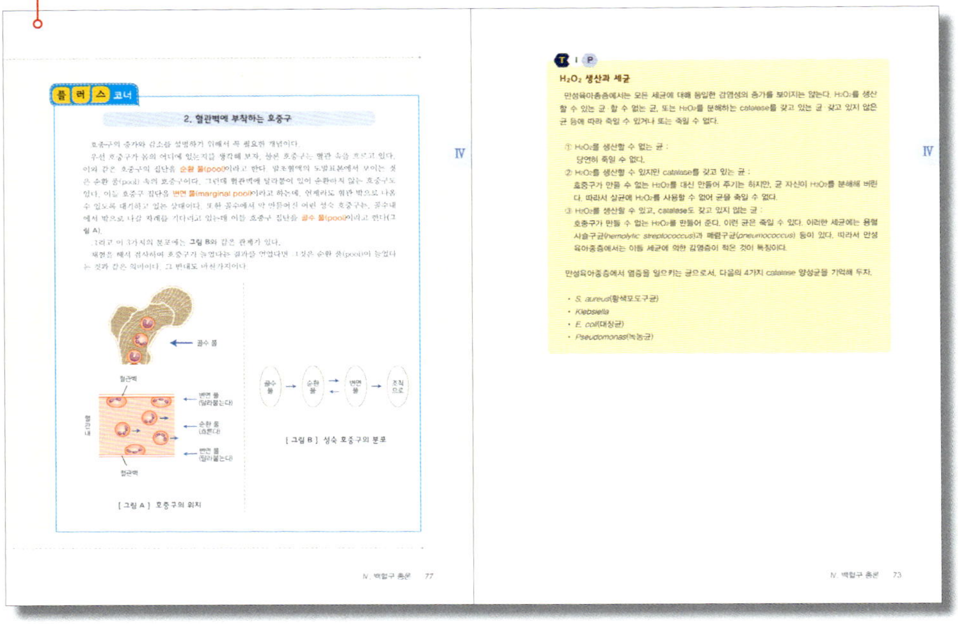

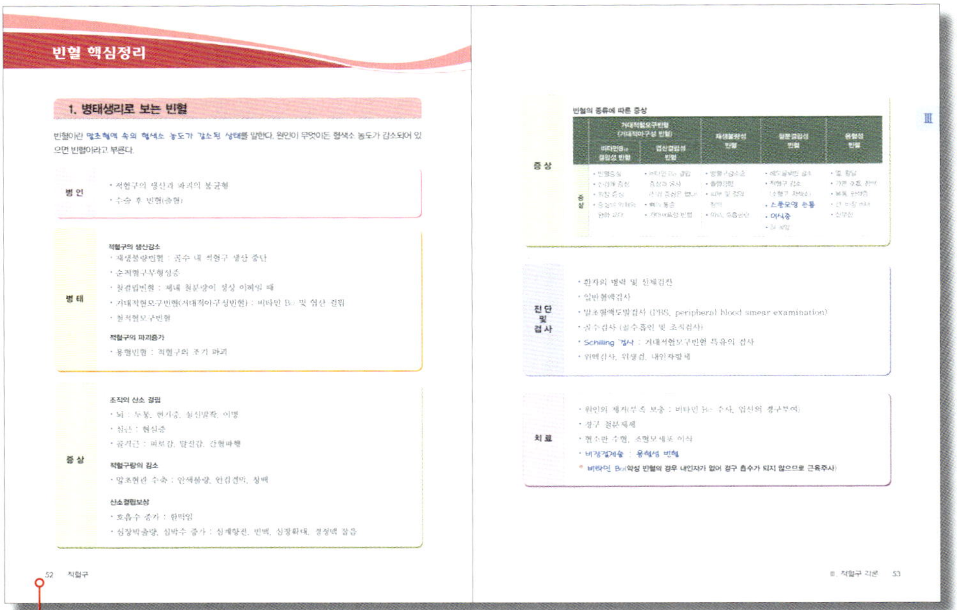

질환별 핵심정리

앞서 공부했던 질환의 핵심내용을 정리하여 한눈에 살펴볼 수 있도록 간결하게 서술하였다.

차례 혈액

혈액

Ⅰ. 혈액 총론

A. 혈액의 정의 3
- ❶ 혈액의 구성 3
  - 1. 혈구와 혈장 3
  - 2. 혈액 분리 3
  - 3. 혈액의 세포 성분 4
- ❷ 혈액의 생산 5
  - 1. 조혈 5
  - 2. 골수 6
  - 3. 정맥동 6
  - 4. 정상 혈구의 분화와 성숙 7

적혈구

Ⅱ. 적혈구 총론

A. 적혈구 11
- ❶ 적혈구란 무엇인가? 11
  - 1. 적혈구의 양 11
  - 2. 적혈구의 모양은? 12
- ❷ 적혈구의 기능 14
  - 1. 산소 운반 14
  - 2. 이산화탄소 운반 중개 14
- ❸ 적혈구는 어디에서 파괴되는가? 14
  - 1. 자동차 검사와 비장 14
  - 2. 비장의 어디에서 파괴되는가? 15
  - 3. 용혈 16

B. 혈색소 17
- ❶ 혈색소의 구성 17
- ❷ 대변은 왜 황갈색인가? 18

Ⅲ. 적혈구 각론

A. 빈혈 개요 19
- ❶ 빈혈이란 무엇인가? 19
- ❷ 빈혈에 나타나는 공통적인 소견 20
- ❸ 빈혈은 왜 나쁜가? 20
- ❹ 빈혈은 왜 생기는가? 21
  - 1. 적혈구의 생산과 파괴의 균형 21

B. 빈혈의 형태적 분류 22
- ❶ 철결핍빈혈 22
  - 1. 철결핍의 원인 22
  - 2. 병태생리 23
  - 3. 증상 24
  - 4. 치료 26
- ❷ 철적혈모구빈혈 26
  - 1. 분류 26

2. 병태생리 27
3. 증상 27
4. 검사소견 27
5. 치료 29

❸ 거대적혈모구빈혈 29
1. 병태생리 29
2. 원인 및 발생기전 29
3. 치료 31

❹ 재생불량빈혈 32
1. 분류 및 원인물질 32
2. 병태생리 32
3. 증상 33
4. 감별진단 33
5. 치료 33

❺ 순적혈구무형성증 34
1. 분류 34
2. 증상 35
3. 검사소견 35
4. 치료 36

❻ 용혈빈혈 36
1. 자가면역용혈빈혈 38
2. 유전구형적혈구증 41
3. 발작야간혈색소뇨증 43
4. 적혈구효소이상증 46
5. 적혈구파괴증후군 46

빈혈 핵심정리 52

C. 적혈구증가증 54
❶ 적혈구증가증의 분류 54
1. 진성적혈구증가증 55
2. 이차성 적혈구증가증 57

백혈구

Ⅳ. 백혈구 총론

A. 백혈구 61
❶ 백혈구의 '백'이란 무슨 의미인가? 61
❷ 백혈구에는 어떤 것이 있는가? 61
❸ 백혈구의 분화 · 성숙 62

B. 과립구 62
❶ 개념 62
❷ 골수모세포 이후의 분화 · 성숙 63

C. 호중구 65
❶ 호중구의 기능과 역할 65
1. 이동기능 65
2. 탐식기능 65
3. 살균기능 65
4. 부착기능 65
❷ 호중구의 기능부전증 66
1. Chédiak-Higashi 증후군 66
2. 만성육아종증 66

D. 호산구 74
❶ 호산구의 기능과 역할 74

❷ 호산구가 증가하는 질환 · 상태 75
1. 알레르기질환 및 피부질환 75
2. 기생충감염 75
3. 자가면역질환 75
4. PIE 증후군 76
5. 혈액질환 76
6. 기타 76
❸ 호산구가 감소하는 질환 · 상태 77

E. 림프구 81
❶ 림프구와 림프관 81
❷ 림프구의 종류 81
❸ 림프구가 증가하는 질환 · 상태 82
1. 바이러스감염 82
2. 림프구계 종양 82
3. 기타 82
❹ 림프구가 감소하는 질환 · 상태 82
1. 면역결핍증 83
2. 암 83
3 바이러스감염 83
4. 자가면역질환 83
5. 치료에 의한 파괴 83
6. 림프구 상실 84
7. 기타 84

F. 백혈구의 증가 및 감소/백혈구의 이상 90
❶ 백혈구가 증가하는 질환 90
❷ 백혈병 유사반응 90
1. 양적 백혈병 유사반응 91
2. 질적 백혈병 유사반응 91
3. 유사 질환과의 감별 91
❸ 백혈구가 감소하는 질환 92
❹ 백혈구 증감에 관한 정리 92
❺ 기타 백혈구 이상 질환 93

V. 백혈구 각론

A. 조혈계 종양 · 림프조직 종양의 분류 99
❶ 기존의 분류 99
❷ 백혈병의 고전적 개념 101
❸ 림프종의 고전적 개념 103

B. 급성백혈병 106
❶ 백혈병의 개념 106
❷ 급성백혈병의 증상학적 개념 107
❸ 골수 중 모세포 수 109
❹ 급성백혈병의 진단순서 110
❺ 급성백혈병의 치료 110
1. 치료의 흐름 110
2. 화학요법 112
3. 조혈모세포이식……백혈병 치료의 입장에서 114

C. 급성백혈병/각론 114
❶ 급성골수성백혈병 114
1. 개념 114
2. 증상 114
3. 검사 115
4. 치료 115
5. 예후인자 115
6. 급성 골수성 백혈병의 분류 115
❷ 급성림프모구백혈병 118
1. 역학 118

2. 증상 118
3. 소아 급성백혈병의 위험인자 119
4. 버킷세포백혈병 119
5. 검사 120
6. 치료 120
7. 예후인자 120
백혈병 핵심정리 121

Ⅵ. 골수계 종양

1. 정의 123
2. WHO 분류 123

A. 골수형성이상증후군 124

❶ MDS란? 124
❷ MDS의 기본개념 124
❸ MDS의 증상 및 특징 125
1. 불응성빈혈 126
2. 다계열형성이상 불응성혈구감소증 126
3. 모세포증가 불응성빈혈 126
4. 5q 증후군 126
❹ 분류 126
❺ 치료 127

B. 골수증식성 질환 130

❶ 만성골수성백혈병 131
1. 병태생리 131
2. 검사소견 132
3. 임상증상 133
4. 병기분류 134
5. 치료 134
❷ 진성적혈구증가증 136
❸ 진성고혈소판증 136
1. 임상증상 136
2. 검사소견 136
3. 치료 137
❹ 골수섬유증 138
1. 골수의 섬유화 138
2. 골수섬유증(MF)의 분류 138
3. 검사소견 139
4. 병태생리와 임상증상 140
5. 치료 141
❺ 정리 142

Ⅶ. 림프계 종양

A. 호지킨림프종 146

❶ 호중구의 기능 · 역할 146
❷ 병기분류 147
❸ 진행양식 148
1. 림프절에서 병변이 처음 발생 148
2. 인접한 림프절 영역으로 진행 149
❹ 임상증상 149
❺ 검사소견 150
1. 말초혈액소견 150
2. 혈청생화학소견 150
3. 기타 : 세포매개면역의 저하 151
❻ 치료 151
1. 방사선요법 152
2. 화학요법 152
3. 예후 153
❼ 조직분류 153

B. 비호지킨림프종 154
❶ 조직분류 154
❷ 진행양식 154
❸ 병기분류 155
❹ 치료 155
1. 경도 악성군의 치료 155
2. 중등도 악성군의 치료 156
3. 고도 악성군의 치료 157
❺ 예후 157
❻ 임상효과와 검사소견 157
악성 림프종 핵심정리 158
다발성 골수종 핵심정리 173

지혈기전

Ⅷ. 지혈기전 총론

❶ 혈전형성 작용과 항혈전형성 작용 177
❷ 지혈의 흐름 178
A. 혈소판 179
❶ 혈소판의 개념 179
❷ 혈소판의 생리 179
1. 혈소판의 성장과 죽음 179
2. 혈소판의 구조 180
❸ 혈소판의 기능 181
1. 지혈의 개념 181
2. 1차지혈 181
3. 2차지혈 183
4. 혈소판응집…TXA2 184
B. 응고 186
❶ 지혈과 응고의 차이 186
C. 섬유소용해 187
❶ 섬유소용해의 개념 187
❷ 섬유소용해의 기전 187

Ⅸ. 지혈기전 각론

A. 출혈성 질환 189
❶ 혈소판기능이상증 190
1. Glanzmann병(혈소판무력증) 190
2. Bernard-Soulier증후군 192
3. 저장풀질환 193
4. 아스피린 복용 193
❷ 응고인자 이상 199
1. 혈우병 199
혈우병 핵심정리 202
B. 혈전성 질환 211
❶ 혈전성 질환의 개념 211
❷ 선천성 혈전성 질환 212
1. Antithrombin III 결핍증 212
2. 선천성 protein C 결핍증 212
3. 선천성 protein S 결핍증 213
4. 선천성 플라스미노겐 결핍증 213
❸ 후천성 혈전성 질환 213
1. 혈전저혈소판혈증자색반병 213

수혈 · 조혈모 세포이식

X. 수혈

A. 혈액형 226
1 혈액형 검사의 이유 226
2 수혈은 안전한가? 226
3 ABO식 혈액형 226
1. ABO식 혈액형 판정의 기본지식 227
2. ABO식 혈액형의 판정방법 228
4 Rh식 혈액형 230
5 수혈 부작용 231
B. 혈액제제 총론 233
1 전혈의 위험성 233
2 전혈의 비효율성 233
3 혈액제제의 종류 234
4 혈액제제 개발 234
C. 수혈감염증 235
1 간염바이러스 235
2 HIV 235
3 HTLV-1 235
4 기타 바이러스 235
5 세균 236
D. 이식편대숙주질환 236
E. 자가수혈 238
1 혈액예치식 자가수혈 238
2 희석식 자가수혈 238
3 회수식 자가수혈 238

XI. 조혈모세포이식

A. 조혈모세포이식 239
1 조혈모세포이식의 분류 239
1. 동종조혈모세포이식 240
2. 자가조혈모세포이식 240
3. 말초혈액조혈모세포이식 240
4. 제대혈이식 241
2 조혈모세포이식의 전처치 241
3 이상적인 조혈모세포이식 241
4 생착과 거부 242
5 이식 후의 관리 243

혈액

| I. 혈액 총론

I 혈액 총론

A 혈액의 정의

혈액은 심장 · 혈관계 속을 순환하는 액체로 생명유지에 필수불가결한 존재이다. 혈액의 주된 역할에는 운반, 완충, 방어가 있다.

보통 성인의 혈액량은 체중의 약 8%를 차지하여, 체중 60kg의 성인인 경우 4~5L가 된다(체중 1kg당 약 70mL). 또 전체 혈액량의 1/3을 잃으면 생명이 위험해진다.

1 혈액의 구성

1. 혈구와 혈장

혈구(hemocyte)는 전체 혈액량의 약 45%를 차지하는 혈액의 세포성분으로, 적혈구, 백혈구, 혈소판으로 구성되어 있으며, 그 대부분은 적혈구(99%)이다. 모든 혈구는 조혈모세포에서 생겨나 몇 개의 단계를 거쳐 말초 혈액 속으로 들어간다.

혈장(plasma)은 전체 혈액량의 약 55%를 차지하는 담황색의 투명한 혈액 액체성분으로, 대부분의 성분이 물(91%)이다. 그 외, 알부민이나 응고인자 등의 혈장단백(7%)을 비롯하여 전해질(Na^+, Cl^-, HCO_3^-, K^+ 등), 글루코오스, 아미노산, 지질, 비타민, 노폐물, 호르몬 등이 함유되어 있다.

2. 혈액 분리

채혈한 혈액에 항응고제를 넣어 원심분리를 하면, 혈장성분과 혈구성분으로 분리되는데 혈구성분은 또 다시 백혈구연층(buffy coat)과 적혈구층으로 나뉜다. 가장 상층에 모이는 혈장성분에는 피브리노겐을 함유한 액체성분인 물, Na^+, Cl^-, 피브리노겐 등이 포함된다. 적혈구는 비중이 크기 때문에 최하층에 모이며 적혈구와 혈장성분 사이에 분리되는 백혈구연층(buffy coat)에는 백혈구와 혈소판이 함유되어 있다.

한편 채혈한 혈액을 그대로 방치하면, 혈액응고가 진행되어 혈병(clot, 응혈괴)이라는 고형성분과 혈청(serum)이라는 액체성분으로 분리된다. 위쪽에 분리되는 **혈청(serum)은 혈장(plasma)에서 피브리노겐 성분이 빠진, 물, Na^+, Cl^- 등으로 구성된다.** 혈병은 피브리노겐과 혈구가 굳어진 것으로 아래쪽에 분리된다.

3. 혈액의 세포 성분

1) 적혈구 Red blood cell : RBC, erythrocyte

적혈구의 주된 역할은 산소 운반이다.

이것은 적혈구에 들어 있는 헤모글로빈(hemoglobin)의 작용에 의한 것이다. 폐에서 산소를 받아들인 적혈구는 그것을 온몸의 조직에 공급한다. 또 조직이 배출하는 이산화탄소를 허파로 운반하는 역할도 맡고 있다.

2) 백혈구 White blood cell : WBC, leukocyte

백혈구의 주된 역할은 체내에 침입한 병원체나 이물로부터 몸을 지키는 것이다. 백혈구는 과립구, 단핵구, 림프구의 3개로 크게 나눌 수 있으며, 종류에 따라 다양한 기능을 갖고 있다.

3) 혈소판 Platelet, thrombocyte

혈소판의 주된 역할은 지혈(1차 지혈)이다. 손상된 혈관내피하조직의 콜라겐에 점착한 혈소판은 활성화해, 혈소판끼리 응집하여 상처가 난 혈관을 막아 지혈한다.

2 혈액의 생산

1. 조혈

모든 혈구(적혈구, 백혈구 혈소판)는 조혈모세포가 자가복제나 분화를 반복함으로써 생산되는데 이것을 조혈이라 한다.

조혈 장소는 개체의 성장과 함께 변화한다. 태생기에는 주로 간, 비장에서 조혈이 행해지며, 출생 후에는 주로 골수에서 행해진다(**그림 1-1**). 출생 후에도 질병 등의 원인으로 골수에서 조혈을 할 수 없게 되면, 간이나 비장으로 조혈장소가 이동하기도 한다.

	태생 3주	태생 3개월	태생 4개월~	영유아	성인
조혈부위		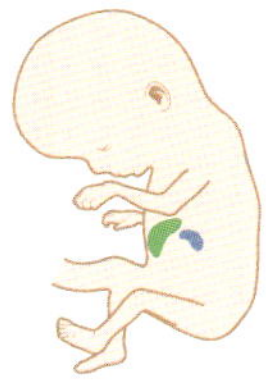	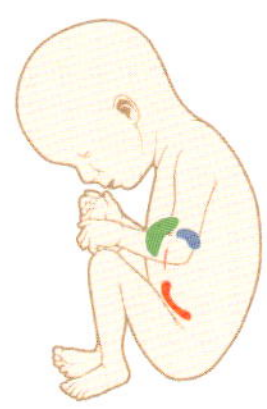	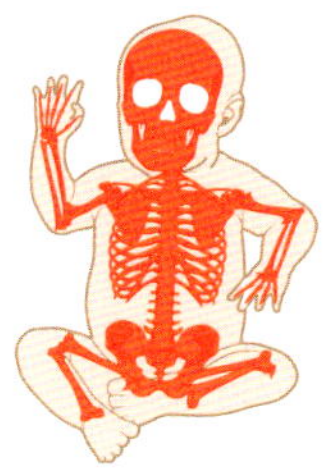	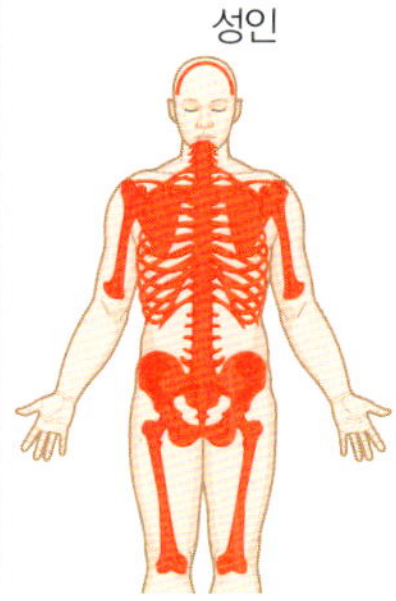
특징	**난황낭** 벽에 있는 세포가 혈구로 분화해, 혈액섬(혈도)이 되어 조혈이 시작된다.	조혈장소가 **간과 비장으**로 이동한다.	**골수에서의 조혈이 시작**, 조혈장소가 서서히 간이나 비장에서 골수로 옮겨간다.	거의 모든 골수에서 조혈이 행해지게 된다.	조혈골수는 두개골, 흉골, 늑골, 추골, 골반, 대퇴골 등, 몸의 중심부 골수에 국한된다.

[그림 1-1] 조혈 장소의 추이

2. 골수 (그림 1-2)

혈구를 생산해 내는 골수는 뼈의 골수공간을 메우고 있는 조직으로, 그 총량은 성인의 경우 1,600~3,700g에 이른다. 골수 내에는 그물코 모양으로 정맥동(정맥굴)이 발달되어 있으며, 그 틈새에 조혈모세포가 존재해 조혈이 활발히 행해지고 있다. 이 골수를 적색골수라고 한다.

한편, 지방세포가 많이 포함되어 조혈이 거의 행해지지 않는 골수는 황색골수(지방골수)라고 불린다. 재생불량성 빈혈과 같은 병적상태에서는 적색골수가 황색골수로 바뀌는 경우가 있다.

3. 정맥동 (그림 1-2)

골수와 정맥동은 외막세포, 기저막, 내피세포의 3층 구조로 그 사이가 벌어져 있다. 이 3층 구조는 혈구의 관문 작용을 하고 있으며, 성숙하여 그 작용을 완수할 수 있는 혈구만 내피세포의 작은 구멍을 지나 정맥동으로 들어가 말초혈액에 도달할 수가 있다.

그러나 미성숙 혈구, 또는 비정상 혈구는 통과할 수가 없다. 병적 상태나, 암의 골수전이 등에 의해 이 관문과 같은 기능이 없어지면, 말초혈액에 미성숙 혈구 또는 비정상 혈구가 나타나게 된다.

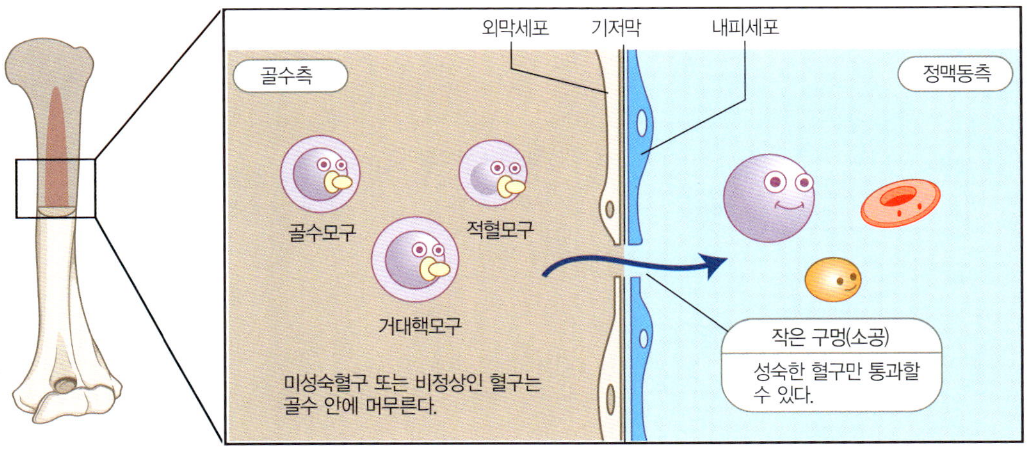

[그림 1-2] 골수와 정맥동의 구조

4. 정상 혈구의 분화와 성숙 (그림 1-3)

조혈모세포는 모든 혈구로 분화하는 능력을 가지고 있다. 분화를 반복하면서 점차 성숙해져서, 기능을 가진 성숙 혈구가 된다.

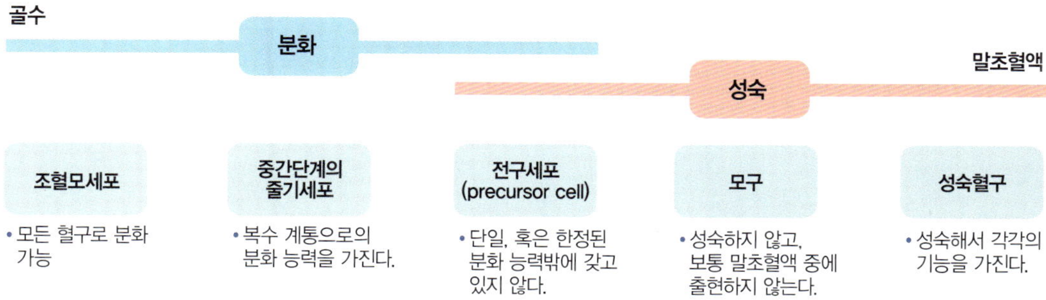

[그림 1-3] 정상 혈구의 분화와 성숙

적혈구

II. 적혈구 총론
III. 적혈구 각론

길잡이

■ 시작에 앞서

적혈구에서는 빈혈의 감별이 중요하다. 실제 임상에서 접하게 되는 빈혈의 90% 정도가 철결핍성 빈혈(iron deficiency anemia)이고, 질환빈도가 낮은 것들이 나머지 10%를 차지하고 있다. 이 역학적인 것을 생각할 때 다음 2가지 사항을 숙지하는 것이 중요하다.

- 철결핍성 빈혈을 정확하게 진단할 것.
- 철결핍성 빈혈 외의 빈혈에 관한 개념, 병태생리를 알아둘 것.

■ 총론의 달성목표

① 혈관내용혈과 혈관외용혈의 차이점을 이해하자.
② 철에 관한 전문가가 되자.

■ 각론의 달성목표

① 철결핍빈혈에 대해서 충분히 공부하자.
② 각 질환의 특징을 대표하는 핵심포인트를 기억하자.
③ 감별진단 흐름도를 보면 쉽게 이해될 수 있도록 공부하자.

Ⅱ 적혈구 총론

A 적혈구 Erythrocyte/Red blood cell : RBC

1 적혈구란 무엇인가?

적혈구(RBC)란 무엇인가? 하는 질문에 대해서 대부분의 사람들은 '적혈구는 산소를 운반하는 세포'라고 대답할 것이다. 그러나 '적혈구는 붉은색의 세포'라고 대답하는 사람도 있을 것이다.

그럼 적혈구는 왜 붉은색일까? 그것은 적혈구가 혈색소(hemoglobin)라는 색소를 가지고 있기 때문이다.

혈색소란 무엇이며 적혈구 속에 얼마나 있을까, 또 적혈구의 모양은 어떤지 등등 이제부터 차례로 알아보도록 하자.

1. 적혈구의 양 Hematocrit(Hct)

적혈구는 얼마나 있는가? …… 헤마토크릿

한 변이 1mm인 정육면체 속에 약 500만 개의 적혈구가 들어 있다. 이 $1mm^3$ 속에 있는 적혈구의 수를 적혈구수라고 하는데, 일반적으로 남성이 여성보다 많고 성인이 노인보다 많은 경향을 보인다. $1mm^3$는 일반적으로 1μL와 같다.

'적혈구가 얼마나 있는가' 하는 질문에 다음과 같이 대답할 수도 있다. '혈액 100mL가 있다면 그중 적혈구가 차지하는 용적은 45mL이다**(그림 2-1)**.'

이와 같이 혈액 속에 있는 적혈구만의 용적 비율을 헤마토크릿(hematocrit : Hct)이라고 한다. 위의 예에서는 'Hct가 45%'라고 기술한다. Hct이 낮다는 것은 혈액 속에 적혈구가 적게 있다는 것을 의미한다.

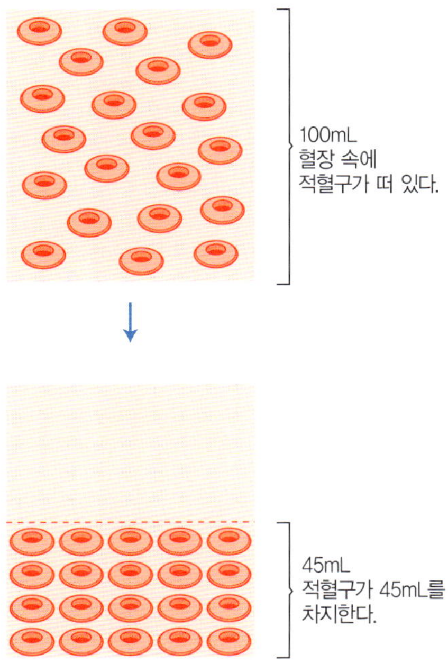

[그림 2-1] 혈액 속에서 적혈구가 차지하는 용적

적혈구수와 Hct의 정상기준치는 다음과 같다(**표 2-1**).

	적혈구수	Hct
남성	430~570만/mm^3	40~50%
여성	380~500만/mm^3	33~45%

[표 2-1] **적혈구수와 헤마토크릿(Hct)의 정상치**

2. 적혈구의 모양은?

적혈구는 가운데가 움푹 들어간 원판모양의 독특한 형태를 하고 있다(**그림 2-2**). 적혈구를 원판으로 보고 직경을 측정하면 정상기준치가 약 7.7μm이다. 적혈구에는 핵이 없기 때문에 중앙 부분이 움푹 들어가 있다.

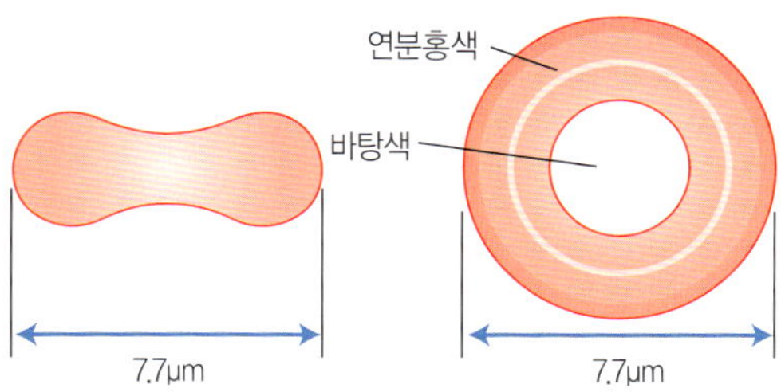

[그림 2-2] **정상 적혈구의 모양과 직경**

도말표본(smear)에서 보면 움푹 들어간 부분에는 헤모글로빈(hemoglobin)이 적기 때문에 옅게 염색되며, 그 색상대비의 비율은 대략 1:1:1이 된다. 중요한 2가지의 비정상적인 색조(움푹 들어간 곳)를 소개해 놓았으니 참고하기 바란다**(그림 2-3)**.

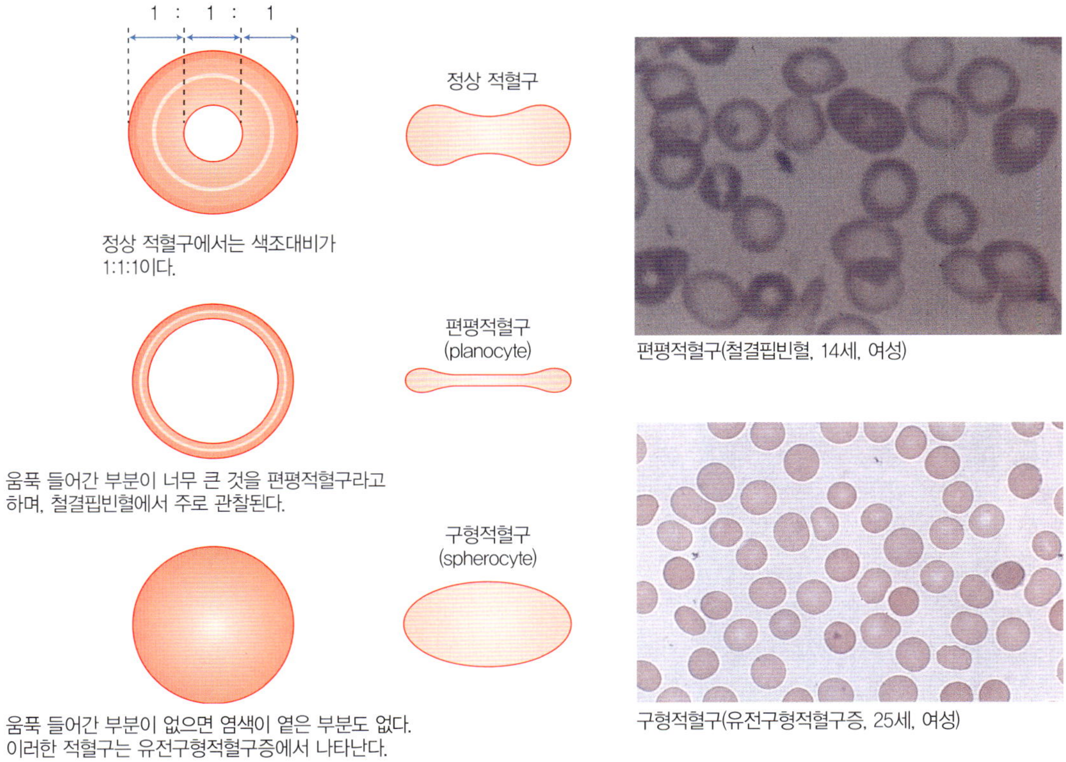

[그림 2-3] 비정상적인 색의 적혈구

2 적혈구의 기능

1. 산소 운반

적혈구의 중요한 역할인 산소 운반은 주로 헤모글로빈이 맡는다. 헤모글로빈은 폐포로부터 산소(O_2)를 받으면, 각 조직으로 운반하여 그곳에서 산소를 방출한다.

2. 이산화탄소 운반 중개

적혈구는 이산화탄소 운반에도 관여하고 있다. 그러나 헤모글로빈에 결합하는 양은 매우 적으며, 대부분은 혈장 속에 용해되어 옮겨진다. 조직에서 생산된 이산화탄소(CO_2)의 대부분은 적혈구 내에 받아들여져 중탄산이온(HCO_3^-)으로 변환되어 혈장 속으로 이동한다. 허파꽈리 부근이 되면, HCO_3^-는 다시 적혈구 안에서 CO_2로 변환되어 호기 속으로 배출된다.

3 적혈구는 어디에서 파괴되는가?

적혈구의 수명은 약 120일이다. 수명을 다한 적혈구는 비장에서 파괴된다. 비장은 노화된 적혈구뿐 아니라 소위 비정상적인 적혈구를 제거하는 장소이다. 제거방법에는 2가지가 있는데, '적혈구 자체를 없애는 것(culling)'과 '비정상적인 부분만 도려내는 것(pitting)'이다.

비정상적인 적혈구란 막에 항체가 부착되어 있는 적혈구나 기형 적혈구를 가리킨다.

1. 자동차 검사와 비장

자동차 검사에 합격한 차가 아니면 도로를 주행할 수 없다. 적혈구도 마찬가지다. 적혈구가 비장을 통과하는 것은 자동차를 검사하는 것과 비슷하다. 아무런 문제가 없는 적혈구는 그대로 비장을 통과할 수 있고, 약간 부실한 적혈구는 정비를 받은 후에 혈액 속으로 돌려보내진다. 그러나 고칠 수 없는 것은 즉시 제거된다. 비정상적인 적혈구에 있어서 비장은 여과장치(filter) 겸 정비공장이다**(그림 2-4)**.

만일 자동차 검사가 없다면 시커먼 연기를 내뿜는 차가 아무렇지도 않게 주행하게 될 것이다. 비장을 적출한다는 것은 여과장치(filter) 겸 정비공장을 잃는 셈이 되므로, 말초혈액 속에서 비정상적인 적혈구를 많이 보게 될 것이다.

반대로 자동차 검사가 지나치게 엄격하면 폐기처분되는 차가 늘어날 것이다. 비장의 기능이 항진되어 있는 상태에서는 필요 이상으로 적혈구가 파괴되기 때문에 빈혈이 올 수 있다.

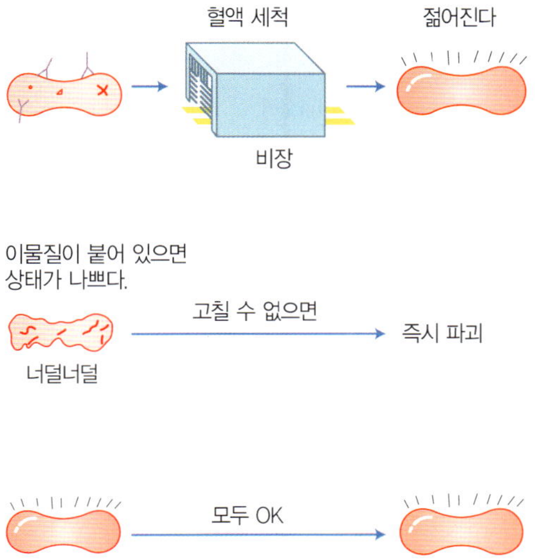

[그림 2-4] 비장과 적혈구

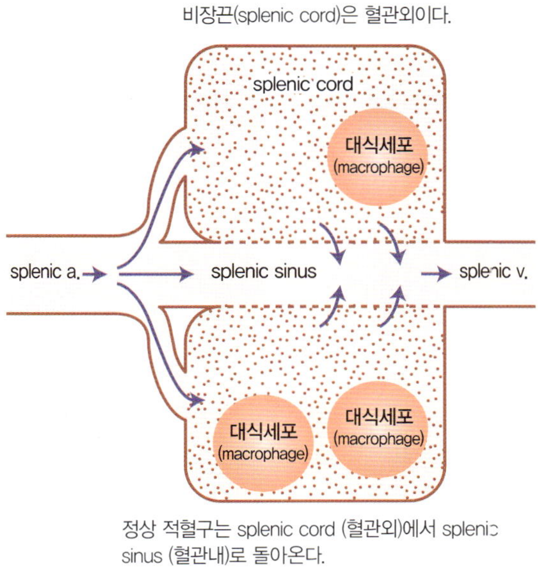

[그림 2-5] 비장에서 적혈구가 파괴된다

2. 비장의 어디에서 파괴되는가?

비장에도 다음과 같은 혈관이 주행하고 있다.

비장동맥(splenic a.) → 세동맥(arteriole) → 비동/비장굴(splenic sinus) → 세정맥(venule) → 비장정맥(splenic v.)

그러나 적혈구는 이러한 혈관 속에서 파괴되지 않는다. 적혈구의 일부는 이 순환계를 벗어나서 비장끈(splenic cord)이라 불리는 그물조직(세망내피계〈RES〉의 일종)으로 들어가 그곳에서 대기하고 있던 대식세포(macrophage)에 붙잡혀 파괴된다(그림 2-5).

3. 용혈 Hemolysis

용혈이란 적혈구막이 파괴되어 혈색소가 혈구 밖으로 누출되는 현상을 말한다.

주의할 것은 '적혈구의 파괴=용혈'은 아니라는 점이다. 정확하게 말하면, 수명을 다하지 못하고 파괴되는 것을 용혈이라고 한다. 따라서 노화적혈구의 생리적인 파괴에는 용혈이라는 말을 사용하지 않는다.

용혈에는 혈관내용혈(intravascular hemolysis)과 혈관외용혈(extravascular hemolysis)의 2가지 형태가 있다. 혈관내용혈이란 이름 그대로 혈관내에서 용혈이 일어나는 것이다. 이에 반해 혈관외용혈이란 앞에서 설명한 비장의 대식세포에 의해 파괴되는 것 등을 말한다.

용혈
- 혈관내용혈 ← 혈관내에서
- 혈관외용혈 ← 비장에서

B 혈색소 Hemoglobin (Hb)

1 혈색소 Hemoglobin 의 구성

산소를 운반하는 것은 적혈구의 역할 중 하나이다.

그리고 그 중심적 역할을 하고 있는 것이 혈색소(hemoglobin〈Hb〉)이다. 혈색소의 생리학적 생화학적인 지식은 병태를 이해하는 데 있어서 중요하다.

우선 혈색소가 무엇으로 구성되어 있는지에 대해 알아보자.

혈색소는 heme과 globin이 결합된 단백질이다(그림 2-6).

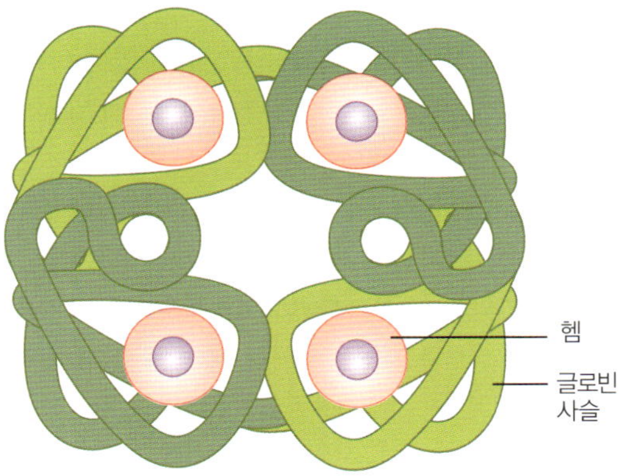

[그림 2-6] 헤모글로빈의 구조

적혈구와 철은 떼레야 뗄 수 없는 관계에 있지만, 이 철을 포함하고 있는 것은 혈색소 속의 heme이라는 부분이다.

- 혈색소(hemoglobin)
  - heme
    - Fe^{2+}(철)
    - protoporphyrin고리
  - globin
    - α chain×2개
    - β chain×2개

2 대변은 왜 황갈색인가?

지저분한 이야기지만, '대변은 왜 황갈색인가?' 하고 의문을 품었던 적은 없는가? 이 의문을 해결하는 것은 혈색소의 대사를 배우는 데 있어서 매우 중요한 요소가 된다.

우선, 위의 질문에 대한 답을 알고 넘어가자.

혈색소의 대사물인 stercobilin이 대변 특유의 색을 형성하기 때문이다.

TIP

혈청 direct hyperbilirubinemia (=direct bilirubin dominant jaundice)

Direct bilirubin은 담즙 속으로 배설되므로, 용혈이 항진되어 있는 상태일지라도(혈관내·혈관외를 불문하고), 혈액 속에서 증가하지 않는다. 그러면 언제 혈청 direct bilirubin이 증가하는 것일까? 그 대표적인 예는 폐쇄황달이다.

담관이 폐쇄되어 있기 때문에 십이지장으로 담즙을 배설하지 못하여, 정체된 담즙이 역류하여 혈액 속으로 유출된다. 이 때문에 direct bilirubin이 혈액 속에 증가하여 황달의 원인이 된다.

폐쇄황달일 때, 소변 urobilinogen(−), urine bilirubin(+)가 되는데 그 이유는 무엇일까?
각각 다음과 같은 이유로 설명할 수 있다.

- 담즙을 배설할 수 없다.
  → 위장관에 direct bilirubin이 없다.
  → urobilinogen으로 변환되지 않는다.
  → 재흡수되지 않는다.
  → 혈류를 타고 신장에 도달하는 urobilinogen 이 없다.
  → 소변 urobilinogen(−)
- 혈중 direct bilirubin 증가
  → direct bilirubin은 사구체를 통과할 수 있다.
  → bilirubinuria(+)

황달 환자의 경우, 소변검사를 하면 그 원인을 어느 정도 알 수 있다.

그러나 더 간단하게 폐쇄황달을 의심해 보는 방법이 있다. 그것은 '대변의 색깔'을 물어 보는 것이다. 만일 대변이 황갈색이 아니고 하얀색이라면 그것은 샘창자로 담즙이 배설되지 않는다는 것을 의미한다.

Ⅲ 적혈구 각론

적혈구계 질환에서는 적혈구의 적고 많음이 문제가 된다. 적으면 빈혈, 많으면 증가증이라고 한다. 질환수로는 빈혈이 압도적으로 많다. 실제의 증례수도 빈혈이 많다. 빈혈을 정복하는 길은 적혈구를 정복하는 길이라고 해도 과언이 아니다. 빈혈을 정복하기 위해서 그리고 이해하기 위해서 노력하기 바란다.

A 빈혈 개요

1 빈혈이란 무엇인가?

빈혈(anemia)이란 질환명이 아니다.

말초혈액 속의 혈색소 농도가 감소된 상태를 가리킨다. 원인이 무엇이든 혈색소 농도가 감소되어 있으면 빈혈이라고 부른다. 일반적으로 세계보건기구(WHO)의 기준에서는 다음과 같이 빈혈을 정의한다.

혈색소농도 ;
남성 13g/dL 미만
여성 12g/dL 미만(임산부 11g/dL 미만)

그런데 적혈구의 가장 중요한 작용은 산소를 운반하는 것이며 그 작용을 주관하는 것이 혈색소라는 것은 이미 설명하였다. 따라서 혈색소가 부족하다는 것은 산소를 운반할 수 없다는 것을 의미한다. 빈혈의 지표로 혈색소 농도를 이용하는 것은 혈색소가 가지고 있는 이러한 산소 운반능력을 중요시하기 때문이다.

빈혈 = 혈색소농도 감소 = 적혈구수 감소

2 빈혈에 나타나는 공통적인 소견

빈혈에서는 어떠한 증상이나 소견이 나타나는 것일까? 혈색소는 산소의 운반을 천직으로 하고 있기 때문에 이것이 저하되면 말초조직으로 산소공급이 부족하게 된다. 자각증상으로는 전신권태감, 현기증, 심계항진, 빈발성 호흡, 이명, 두통 등이 나타나는데, 부정형 신체증후군으로 착각하는 경우도 적지 않다. 타각적 소견으로는 피부 · 점막창백, 빈맥, 심장확대, 부종 등이 있다(표 3-1).

조직의 산소결핍

- **뇌** : 두통, 현기증, 실신발작, 이명
- **심근** : 협심증
- **골격근** : 피로감, 탈진감, 간헐파행

적혈구량의 감소

- **말초혈관 수축** : 안색 불량, 안검결막, 창백

산소결핍 보상

- **호흡수 증가** : 헐떡임
- **심장 박출량, 심박수 증가** : 두근거림, 빠른맥, 심장확대, 경정맥 잡음(venous hum), 수축기 심잡음

[표 3-1] 빈혈에 공통되는 증상

3 빈혈은 왜 나쁜가?

혈색소 농도가 저하됨으로써 산소 공급이 어느 정도 저하되는지 알아보자.

정상에서는 1분 동안 5ℓ의 혈액이 심장에서 전신으로 보내지고, 약 250mL의 산소가 공급된다.

예를 들어, 혈색소 농도가 정상의 1/4로 감소한 상당히 진행된 빈혈인 경우를 생각해 보자. 심박출량에 변화가 없다면 정상적인 경우의 1/4(62mL)밖에 산소를 공급할 수 없다. 이렇게 되면 말초조직이 산소결핍상태에 빠지게 된다. 이러한 산소 부족을 보충하기 위해 심장은 분발하여 심박출량을 증가시키려 한다.

심박출량이 4배가 된다면 문제는 해결되지만, 4배라고 하면 20ℓ/분이기 때문에 이번에는 반대로 심장이 지치게 된다. 따라서 심장은 최대한으로 분발하고 있음에도 불구하고 말초조직이 산소부족에 빠지게 된다. 이러한 상태를 고심박출성 심부전(high output cardiac failure)이라고 한다. 빈혈이 나쁜 이유는 이러한 고심박출성 심부전에 빠지기 때문이다.

4 빈혈은 왜 생기는가?

1. 적혈구의 생산과 파괴의 균형

적혈구는 골수에서 생산되고, 비장에서 주로 파괴된다.

적혈구의 수명은 120일이기 때문에 매일, 전체 순환 적혈구의 1/120이 새로운 적혈구로 교체되는 것이다. 그리고 말초로 보내진 새로운 적혈구와 같은 수의 적혈구가 비장에서 파괴된다. 즉 순환혈액 속의 적혈구수를 일정하게 유지하기 위해서는 생산량=파괴량이 항상 성립되어야 한다. 이 균형이 깨지면 빈혈, 적혈구증가증과 같은 적혈구 질환이 생기는 것이다(**그림 3-1**).

빈혈=적혈구수감소는 생산이 감소되거나 파괴가 증가되거나 생산 < 파괴가 오랫동안 지속됨으로써 발생하는 것이다. 이외에 출혈로 인해 적혈구 그 자체를 상실함으로써 빈혈이 발생하는 경우도 있다(출혈후빈혈).

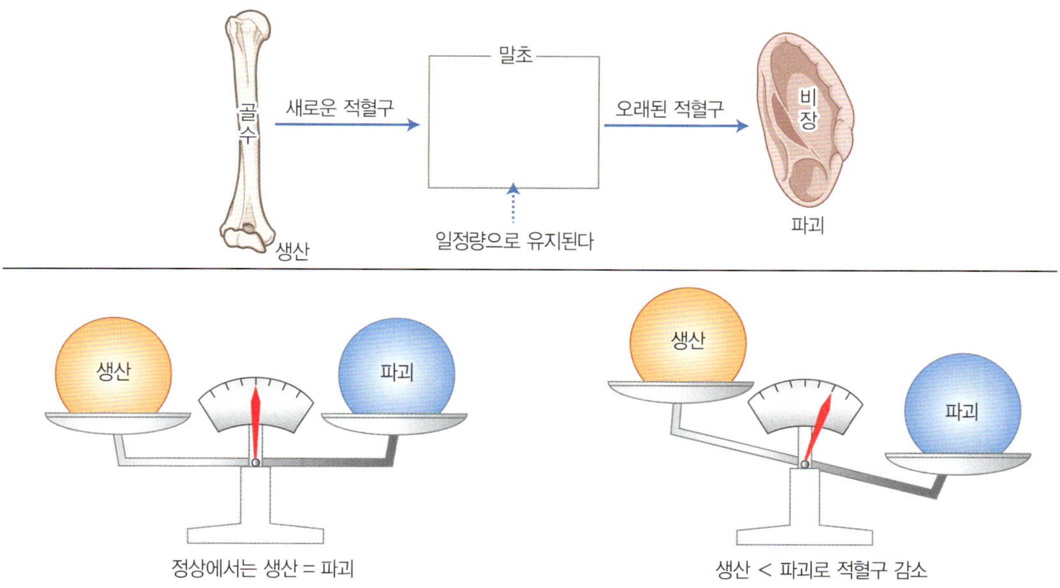

[그림 3-1] 적혈구의 생산과 파괴의 균형

B 빈혈의 형태적 분류

1 철결핍빈혈 Iron deficiency anemia : IDA

소적혈구성저색소성빈혈의 대표적인 IDA는 임상에서 가장 많이 접하는 빈혈이다.

1. 철결핍의 원인

IDA의 2가지 중요한 원인은 ①체내에 들어오는 철이 감소하거나 또는 ②체내에서 밖으로 나가는 철이 증가하는 것이다. 또 정상적으로 일정량이 흡수되고 있어도 체내에서 수요가 증가하는 경우에는 상대적으로 철부족 상태가 되어 버린다. 좀 더 구체적으로 체내의 철이 결핍되는 원인을 살펴보자(표 3-2).

① 철의 섭취부족	
• 과도한 다이어트	• 위, 소장 절제
• 무산증(anacidity)	• 소화불량증후군
② 철의 수요증가	
• 성장기	• 임신
③ 철의 배설증가	
• 생리과다	• 위장관의 출혈(암이나 궤양)
• 구충병(hookworm disease)	

[표 3-2] 철결핍의 원인

1) 몸에 들어오는 철이 감소하는 경우

급격한 다이어트 등으로 인해 철의 섭취량이 감소하는 경우를 생각해 볼 수 있다. 그러나 철의 섭취량이 정상이었다고 하더라도 철의 흡수에 문제가 있어 철이 부족해지는 경우가 있다. 예를 들면, 수술로 위를 절제한 경우와 소장을 절제한 경우이다.

- 위가 없다.
  → 위산이 없다.
  → Fe^{3+}를 유리형으로 바꿀 수 없다.
  → 철을 환원할 수 없다.
  → 흡수할 수 없다.
  (특히 전체위절제술(total gastrectomy) 후에 발생한다. 위부분절제술(subtotal gast-rectomy)에서는 잘 발생하지 않는다)
- 소장을 너무 많이 잘라냈다.
  → 철은 소장(십이지장~공장 상부)에서 흡수되기 때문에 흡수가 불가능해진다.

2) 철의 수요증가

성장기에는 골격근이 빠르게 발달함에 따라, 근육내의 미오글로빈(myoglobin)도 증가한다.

이때 철을 필요로 하기 때문에 철의 수요가 증가된다. 또 임신 중에는 태아에게 철을 빼앗기기 때문에 철이 결핍되기 쉽다.

3) 몸에서 나가는 철이 증가하는 경우

생리과다나 위장 출혈, 구충병도 그 본질은 출혈이다. 구충병에서는 구충이 위장 상피에 달라붙어 그곳에서 출혈이 계속되는 것이다.

출혈 → 적혈구 상실 → 철의 상실

이것이 철의 배설이 증가되는 원리이다.

특히 중년 남성이나 폐경 후의 여성에게서 IDA가 나타나면, 위장관을 포함한 전신에 대해 악성종양의 존재를 의심할 필요가 있다.

2. 병태생리

철에는 저장철, 혈청철, 혈색소 속의 철, 조직철이 있다.

철이 결핍되면 위의 순서대로 결핍이 진행된다(**그림 3-2**).

우선 저장철이 가장 먼저 감소하는데, 저장철만 감소된 상태를 잠재성 철결핍이라고 한다. 이러한 상태일 때에는 혈청 ferritin의 수치가 감소하고, 그것이 저장철 감소의 지표가 된다.

철결핍이 계속 진행되어 저장철이 고갈되면 이번에는 혈청철이 감소된다. 혈청철이란 transferrin과 결합된 철을 말한다. 혈청철은 저장철이 혈색소철로 이행하는데 있어 중간 역할을 하므로 혈청철의 감소가 계속되면 혈색소철이 감소되어 빈혈을 일으키게 된다. 따라서 혈청철의 감소와 혈색소철의 감소는 거의 같은 시기에 시작된다고 할 수 있다.

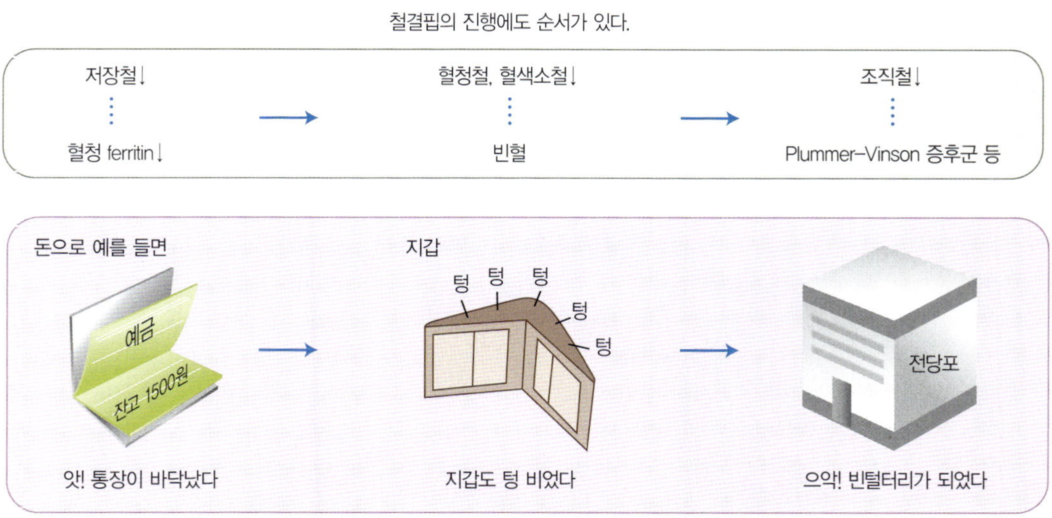

[그림 3-2] 철결핍의 진행

철결핍이 더욱 심해지면 조직철까지도 감소하게 되어 조혈기관 이외의 조직에도 이상이 나타나게 된다.

철결핍의 최종 형태, 즉 조직철 결핍상태에서는, spoon nail(그림 3-3), 설염, 연하장애가 나타난다. 특히 철결핍빈혈에 설염, 구각염, 연하장애가 수반된 것을 Plummer-Vinson 증후군이라고 한다.

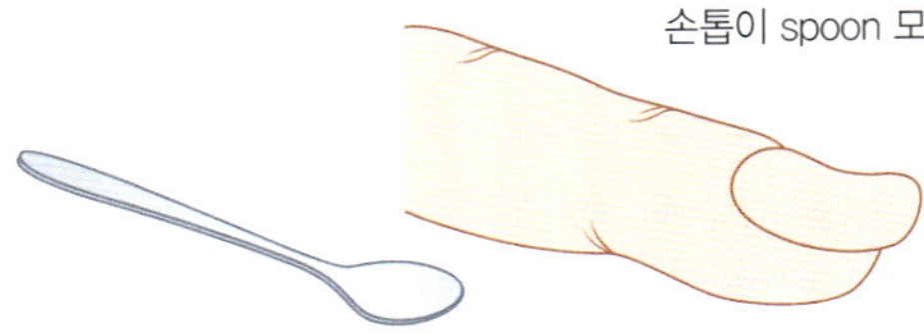

[그림 3-3] Spoon nail

3. 증상

빈혈에 공통된 증상 외에 철결핍에 의한 증상이 특징적으로 나타난다. 철은 세포증식에 필수적인 인자이기 때문에 세포증식능력이 높은 피부나 점막, 손톱에 증상이 먼저 나타난다(표 3-3).

빈혈의 공통 증상	• 두통, 현기증 • 안검결막 창백 • 심계항진/두근거림, 헐떡임, 피로감 등
	+
Plummer-Vinson 증후군	• **설염** 혀 앞 1/3 허유두의 위축, 발적, 통증 • **구각염** • **연하장애**/삼킴곤란 식도점막이 위축해 web이라고 불리는 주름이 형성된다.
위축성 위염	• 때로는 위에도 병변이 있다. • 그러나 위축위염에 의한 철결핍일 가능성도 있다.
이식증	• 식성의 변화로 얼음이나 흙 등을 먹는다.
스푼모양 손톱	

[표 3-3] 빈혈의 증상

ADVANCED STUDY

빈혈의 형태적 분류–철결핍빈혈

검사소견

1) 말초혈액

소적혈구성저색소성빈혈

말초혈액 도말표본에서 편평적혈구(planocyte)

2) 철 대사

① 혈청철 감소

혈청철이 감소한다 = 혈색소에 철 공급이 저하 = 빈혈

② 혈청 ferritin 감소

IDA에서는 저장철이 고갈된다. 그 저장철의 고갈을 반영하는 지표인 혈청 ferritin이 저하된다.

③ TIBC 증가

철이 감소되어 있을 때에는 얼마 안 되는 철이라도 모아서 최대한 운반하려고 하기 때문에 운반책을 늘리려는 반응이 일어나서, transferrin이 대량으로 합성된다.

그럼 이때 UIBC는 어떻게 될까?

TIBC = UIBC + 혈청철

이라는 관계식을 떠올리자. TIBC가 증가하고 혈청철이 감소되기 때문에 UIBC가 증가한다.

④ $PIDT_{1/2}$ 단축

철이 결핍되어 있는 상태에서 철을 투여하면 마치 모래밭에 물을 뿌린 것처럼 혈중에서 골수로 스며들어간다. 따라서 $PIDT_{1/2}$은 단축된다.

⑤ % RCU 증가

철이 결핍되어 있는 상태에서는 투여한 철의 거의 대부분이 혈색소 합성에 사용되기 때문에 % RCU는 100%에 가까운 수치가 된다.

⑥ 적혈구 중 free protoporphyrin 증가

Heme 합성의 마지막 단계에서 protoporphyrin은 철과 결합하여 heme이 된다. 그러나 철이 결핍되어 있기 때문에, heme이 되어야 할 protoporphyrin이 적혈구 속에서 할 일이 없어지게 된다. 그 상태를 적혈구 중 free protoporphyrin 증가라고 생각하면 될 것이다.

3) 골수생검

IDA만으로 골수검사를 실시하는 경우는 거의 없다.

① 적혈모구의 과형성

빈혈로 인해 혈청 EPO(erythropoietin) 수치가 상승함으로써 적혈모구가 증식한다.

요리에 비유하자면, 적혈모구는 혈색소라는 음식을 담는 접시에 불과하다. 아무리 접시 수가 많아져도 철이라는 재료가 부족하기 때문에 음식을 만들 수가 없어 접시만 남아도는 상태이다.

② 철적혈모구의 감소

철결핍빈혈에서는 철이 없기 때문에 적혈모구가 흡수할 철도 감소하여 철적혈모구가 감소하게 된다.

4. 치료

철을 보급해야 하는 경우가 많지만 우선 철이 결핍된 원인을 검사하고, 그 원인에 대한 치료(원인의 제거)를 해야 한다. 또 빈혈 치료로서 수혈을 실시하는 경우가 있는데, 철결핍빈혈에서는 원인이 철결핍일 경우에는 수혈을 하지 않는다.

따라서 다음의 2가지가 치료의 기본이다.

① 원인의 제거

② 경구 철분제제 투여

철이 결핍되는 데에도 순서가 있는 것처럼, 철이 보급될 때에도 순서가 있다. 조직철 → 혈색소철 → 혈청철 → 저장철의 순서로 회복되어 간다(결핍과 반대). 우선은 빌린 돈을 갚는 것이 먼저이고, 다 갚은 후 여유가 생기면 저축을 늘리는 것이 순서이다. 빌린 돈을 갚지도 못했으면서 저축부터 늘리는 것은 말이 안 된다. 일반적으로 철분제제 투여로부터 약 1주일이 지나면 망상적혈구/그물적혈구가 증가하고 이어서 혈색소가 증가한다. 혈색소 수치가 정상화된 후에도, 고갈된 저장철을 보충하기 위해서는 다시 3~6개월 동안 철분제제 투여를 계속해야 한다. 원인이 제거되고 저장철이 회복되어야 비로소 치료가 종료되었다고 할 수 있다.

2 철적혈모구빈혈 Sideroblastic anemia

그 이름만 보아도 철적혈모구가 크게 관여하고 있다는 느낌이 든다. 왜 이런 명칭이 붙었는지 이해할 수 있다면, 병태생리를 상당히 이해했다고 할 수 있다.

1. 분류

선천적인 것과 후천적인 것의 2가지로 크게 분류되는데, 대부분은 후천적인 요인으로 발생한다(**표 3-4**).

후천성 이차성인 것 중, 알코올은 꼭 기억하자. 알코올은 pyridoxine(비타민 B_6)을 그 활성형인 pyridoxal phosphate로 변환시키는 반응에 지장을 주는 것으로 생각된다.

또 선천적, 후천적이라는 분류가 아닌, pyridoxine(비타민 B_6)에 반응하는지의 여부로 분류하는 경우도 있다.

후천성	1. 특발성 골수형성이상증후군(MDS)의 한 증상 2. 이차성 ① 약인성(isoniazid, 알코올, cycloserine 등) ② 다른 양성질환을 수반하는 것 (만성감염증, RA 등) ③ 납중독에 의한 것 ④ 악성 질환을 수반하는 것 (백혈병, 암, MF 〈myelofibrosis〉 등)
선천성	δ-ALA 합성효소의 활성 저하

[표 3-4] 철적혈모구빈혈의 분류

참고로 '반응한다'는 것은 '치료효과가 있다'와 같은 의미이다. 혼동하지 말아야 할 점은 '반응한다'의 의미가 'pyridoxine이 부족하다, 부족하지 않다'는 개념이 아니라는 점이다. 즉 pyridoxine 부족에 대해 pyridoxine을 보충하더라도 모든 예에서 증상의 개선이 나타나는 것은 아니다.

2. 병태생리

이 병의 본체는 heme의 합성장애에 수반되는 철의 이용장애이다. 조혈을 요리에 비유하자면, '요리사가 서투르다'에 해당된다.

혈색소(Hb) = heme + globin이고, heme = protoporphyrin + iron이라는 것은 설명하였다. protoporphyrin에 철이 끼워져서 heme이 완성되는 것인데, 철적혈모구빈혈에서는 이 철이 잘 끼워지지 않아 다음과 같은 현상이 일어난다.

Heme의 합성↓
→ 함유 혈색소량↓
→ 저색소성의 적혈구 출현

3. 증상

만성빈혈의 증상을 나타낸다. 치료와 관련된 증상인데 수혈을 반복함으로써 이차성 혈색소 침착증(secondary hemochromatosis)의 증상을 나타내는 경우도 있다. Hemochromatosis의 증상에는 유명한 세징후(Triad)가 있으니 기억해 두자.

① 철이 간에 침착한다 → 간질환, 간경변
② 철이 이자에 침착된다 → 당뇨병(이자의 β-cell 파괴로 인슐린 분비저하 때문)
③ 철이 피부에 침착한다 → 피부의 색소침착

4. 검사소견

1) 말초혈액

- 저색소성빈혈 또는 2상성 빈혈

Heme의 합성장애가 있기 때문에 혈색소 함유량도 줄어든다. 혈색소 함유량이 줄면 저색소성을 나타내지만, 모두 저색소성이 되는 것이 아니고 그중에는 정상 적혈구가 혼재되는 경우도 있다.

2상성(2형태, dimorphic)이란, 저색소성과 정색소성이 혼재되어 있는 것이다.

일반적으로는 소적혈구성저색소성빈혈로 분류된다.

2) 철대사

철적혈모구빈혈은 소적혈구성빈혈인 IDA, 만성염증에 수반되는 빈혈과의 감별이 중요하다. 철대사와 다음 항목의 골수검사에서 이들과의 감별이 가능하다.

① 혈청철 증가

철을 사용하지 않기 때문에 철이 남아도는 상태이다. 따라서 혈청철에도 영향을 주어 혈청철이 증가한다. TIBC는 정상 또는 감소되기 때문에, UIBC가 심하게 감소하게 된다. 혈청철/TIBC를 철포화도라고 하는데, 철적혈모구빈혈에서는 철포화도가 상승하는 것이 특징이다(표 3-5).

	IDA	철적혈모구빈혈	만성염증
혈청철	↓	↑	↓
TIBC	↑	→ or ↓	↓

[표 3-5] 말초의 철에 주목한 소적혈구성 빈혈의 감별

② PIDT1/2 단축과 % RCU 감소

빈혈에 대한 보상으로 골수가 분발하게 된다. 그러나 아무리 분발해도 미토콘드리아에 철이 축적될 뿐이다. 중요한 혈색소를 생산하지 못하는 적혈모구는 더 이상 성숙되지 못하고 골수에서 대식세포에 의해 파괴된다. 이와 같은 상태를 무효조혈이라고 한다. 무효조혈의 유형에는 PIDT1/2 단축과 % RCU 감소가 있다고 하였다.

철적혈모구빈혈에서는,
빈혈의 보상
→ 적혈모구의 과형성
→ 그것에 동반되는 철이 적혈모구로 차례차례 보내진다.
→ PIDT1/2 단축

그런데,
철을 이용할 수 없다.
→ 철을 함유한 적혈모구가 파괴된다.
→ 적혈구가 말초에서 나타나지 않는다.
→ % RCU 감소

가 일어난다.

3) 골수소견

① 적혈구계 세포의 과형성

빈혈을 보상하려고 적혈구계가 증가한다.

② **고리철적혈모구의 출현(>10%)**

골수의 철염색으로 대식세포 중의 저장철이 증가한다는 것도 밝혀졌다. **표 3-6**을 참고하면서 배운 내용을 정리하자.

	IDA	철적혈모구빈혈	만성염증
철적혈모구	↓	↑(고리철적혈모구)	↓
대식세포 속의 저장철	↓	↑	↑

[표 3-6] 골수철에 주목한 소적혈구성빈혈의 감별

5. 치료

Pyridoxine(비타민 B_6)에 반응하는 경우에는 pyridoxine을 투여한다. Pyridoxine이 효과가 없는 경우에는 수혈을 한다. 수혈에 의한 철의 부하로 혈색소침착증이 되는 경우가 있다. 이것을 방지하기 위해 철의 chelating agent인 desferrioxamin 등을 투여하여 체내의 철을 제거하는 것이 중요하다.

3 거대적혈모구빈혈 Megaloblastic anemia

조혈을 요리에 비유했을 때 거대적혈모구빈혈은 '조미료가 없는 상태'라고 하였다. 좀 더 구체적으로 표현하면, '조미료(비타민 B_{12} · folic acid)가 없기 때문에 맛있는 요리(적혈모구가 완전히 성숙하는 것)를 만들 수 없다'는 의미이다.

이 빈혈은 그 명칭이 나타내는 것처럼 골수 속에 거대한 적혈구계가 존재한다. 원인과 관계없이 골수 속에 거대한 적혈구계를 볼 수 있는 빈혈을 거대적혈모구빈혈이라고 한다.

1. 병태생리 (그림 3-4)

이 병은 본래, DNA 합성장애에 기초한 핵의 성숙장애이다.

비타민 B_{12}나 엽산(folic acid)은 DNA 합성에 필요한 인자이고, 이것들의 결핍으로 인해 DNA 합성장애가 일어난다.

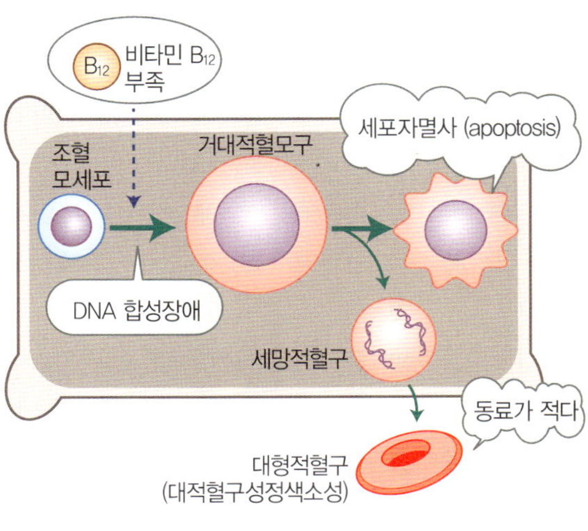

[그림 3-4] 거대적혈모구빈혈의 병태생리

2. 원인 및 발생기전

앞에서도 설명한 것처럼, 비타민 B_{12}와 엽산은 DNA 합성에 있어서 필요한 인자이다.

우선, 이 2가지의 생리적인 작용에 관해 살펴보자.

1) DNA 합성에서의 비타민 B_{12}와 엽산의 역할

먼저 **그림 3-5**를 보자. 비타민 B_{12}와 엽산은 DNA의 4가지 염기 중, thymine의 합성에 깊이 관여하고 있다. 이들 물질이 결핍되면 DNA 합성에 장애를 초래한다.

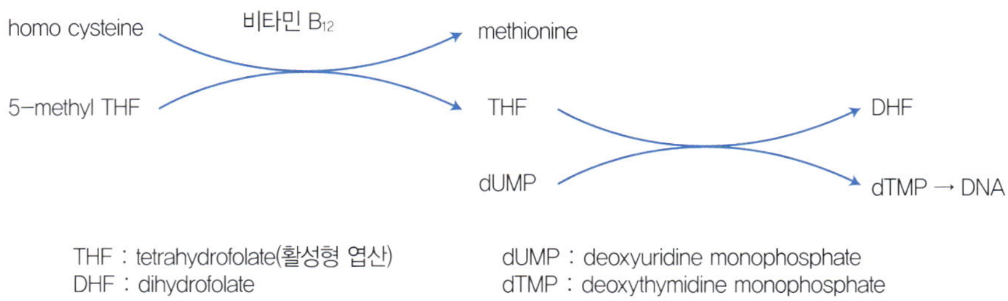

[그림 3-5] DNA 합성에서의 비타민 B_{12}와 엽산의 역할

2) 비타민 B_{12}의 기타 작용 (그림 3-6)

'비타민 B_{12} 결핍 시에 valine이 부하되면, 요중 methylmalonate가 증가한다'는 것을 기억해 두자.

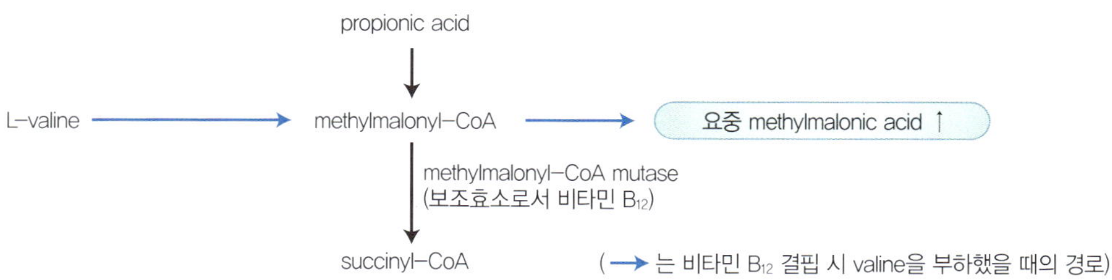

[그림 3-6] 비타민 B_{12}의 기타 작용

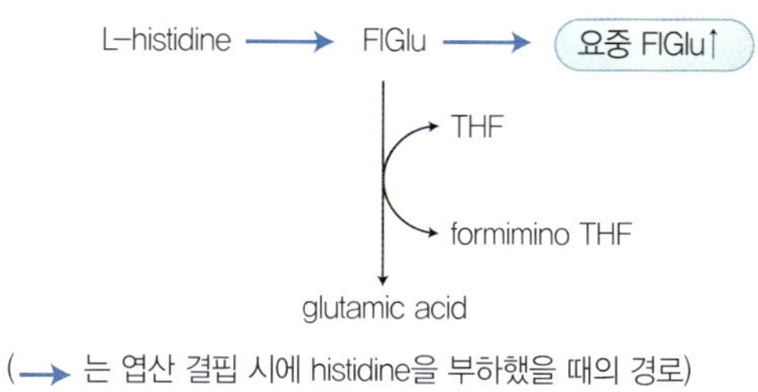

[그림 3-7] 엽산의 기타 작용

3) 엽산의 기타 작용 (그림 3-7)

엽산이 결핍되었을 때 histidine을 부하하면, 요중 FIGlu(formimino glutamic acid)가 증가한다.

4) 비타민 B_{12} 결핍의 원인

① 섭취부족

극단적인 채식주의자는 동물성 식품을 먹지 않기 때문에 비타민 B_{12}가 결핍된다.

III

② 흡수장애

a. 내인자(IF : intrinic factor) 결핍

악성빈혈과 위 절제 후의 환자에게서 발생한다. 내인자는 위점막의 벽세포(parietal cell)에 의해 만들어지는 단백질이기 때문에, 위가 없는 환자에게서는 당연히 IF 결핍이 일어난다.

b. 회장(돌창자 : ileum) 이상

비타민 B_{12}는 회장에서 흡수되기 때문에 회장을 절제한 환자에서는 비타민 B_{12}의 흡수장애가 일어난다. 또 회장에 염증이 있거나 소화불량이 있는 경우에도 흡수장애를 일으킨다.

c. 경합(장내세균의 증식에 의한)

경합이라는 것은 생체에서 비타민 B_{12}를 흡수하기 전에, 장내 세균 등 다른 생물이 비타민 B_{12}를 빼앗아가 버리는 경우를 말한다.

5) 엽산결핍의 원인

엽산은 비타민 B_{12}와 같은 복잡한 흡수체계를 필요로 하지 않는다.
알코올이 엽산의 섭취장애를 일으킨다는 것만 기억해 두면 충분하다.

3. 치료

부족한 것을 보충한다는 원칙에 따라 비타민 B_{12} · 엽산을 투여한다.

1) 비타민 B_{12} 결핍에 대한 치료

비타민 B_{12}를 피하 혹은 근육주사한다.
경구투여는 하지 않는다.

2) 엽산(folic acid) 결핍에 대한 치료

엽산을 경구투여한다. 엽산의 흡수과정은 간단하기 때문에 투여방법도 극히 간단하다.

4 재생불량빈혈 Aplastic anemia

이 빈혈도 요리에 비유해 보면, '주방이 없다'고 표현할 수 있다. 솜씨 좋은 요리사가 있고 신선한 재료가 있는데도 불구하고, 주방이 없기 때문에 조리할 수 없는 상태이다. 즉 조혈줄기세포 자체에 장애가 있거나, 또는 줄기세포의 성숙 장소인 골수의 지지조직에 장애가 있기 때문에, 줄기세포 단계에서 조혈이 멈춘 것이다.

1. 분류 및 원인물질

재생불량빈혈에는 일차성(특발성)과 이차성(속발성)이 있다(**그림 3-8**). 이차성의 원인으로서는 각종 화학물질과 의약품 · 방사선 · 바이러스 등을 들 수 있다.

- 일차성(특발성)
  - 선천성(Fanconi's anemia)
  - 후천성
- 이차성(속발성)
  - 약제(항암제, benzol, chloramphenicol)
  - 방사선
  - 간염바이러스
  - 기타(최근의 백발염색제에 주목)

[그림 3-8] 재생불량빈혈의 분류

일차성은 원인이 분명하지 않은 것이며, 여기에는 선천적인 것과 후천적인 것이 있다. 좁은 의미의 재생불량빈혈은 일차성 후천성인 것을 가리키지만, 임상적으로 자주 나타나는 것은 약제에 의한 이차성이다.

재생불량빈혈을 일으키는 약제에는 보통량을 사용할 때 대부분 발생하는 것과 극히 드물게 발생하는 것이 있다. 전자에 속하는 것에는 대부분의 항암제와 benzol이 있다. 후자에 속하는 것으로는 chloram-phenicol이 유명하다.

암과 백혈병 등의 악성종양에서는 재생불량빈혈을 일으킬 것을 각오하고 항암제를 사용한다. 실로 '양날의 칼'이라고 할 수 있다.

선천성인 것 중 Fanconi's anemia는 유명하므로 이름 정도는 기억해 두자. 참고로 간단하게 설명하면, 5~10세에서 발병하고, **범혈구감소증(pancytopenia)**, **피부색소 침착**, **혈청요산값 저하**, **기형(Radius와 thumb가 전혀 없음)**, **저신장**, **성기발육 부전**, **가족성 발병**을 특징으로 하며, 염색체 이상이 많고, 백혈병의 발생빈도가 높은 선천성 질환이다.

2. 병태생리

재생불량빈혈의 병인론에는 줄기세포설(줄기세포〈stem cell〉가 나쁘다)과 환경설(골수지지조직이 나쁘다)이 있다.

이 논쟁은 아직 결론이 나지 않았는데, 최근에는 다시 면역이상설이 주목을 받고 있다. 그러나 다음의 내용만 파악해 두면 충분하다.

골수계 줄기세포의 수준에서 골수조혈 기능이 저하되고, 그 결과 골수저형성과 범혈구감소증(pancytopenia)이 발생한다. 골수계 줄기세포에서 이상이 발생하기 때문에, 그 영향은 적혈구계뿐만 아니라 과립구계에까지 미쳐 범혈구감소증(pancytopenia)이 발생하는 것이다.

3. 증상

범혈구 감소를 반영한 증상이라고 할 수 있다.

① **빈혈증상 :** 적혈구 감소가 원인
② **감염성 증가 :** 백혈구 감소가 원인
③ **출혈경향 :** 혈소판 감소가 원인

4. 감별진단

재생불량빈혈은 범혈구감소증을 동반하고 저세포성 골수(hypocellular bone marrow) 소견을 보이며 말초혈액도말에서는 범혈구 감소증 이외에는 정상소견을 보인다. 또한 간, 비장, 림프절비대도 동반되지 않으므로 만약 이들의 비대가 보일 경우 골수증식 질환이나 백혈병을 시사한다고 볼 수 있다.

5. 치료

1) 중증 재생불량빈혈

① 동종조혈모세포이식(40세 이하, 단 최근에는 미니 이식의 등장으로 HLA적합 제공자〈donor〉가 있는 경우에는 60세 전후에서도 조혈모세포이식을 하는 경우가 있다) 또는 ② 면역억제요법(40세 이상)이 치료의 제1선택이다.

2) 중등도 재생불량빈혈

면역억제요법이 치료의 제1선택이 된다. 수혈을 필요로 하는 중등도 재생불량빈혈에서는 ATG 또는 ALG를 사용한 면역억제요법을 실시한다.

3) 경증 재생불량빈혈

경과관찰, 또는 단백동화 호르몬요법을 실시한다. 단백동화호르몬을 사용하는 이유는 남성호르몬을 투여받는 유방암 환자와 Cushing 증후군 환자에게서 적혈구 증가가 나타나기 때문에 빈혈을 개선하기 위해서이다.

4) 기타

지지요법으로 수혈을 실시하는데, 빈혈이나 치명적인 감염증·출혈에 대하여 부족한 것을 보충할 목적으로 실시한다. 원칙적으로 수혈은 최소한의 양으로 제한한다.

5 순적혈구무형성증 Pure red cell aplasia : PRCA

순적혈구무형성증이란 적혈모구나 그 전구세포가 장애를 받음으로써 빈혈을 초래하는 질환으로, 말초혈액에서의 망상적혈구의 감소나 골수에서의 적혈모구감소증을 초래하는 빈혈을 나타낸다. 백혈구, 혈소판계에는 이상이 나타나지 않는다.

재생불량빈혈의 적혈구판이라고 생각하면 된다. 재생불량빈혈이 3혈구계통(적혈구, 과립구, 혈소판)의 질환이었던 것에 비해, PRCA는 적혈모구계에서만 이상이 나타난다.

1. 분류

선천성과 후천성으로 분류되고, 후천성은 다시 급성과 만성으로 분류된다(**그림 3-9**).

PRCA에서는 기억해야 할 것이 많지 않지만, PRCA와 관련된 「Diamond-Blackfan증후군」과 「흉선종(thymoma)」, 2가지만은 알아두자.

- 선천성-Diamond-Blackfan 증후군
- 후천성
  - 급성
    - ① 용혈빈혈에 동반
    - ② 바이러스감염에 의해 발생
    - ③ 약제에 의해 발생
    - ④ 결합조직질환에 의해 발생
  - 만성
    - 흉선종(+)
    - 흉선종(–)

[그림 3-9] PRCA의 분류

1) Diamond-Blackfan 증후군

환자의 T림프구로 인해 적혈구계 전구세포가 억제되는 것이 원인이다. 유아기에 발병하여 서서히 진행된다. 빈혈에 간비장비대를 수반하며, 또한 가벼운 기형(triphalangeal thumb가 동반됨)을 합병하는 경우가 있다. 단 흉선종은 수반하지 않는다.

2) 흉선종(가슴샘종 : thymoma)

만성형 PRCA의 30~50% 전후에서 흉선종이 나타난다. 그중 20~30%는 흉선종을 절제함으로써 PRCA가 치유된다. 흉선종이 나타나는 질환을 3가지 알아두자.

TIP

흉선종이 나타나는 질환

- 중증 근무력증(myasthenia gravis)
- PRCA
- 무감마글로불린혈증(Agammaglobulinemia)~저감마글로불린혈증(hypogammaglobulinemia

2. 증상

빈혈의 일반증상과 합병되는 질환의 증상이 나타난다.

3. 검사소견

재생불량빈혈의 검사소견을 상기해 보자. 즉, 'PRCA의 검사소견=재생불량빈혈의 적혈구에 관계된 검사소견'이다.

1) 말초혈액

① 정적혈구성정색소성빈혈
② 망상적혈구 수 감소

2) 철 대사

① 혈청 iron 증가
② TIBC에는 변화 없음
③ UIBC 감소
④ 혈청 ferritin 증가
⑤ PIDT1/2 연장
⑥ % RCU 감소

3) 골수검사

적혈구계만 저형성~무형성

4) 기타

혈 · 요중 EPO 증가

4. 치료

흉선종이 동반되면 절제한다. 원인을 알고 있는 것은 원인을 제거(약제 등)하고 원질환을 치료한다.

자가면역기전에 관여하는 만성 PRCA에는 cyclosporine을 투여함으로써 예후가 뚜렷하게 개선되었다는 보고가 있다. 부신피질스테로이드는 면역억제제로서 투여되는 경우가 있는데 cyclosporine 만큼의 효과는 없다.

6 용혈빈혈 Hemolytic anemia

용혈빈혈은 적혈구가 어디에서 파괴되는가에 따라, 혈관내용혈과 혈관외용혈로 분류된다. 혈관내용혈이란 무엇이며, 혈관외용혈이란 무엇인가? 이 두 가지의 공통적인 소견은 무엇이며, 혈관내용혈에만 보이는 소견은 무엇인가에 대해서 복습해 보자. 핵심 요점만 정리하면 다음과 같다.

용혈빈혈에서는 적혈구 파괴에 동반되는 다양한 소견이 나타난다. 혈관내용혈과 혈관외용혈 소견은 공통되는 점이 많지만, 헤모글로빈뇨, 헤모시데린뇨는 혈관내용혈에 특유한 증상이다. 혈관내용혈에서는 혈관내에서 적혈구가 파괴되어, 혈액 속으로 대량의 헤모글로빈이 방출된다. 헤모글로빈은 합토글로빈과 결합하여 간으로 옮겨지지만, 결합하지 못한 헤모글로빈은 신장에서 여과된다. 혈관외용혈에서는 비장에서 적혈구가 대량으로 파괴되어 헤모글로빈의 대사산물인 간접빌리루빈이 증가한다. 비장에서는 적혈구의 처리가 항진되기 때문에 비장비대가 나타난다.

1) 혈관외용혈이 발생하는 질환

- 자가면역용혈빈혈(autoimmune hemolytic anemia〈warm〉)
- 유전구형적혈구증
- PK 결핍증
- 지중해빈혈증

2) 혈관내용혈이 발생하는 질환

- 적혈구파괴증후군(DIC, TTP, HUS, 인공판막)
- G-6-PD 결핍증
- 발작한랭혈색소뇨증(PCH)
- 발작야간혈색소뇨증(PNH)
- 행군혈색소뇨증
- 화상

3) 혈관내용혈과 혈관외용혈 모두에서 나타나는 소견

- 혈중 indirect bilirubin 증가
- 혈중 direct bilirubin은 증가하지 않는다
- LDH1,2 증가
- Haptoglobin 감소
- 요중 bilirubin(−)
- 요중 urobilinogen 증가

4) 혈관내용혈에서만 나타나는 소견

- Hemoglobinuria
- Hemosiderinuria

3) 외에도 hemolytic anemia 전반에서 나타나는 소견을 보면 다음과 같다.

① 정적혈구성정색소성빈혈

기본적으로 용혈빈혈은 정적혈구성정색소성빈혈이다. 예외로는 지중해빈혈증이 소적혈구성저색소성빈혈인 경우이다.

② 골수의 적혈구 과형성

용혈에 의한 적혈구의 손실을 보상하는 것은 골수이다. 골수의 적혈구 과형성은 그 결과일 뿐이다.

③ 망상적혈구 증가

조혈이 활발하게 이루어지고 있는 것을 나타낸다.

④ PIDT1/2 단축

골수에서 철의 수요가 높아지고 있기 때문에 철이 혈중에서 빠르게 소실된다. 적혈모구가 혈색소 재료인 철을 필요로 하고 있기 때문이다.

⑤ % RCU 저하

적혈구계가 과형성되고 철을 계속 흡수하여 망상적혈구가 증가하지만 적혈구는 바로 파괴되어 버린다. % RCU의 저하는 철을 이용하지 못하는 것을 의미하는 것이 아니라 적혈구의 수명이 짧다는 것을 의미한다. 용혈빈혈 전반에 공통된 소견을 파악한 뒤에, 각 질환에서 특징적인 병태생리와 검사에 대해서 공부하자.

병태생리에 관해서는 용혈빈혈을 원인으로 분류하면 이해하기 쉬울 것이다(**그림 3-10**).

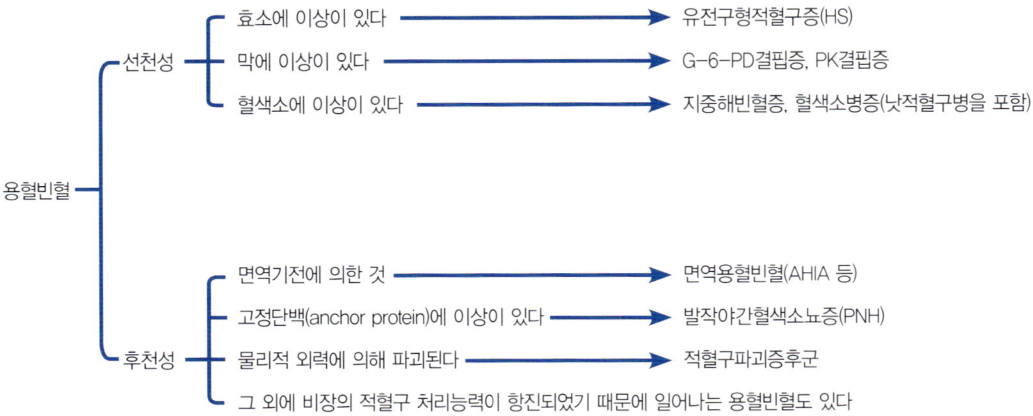

[그림 3-10] 용혈빈혈의 원인에 의한 분류

1. 자가면역용혈빈혈 Autoimmune hemolytic anemia : AIHA

후천성으로 발생하는 용혈빈혈 중에서 가장 많은 질환이다. Coombs 검사는 꼭 기억해 두자.

1) 분류

자신의 적혈구에 대한 자가항체에 의해 적혈구가 용혈되는데, 자가항체의 최적온도(optimal temperature ; 항체와 적혈구가 가장 잘 결합하는 온도)에 의해, 온난과 저온으로 분류된다.

온난은 좁은 의미의 AIHA로, 보통 AIHA라고 하면 온난성을 말한다. 저온성은 다시 발작한랭혈색소뇨증과 한랭응집소병의 2가지로 분류된다(표 3-7).

	항체의 최적온도	질환	항체	기저질환	용혈
온식	37℃	온식 AIHA	IgG	• 특발성 • 속발성 · 전신홍반루푸스(SLE) · 만성 림프성 백혈병(CLL) · 악성 림프종 등	혈관외 용혈
냉식	0~4℃	한랭응집소증	IgM	• 특발성 • 속발성 · 마이코플라즈마폐렴 · 전염성 단핵구증 · 악성 림프종 등	혈관내 + 혈관외 용혈
		발작한랭혈색소뇨증	D-L 항체	• 특발성 • 속발성 · 매독 등	혈관내 용혈

[표 3-7] AIHA의 분류

2) 병태생리

① 온난성자가면역용혈빈혈(warm AIHA)

자가항체는 IgG이고, 활성 최적온도는 37℃(체온)이다. 자가항체가 결합한 적혈구는, 비장, 간, 골수 속의 대식세포에게 탐식된다. 앞에서 비장은 filter 겸 정비공장이라는 말을 했는데, 자가항체가 붙은 적혈구는 비장에서 붙잡혀, 그 자리에서 탐식(scrap)되거나, 정비(자가항체를 부분탐식)를 받고 되돌려 보내진다.

적혈구가 비장에서 파괴되기 때문에, warm AIHA는 혈관외용혈이라는 것을 알 수 있을 것이다.

Warm AIHA에는 특발성(원인불명)과 속발성이 있는데, 속발성의 원인으로서, SLE, 림프종이 유명하다. 특히 Evans 증후군(AIHA+ITP)은 SLE의 일부증상으로 발생하는 일이 많고, 자주 나오므로 기억해 두자.

② 발작한랭혈색소뇨증(paroxysmal cold hemoglobinuria : PCH)

명칭 그대로, 추운 곳에 가면 혈색소뇨가 나오는 질환이다. 혈색소뇨가 나오기 때문에, 이 질환에서는 혈관내용혈이 일어난다.

PCH인 환자의 혈액중에는 Donath-Landsteiner Ab(D-L 항체)라는 활성 최적온도가 0~4℃(저온)인 IgG가 존재하고 있다. 이 항체가 적혈구와 결합할 때 보체도 결합한다. 저온에서는 보체반응이 진행되지 않지만, 온도가 다시 상승하면 고전적 경로(classical pathway)에 의한 보체활성화가 일어나서, 적혈구막이 파괴되어 혈관내용혈에 이르는 것이다.

이 질환에도 특발성과 속발성이 있는데, 속발성의 원인으로서 이전에는 매독이 유명하였다. 오늘날에는 바이러스 감염(홍역, 수두, 전염성 단핵구증 등)에 동반되는 경우가 많아지고 있다.

③ 한랭응집소병(cold agglutinin disease : CAD)

PCH와 달리, 적혈구에 결합하는 자가항체는 IgM이다. 저온에서 이 IgM이 적혈구에 결합할 때 보체도 결합한다.

단기간에 많은 보체가 결합하면 혈관내용혈이 일어나고 온도가 상승하여 IgM이 분리되어, 보체만 결합된 적혈구가 대식세포에게 탐식당하여 혈관외용혈을 일으킨다.

이 질환에서만은 혈관외 또는 혈관내라는 것이 크게 중요하지 않으며, IgM에 의해 적혈구가 응집되고, 그 응집된 덩어리가 소혈관을 폐쇄시키는 경우가 있다는 것을 알아 두자. 그러므로 CAD의 핵심은 용혈과 응집이다.

이 질환에도 특발성과 속발성 2가지가 있다. 속발성의 원인으로서, IgM이 상승하는 질환을 기억해 두자.

속발성의 원인 = IgM이 상승하는 질환

- Mycoplasma 폐렴
- 전염성단핵구증(infectious monocucleosis)
- 림프종

④ 정리

병태생리 항목에서 여러 가지를 열거했지만, 다음 3가지를 기억해 두면 유용하게 쓰일 것이다.

- 자가항체는 IgG인가 IgM인가?
- 어떤 질환에 속발하는 경우가 많은가?
- 혈관내용혈인가 혈관외용혈인가? (그림 3-11)

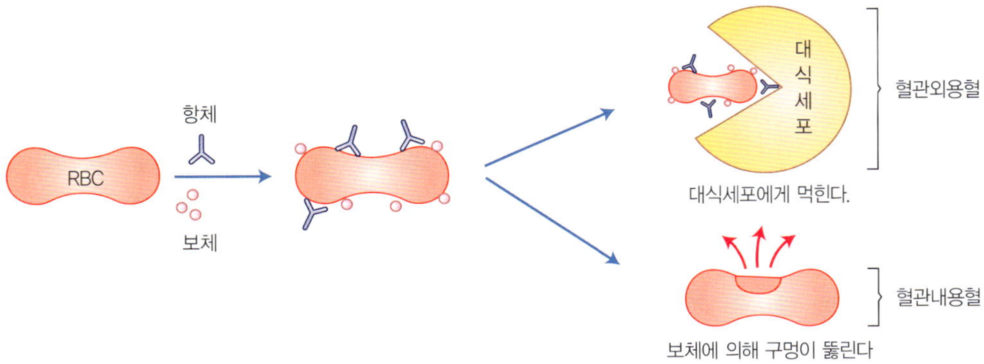

[그림 3-11] 용혈의 기전

3) 검사…Coombs 검사

혈액 속에 적혈구의 자가항체가 있는지의 여부를 조사하는 검사이다. Coombs 검사가 양성이라면, 「자가항체가 있다 → AIHA 환자이다」라는 것을 알 수 있다.

Coombs 검사에서는 direct Coombs 검사와 indirect Coombs 검사의 2가지가 있다. **적혈구와 결합한 자가항체의 유무를 검사하는 것을 direct Coombs 검사라고 한다. 한편 적혈구에 결합하지 않고 혈액 속에 떠 있는 자가항체의 유무를 검사하는 것을 indirect Coombs 검사라고 한다.**

검사결과에서 한 가지 주의해야 할 것이 있다. Coombs 검사에서는 적혈구 1개당 200개 이상의 항체가 결합하지 않으면 양성이 되지 않기 때문에, Coombs 검사가 음성인 AIHA도 있다는 것이다.

4) 치료

① Warm AIHA

부신피질스테로이드제가 제1선택이다. 비장비대가 현저하고 비장에서의 용혈이 분명한 경우에는 비장을 절제한다.

② PCH

추운 곳에 가지 않으면 항체가 결합하지 않기 때문에, 한랭을 피하는 대증요법이 중심이 된다. 부신피질스테로이드제는 효과가 없다.

③ CAD

이것도 한랭을 피하는 대증요법이 중심이 된다. 비장 절제술이나 부신피질스테로이드제는 효과가 없다.

2. 유전구형적혈구증 Hereditary spherocytosis : HS

선천성용혈빈혈 중에서 가장 많으며, AIHA를 포함하면 용혈빈혈의 약 60%를 차지한다.

유전구형적혈구증(HS)은 선천성이므로 태어났을 때부터 존재하지만, 증상이 가벼운 경우도 많고, 나이가 들어 처음 발견되는 경우도 많다.

용혈빈혈(혈관외용혈)의 증상으로는 빈혈, 황달, 비장비대, 담석이 나타난다.

상염색체 우성유전되는 경우가 많으므로 가족력을 확인하는 것이 중요하다.

1) 병태생리

선천적으로 적혈구막을 뒷받침하는 골격단백에 이상이 있기 때문에, 한가운데가 움푹 들어간 원판상의 형태를 유지할 수 없게 되어 둥근 모양이 된다. HS의 적혈구 도말표본 소견은 중요하다. 한가운데 부분도 핑크색으로 물들어 있다면 일단 HS를 의심하자 (그림 3-12).

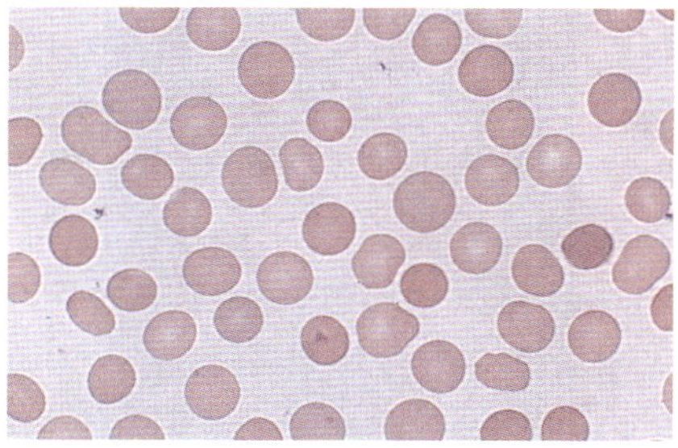

[그림 3-12] 구형적혈구 (유전구형적혈구증, 25세 여성)

형태가 둥근 모양으로 되는 것뿐이라면 그다지 문제될 것이 없지만, 골격단백은 막의 투과성과도 관계가 있으므로, 막의 투과성 이상은 삼투압 취약검사로서 알 수 있다.

이 비정상 적혈구는 비장(지라)이라는 관문을 통과하지 못하고 대식세포에 의해 파괴되어 버린다. 비장에서 파괴되기 때문에 혈관외용혈이 일어나는 것이다.

2) 증상

빈혈, 황달, 비장비대가 주된 증상이다.

비장비대는 혈관외용혈을 시사하는 소견이다. 혈관내용혈에서는 비장비대가 나타나지 않는다.

3) 검사

아래는 HS막의 이상을 보기 위한 검사이다.

① 적혈구 삼투압 저항의 약화

정상인 적혈구에서도 용액의 삼투압이 낮아지면 용혈(파열)된다. 그런데 HS에서는 삼투압이 아주 조금만 낮아져도 용혈되어 버린다(**그림 3-13**). 일반적으로는 식염수를 사용하여 삼투압 저항을 측정한다.

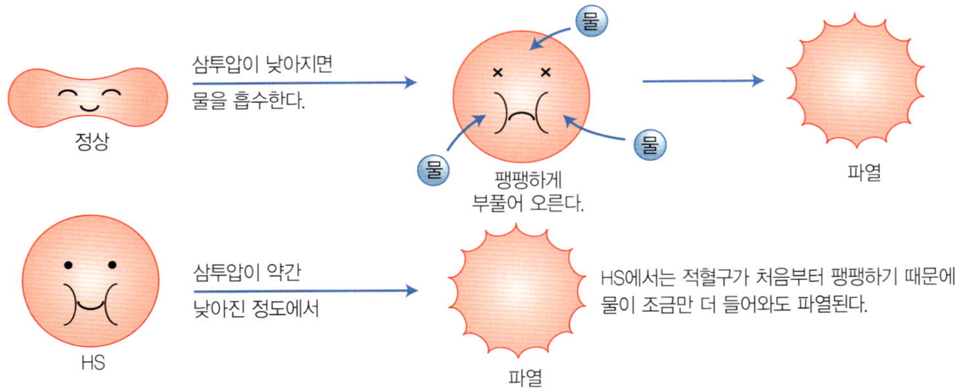

[그림 3-13] 적혈구 삼투압 저항의 감소

② 자가용혈시험 양성, 포도당 첨가로 용혈 저지

혈액을 장시간 방치해 두면 용혈된다는 것은 자가용혈시험 양성을 의미하는 것이다. HS에서는 에너지(ATP)를 사용하여, 막의 투과성 이상에서 오는 불균형을 개선한다. 장시간 방치하면 ATP가 고갈되어 이상을 교정할 수 없게 되어 용혈된다. 따라서 포도당을 첨가하면 ATP가 생산되어 용혈을 저지할 수 있는 것이다.

참고로, HS는 면역학적 기전에 의한 것이 아니라 이상한 적혈구가 비장에서 기계적으로 파괴되는 것이므로 Coombs 검사가 음성이다.

4) 치료

4세 이후에 비장절제술(splenectomy)을 실시한다. 적혈구가 비장에서 파괴되어 버리므로, 비장을 제거하려는 것이 치료의 목표이다.

그러나 영유아기에 비장을 적출하면, 중증 감염증에 이환되기 쉽기 때문에, 비장적출 전에 폐렴알균백신을 접종하거나 비장적출 후에 항균제를 2년간 투여한다.

그 밖에 비장적출이 효과를 나타내는 질환으로는 자가면역용혈빈혈, 특발성혈소판감소성 자색반병 등이 있다.

혈관외용혈이 일어나는 경우, 비장절제술을 실시하면 효과를 보는 경우가 많지만, HS의 경우에는 비장절제술의 효과가 더욱 뚜렷하게 나타난다. 참고로 혈관내용혈에 대해서 비장절제술은 효과가 없다.

비장절제술로 인해 비정상 적혈구가 파괴되지 않고 남게 되지만, 비정상이라고 해도 적혈구의 가장 중요한 역할인 산소운반능력은 남아 있기 때문에 막의 이상은 그대로 유지된다. 즉 비장절제술을 실시해도 구형적혈구 자체는 치료되지 않는다.

3. 발작야간혈색소뇨증 Paroxysmal nocturnal hemoglobinuria : PNH

PNH에 대한 출제 빈도는 앞에서 기술한 2가지에는 미치지 못하지만, 파악해야 할 내용도 많고 또한 중요하다.

1) 병태생리

조혈모세포(hematopoietic stem cell) **단계의 장애**로 인해 발생하는 질환이다. 손상을 받는 것은 GPI(glycosylphosphatidylinositol) **고정단백**(GPI anchor protein)이라고 불리는 세포막을 관통하는 단백질이다. 이 단백질을 코드하고 있는 유전자가 후천적으로 변이된 결과, 고정단백이 결핍된 혈구가 조혈모세포 단계에서 증가하게 된다.

고정단백의 역할은 막상에 효소 등을 고정시키는 것이다. 적혈구의 막상에는 보체 활성화를 억제하는 단백질 등이 존재하는데, 그들 단백질은 고정단백에 의해 막상에 고정되어 있다(**그림 3-14**).

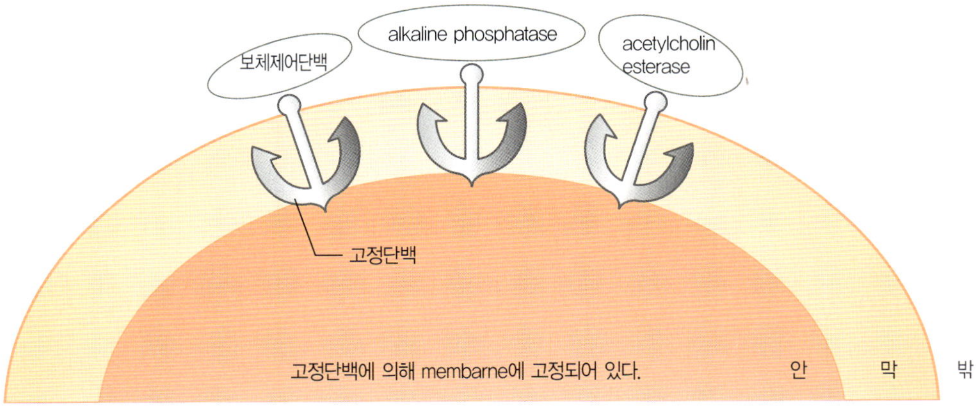

[그림 3-14] 고정단백

이 고정단백이 결핍된 결과 막상에 고정되어 있는 단백질의 활성이 없어지거나 또는 저하된다.

예를 들어, CD55(decay accelarating factor : DAF), CD59 보체의 활성화를 억제하는 단백질도 고정되어 있지 않고 벗겨져 버리기 때문에, 보체에 의한 적혈구 침습을 억제할 수 없어 혈관내용혈이 일어난다.

단 항상 보체에 의해 침습을 받고 있는 것은 아니다. 어떤 특수한 조건하에서 침습으로 인한 영향이 나타나는 것이다.

예를 들어 보자.

- 수면을 취한다(이것도 하나의 특수한 조건)
  → 환기가 저하되어, 혈중 CO_2 농도 상승
  → pH 저하(acidosis)
  → 보체가 직접 적혈구와 결합한다.

본래는 보체의 활성화를 억제하는 단백질에 의해 더 이상 다른 상황은 일어나지 않지만, PNH에서는 이 단백질의 활성이 없다.

→ 보체활성화(alternative pathway에 의해)
→ 보체의 적혈구에 대한 침습
→ 혈관내용혈
→ 새벽에 혈색소뇨가 나타난다(간헐적).

2) 증상

증상의 배경에 범혈구감소증이 있다.

- 출혈경향(혈소판 감소)
- 감염성 증가(백혈구 감소)
- 혈전증(thrombosis, 이것은 출혈경향과 상반되는 증상이지만, PNH에 특이적인 합병증이다.)

3) 중요한 검사

① Ham test

환자의 적혈구와 보체(같은 혈액형의 건강한 사람의 혈청)에 일정량의 염산을 첨가하여 산성화(pH 6.5~7.0)시켜 방치한다. PNH의 적혈구에서는 보체활성화가 일어나 용혈이 일어난다(양성). 즉 산성화되어 용혈이 되는지의 여부를 보는 것이다.

② Sugar−water test

환자의 적혈구에 설탕물을 첨가하여 용혈이 되는지의 여부를 보는 시험이다. 이온이 적은 액체 속에서는 적혈구가 보체와 결합하기 쉽다는 성질을 이용하고 있다. 삼투압이 혈액과 똑같은 용액을 만들었는데도 식염수를 사용하면 이온이 많은 용액을 얻을 수 있고, 설탕물을 사용하면 이온이 적은 용액을 얻을 수 있다. 설탕물을 사용하는 이유에 대한 질문이 자주 나오는데 단지 이온이 적은 용액이므로 사용하는 것뿐이다.

Ham test 양성, sugar−water test 양성으로 PNH를 진단한다.

4) 기타 검사

① 범혈구 감소

PNH는 줄기세포 단계에서 장애를 받기 때문에 백혈구 감소, 혈소판 감소를 나타낸다.

② neutrophil(=leukocyte) alkaline phosphatase 활성의 저하(NAP=LAP score 감소)

고정단백의 결핍은 호중구에까지 영향을 미친다. 호중구의 고정단백에 결합되어 있는 neutrophil alkaline phosphatase라는 단백질의 활성이 저하된다. neutrophil alkaline phosphatase 활성저하=LAP score 감소라고 생각하자. 범혈구 감소를 일으키는 재생불량빈혈은 종종 PNH와 감별할 필요가 있다. LAP score 감소는 이 둘의 감별에 의미가 있다.

그 밖에 LAP score 감소를 나타내는 질환으로서, 만성골수성백혈병(chronic myelogenous leukemia : CML)이 있는데, CML에서 LAP score 감소가 일어나는 원인은 아직 밝혀지지 않았다.

LAP score가 감소되는 혈액질환

- PNH
- CML
- MDS
- 적백혈병(erythroleukemia)

③ 적혈구 acetylcholinesterase 활성의 저하

적혈구 acetylcholinesterase도 고정단백과 결합하여 막상에 고정되어 있는 단백질이므로, 고정단백이 결핍되면 막상에 머무를 수 없게 된다. 그 결과, 적혈구막상의 acetylcholinesterase의 활성은 저하된다.

5) 치료

혈장 속의 보체를 함유한 적혈구제제를 수혈하면, 용혈을 조장하는 셈이 되므로, 빈혈에 대해서는 혈장을 제외한 세척적혈구(washed RBC)를 수혈한다.

근본적인 치료는 조혈모세포이식이다. 이것은 줄기세포 단계의 질환이기 때문에, 그것부터 고치지 않으면 치료했다고 할 수 없다. 나머지는 수반되는 증상에 대한 대증요법이다. 예를 들면, 혈전증에 대해서는 와파린칼륨(항응고제) 등을 사용한다.

혈관내용혈이기 때문에 비장절제술은 실시하지 않는다.

6) 기타

재생불량빈혈이 선행되고, 나중에 PNH로 이행하는 경우가 있다. 이와 같은 PNH를 재생불량빈혈-PNH 증후군이라고 하는데, 전체 PNH 환자의 30~ 40%가 이에 해당된다.

4. 적혈구효소이상증 Red blood cell enzyme defects

적혈구효소이상증으로 기억해 두어야 할 2가지로는 Glucose-6-phosphate dehydrogenase(G-6-PD) 결핍증과 pyrubinic acid kinase(PK) 결핍증이 있다.

1) G-6-PD 결핍증

NADPH 부족으로 인해 아스피린 등 산화작용을 갖고 있는 물질을 섭취하면 혈관내용혈이 일어난다.

2) PK 결핍증

ATP 부족으로 인해 막의 형태를 유지할 수 없게 되어, 적혈구가 변형되고 비장에서 대식세포에게 잡힌다. 그러므로 혈관외용혈이다.

5. 적혈구파괴증후군 Red cell fragmentation syndrome

적혈구는 탄력이 좋아, 약간의 충격으로는 파괴되지 않게 만들어져 있지만, 여기서 설명하는 질환은 그러한 적혈구가 외력에 의해 파괴되어 버린 질환이다.

즉, 혈관내용혈을 일으키고 분열적혈구(schistocyte)가 나타난다.

적혈구파괴증후군에서의 핵심은 다음과 같다.

- 혈관내용혈
- 분열적혈구
- 원인과 기저질환

1) 행군혈색소뇨증(march hemoglobinuria)과 스포츠빈혈

양쪽의 기전이 같은데, 이것은 피부가 받는 충격이 진피의 모세혈관에 미쳐, 그곳을 흐르는 적혈구가 눌림으로써 생긴다.

행군혈색소뇨증은 19세기 말 프러시아 병사가 장거리 행군을 끝낸 뒤, 소변색이 간장색처럼 변한 사실이 보고되면서 최초로 알려지게 되었다. 장시간 동안 발바닥이 지면에 강하게 부딪쳤기 때문에, 발바닥을 흐르고 있던 적혈구가 용혈되어 버린 것이다.

운동빈혈의 예로는 태권도 선수들이 몇 시간이나 격파연습을 하면 주먹에서 용혈이 생기는 것을 들 수 있다.

2) 인공판막을 비롯한 판막 이상

심장은 원래 혈액의 흐름이 급하여, 적혈구가 용혈되기 쉬운 곳이다.

인공판막은 움직임도 둔하기 때문에, 난류가 발생하기 쉬워 용혈을 일으킬 가능성이 많다. 마찬가지로 판에 협착이 있거나 하면 용혈을 일으키는 경우가 있다.

3) 미세혈관병용혈빈혈

Microangiopathic hemolytic anemia : MAHA

다소 긴 명칭이지만 내용은 간단하다. 미세혈관 장애로 인해 섬유소(fibrin)가 혈관벽에 침착한 결과, 적혈구가 그 섬유소에 걸려서 용혈을 일으키는 질환(fibrin knife)이다(**그림 3-15**).

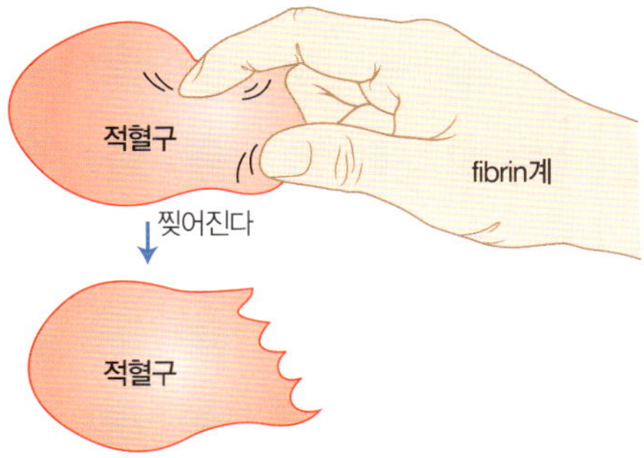

[그림 3-15] 미세혈관병용혈빈혈(MAHA)

기저질환에는 다음과 같은 것이 있다. 미세혈전이 생기는 것이라고 기억해 두자.

- 혈전저혈소판혈증자색반병 ; thrombotic thrombocytopenic purpura(TTP)
- 용혈요독증후군 ; hemolytic uremic syndrome (HUS)
- 파종혈관내응고 ; disseminated intravascular coagulation(DIC)

ADVANCED STUDY

용혈빈혈

기타 용혈빈혈

1) 면역용혈빈혈 Immune hemolytic anemia

면역기전에 의해 일어나는 빈혈이다. 앞에서 나온 AIHA도 물론 이 중 한 가지이다. 면역용혈빈혈에는 AIHA, 동종항체에 의한 용혈빈혈, 약제에 의한 용혈빈혈의 3가지가 있다. 동종항체에 의한 것으로는 다음의 2가지가 있다.

- 혈액형 부적합수혈
- 혈액형 부적합임신

여기에서는 약제에 의한 면역용혈빈혈을 설명하겠다. 혈액형 부적합수혈 및 임신에 관해서는 수혈의 장에서 설명한다.

약제에 의한 면역용혈빈혈에는 아래의 3가지 유형이 있다.

① Qunidine type
② Penicillin type
③ α-methyldopa type

면역기전에 의해 용혈을 일으키는 약제가 몇 가지 있는데 위에 제시한, 3가지 대표적인 약제를 기억하면 충분하다.

① Qunidine sulfate

Class Ia의 항부정맥제(antiarrhythmic drug)이다.

Qunidine sulfate에 대한 항체가 생성되고 그것이 항원항체 복합체를 형성하여 적혈구막에 침착되면 보체가 활성화되어 혈관내용혈이 일어난다.

② Penicillin

Penicillin이 적혈구막에 강하게 결합하고, 이 penicillin에 IgG가 결합하여 비장에서 혈관외용혈을 나타낸다.

③ α-methyldopa

α-methyldopa는 혈압강하제로 사용되고 있다. α-methyldopa는 적혈구와 결합하지 않지만 장기간 복용하면 적혈구에 대한 자가항체가 생산되어 혈관외용혈이 일어난다.

α-methyldopa형은 약제복용 경력을 제외하면 warm AIHA와 유사하기 때문에 warm AIHA가 의심되는 경우, α-methyldopa를 복용했는지 확인할 필요가 있다.

면역용혈빈혈의 정리

면역기전으로 용혈되기 때문에, 면역용혈빈혈에서는 Coombs 검사가 양성이다. 반대로 Coombs 검사가 양성이라면, 면역용혈빈혈(AIHA, 동종항체에 의한 것, 약제에 의한 것)이다.

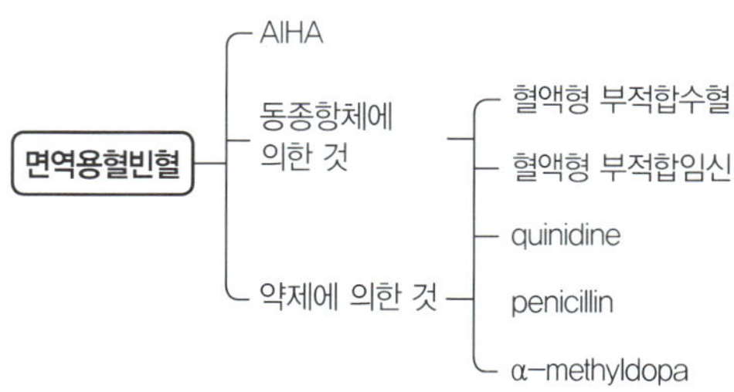

2) 혈색소이상증 혈색소병증, hemoglobinopathy

혈색소에 이상이 있다면, 대체 어디에 이상이 있는 것일까? 혈색소(Hb)=heme+globin인데, 그 globin을 구성하는 아미노산에 이상이 일어난 것이 혈색소이상증이다.

Globin chain의 포인트 변화는 몇 가지나 보고되어 있지만, 여기서는 그 결과로 어떠한 임상증상을 일으키는지에 대한 것만 간단하게 살펴보자.

① 적혈구 형태변화가 동반된다
② 청색증이 나타난다
③ 불안정 혈색소침착증(hemochromatosis)이 나타난다
④ 적혈구증가증이 동반된다

순서대로 살펴보기로 한다.

① 적혈구 형태변화가 동반된다

대표적인 것은 낫적혈구병(sickle cell disease)이다. Globin βchain 6번째의 아미노산인 glutamic acid가 valine으로 바뀐 것으로, 이 혈색소를 HbS라고 한다. 산소분압 저하에 의해 적혈구가 낫 모양이 되며, 용혈, 혈관폐쇄를 일으킨다(**그림 3-16**).

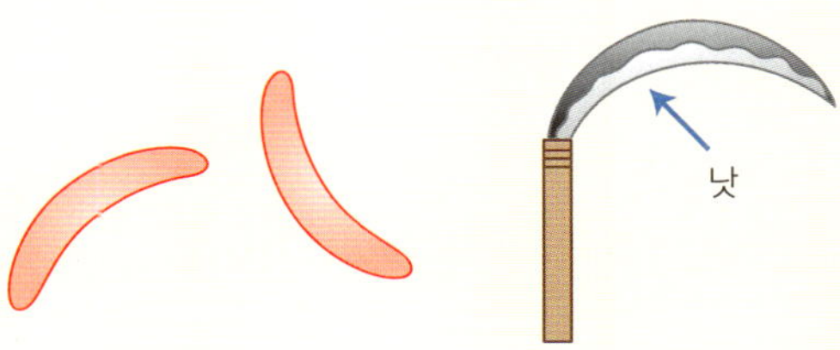

[그림 3-16] 낫적혈구(sickle cell)

② 청색증(cyanosis)이 나타난다

Methemoglobin이 형성되기 쉬워져 청색증을 나타낸다.

③ 불안정 혈색소침착증(hemochromatosis)이 나타난다

혈색소 분자 자체가 고차 구조를 유지할 수 없게 되어 변성되기 쉬우므로 불안정이라는 말이 붙었다. 특히 열변성되기 쉬운 것으로 알려져 있다.

④ 적혈구증가증이 동반된다

혈색소의 산소 친화성이 높아져서, 말초조직에서 산소를 전달할 수 없게 되어 산소부족을 일으킨다. 그래서 다음과 같은 반응이 일어난다.

산소부족 → 양성 되먹임(positive feedback) → EPO 증가 → 적혈구증가증

검사는 혈색소 전기영동(electrophoresis)이다. '낫적혈구병에 있어서, 혈색소 전기영동으로 HbS검출' 등의 말이 자주 쓰인다. 전기영동이 무엇인지 먼저 알아야 하기 때문에 그 원리와 적응에 대해서 살펴보자.

• 전기영동의 원리

전기로 단백질이 움직이는 원리는 다음과 같다. 단백질은 전기적으로 아주 약하게 플러스 또는 마이너스로 대전되어 있다. 때문에 전류를 흘리면, 반대극으로 (즉, 플러스로 대전되어 있으면 음극으로) 이동하려고 한다. 그리고 대전된 전하량이 같다면, 가벼운 것일수록 이동이 빨라진다(그림 3-17).

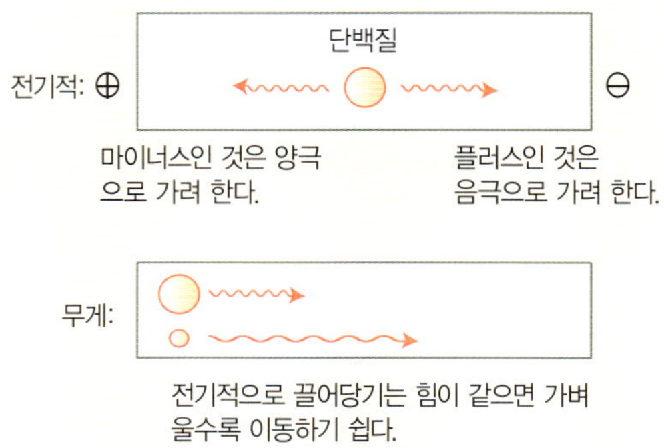

[그림 3-17] 혈색소 전기영동의 원리

• 전기영동의 적용

단백질을 대전량과 중량으로 평가하는 것인데, 비슷한 단백질에서도 아미노산이 하나만 달라도 대전량, 중량이 변화되고, 그것이 이동거리의 차이로 나타난다.

그러므로 혈색소이상증처럼 혈색소의 아미노산 배열이 변화되어 버린 비정상 혈색소를 검출하기 위해서는 안성맞춤인 것이다. 뒤에 설명할 지중해빈혈증에서도 진단을 위해 혈색소 전기영동을 사용한다.

3) 지중해빈혈 Thalassemia

(1) 개념

지중해빈혈은 특정의 글로빈사슬의 생합성이 선택적으로 억제되어, α사슬과 비α사슬 생산이 불균형을 일으켜 용혈빈혈을 초래하는 상염색체 우성유전 질환이다. α사슬의 합성이 장애를 받는 α-지중해빈혈과 β사슬의 합성이 장애되는 β-지중해빈혈의 빈도가 높다.

이 질환은 지중해 연해지방이나 동남아시아에서 발병률이 높다. 우리나라에서는 드문 질환이라고 알려져 왔지만, 경증의 β-지중해빈혈의 빈도가 비교적 높다는 것이 밝혀졌다.

비정상적인 헤모글로빈을 지닌 적혈구는 골수에서 파괴되거나(무효조혈), 비장에서 파괴된다(혈관외용혈). 용혈빈혈로는 예외적으로 헤모글로빈 합성장애에 의한 소적혈구성 저색소성 빈혈을 나타낸다.

(2) 증상

빈혈, 황달, 비종 등의 용혈빈혈 소견이 나타난다. 동형접합체는 중증으로, 이들 증상이 조기에 나타난다. 또한 조혈 항진으로 인해 뼈의 변형이나 성장발육부전이 동반되기도 한다. 이형접합체는 거의 증상이 나타나지 않는 경증부터, 중등증의 증상을 나타내는 것까지 다양하다.

(3) 검사 및 진단

① 말초혈액

- 소적혈구성저색소성빈혈
- 표적적혈구의 출현(그림 3-18)

② 철동태

혈청철이 정상이거나 또는 증가한다.

③ 전기영동

HbA(%)의 저하와 HbA_2 및 HbF(%)의 증가가 나타난다.

글로빈사슬 합성비의 측정 및 유전자 해석으로 진단을 내린다.

(4) 치료

증상의 정도에 따라 치료가 달라지지만, 분자이상에 따른 치료법은 아직 확립되어 있지 않다.

경증인 경우는 특별한 치료가 필요하지 않다.

중증인 경우에는 수혈, 비장적출, 철 킬레이트(ch-elate)제(데페록사민, 데페라시록스)가 중심이 된다. 골수이식을 하는 경우도 있다.

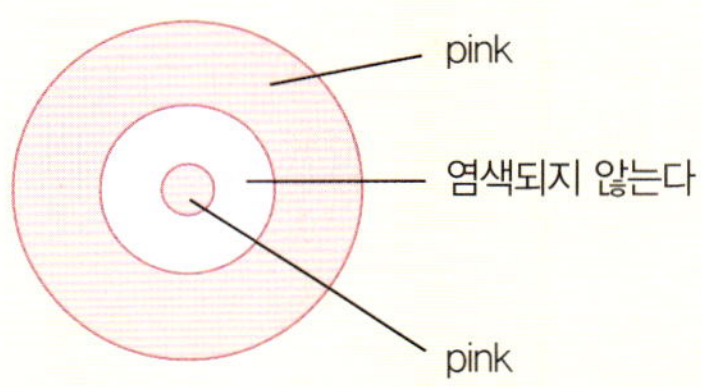

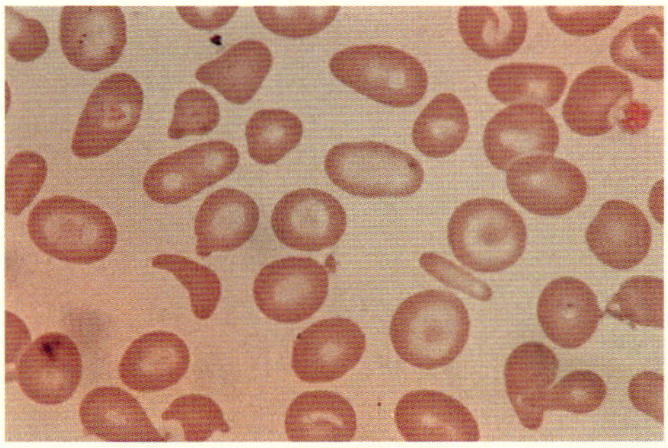

(지중해빈혈, 49세, 여성)

[그림 3-18] 표적적혈구

빈혈 핵심정리

병태생리로 보는 빈혈

빈혈이란 말초혈액 속의 혈색소 농도가 감소된 상태를 말한다. 원인이 무엇이든 혈색소 농도가 감소되어 있으면 빈혈이라고 부른다.

병 인	• 적혈구의 생산과 파괴의 불균형 • 수술 후 빈혈(출혈)
병 태	**적혈구의 생산감소** • 재생불량빈혈 : 골수 내 적혈구 생산 중단 • 순적혈구무형성증 • 철결핍빈혈 : 체내 철분량이 정상 이하일 때 • 거대적혈모구빈혈(거대적아구성빈혈) : 비타민 B_{12} 및 엽산 결핍 • 철적혈모구빈혈 **적혈구의 파괴증가** • 용혈빈혈 : 적혈구의 조기 파괴
증 상	**조직의 산소 결핍** • 뇌 : 두통, 현기증, 실신발작, 이명 • 심근 : 협심증 • 골격근 : 피로감, 탈진감, 간헐파행 **적혈구량의 감소** • 말초혈관 수축 : 안색불량, 안검결막, 창백 **산소결핍보상** • 호흡수 증가 : 헐떡임 • 심장박출량, 심박수 증가 : 심계항진, 빈맥, 심장확대, 경정맥 잡음

증 상

빈혈의 종류에 따른 증상

	거대적혈모구빈혈 (거대적아구성 빈혈)		재생불량성 빈혈	철분결핍성 빈혈	용혈성 빈혈
	비타민B12 결핍성 빈혈	엽산결핍성 빈혈			
증상	• 빈혈증상 • 신경계 증상 • 위장 증상 • 증상의 악화와 완화 교대	• 비타민 B12 결핍 증상과 유사 (신경 증상은 없다) • 뼈의 통증 • 거대세포성 빈혈	• 범혈구감소증 • 출혈경향 • 피부 및 점막 창백 • 피로, 호흡곤란	• 헤모글로빈 감소 • 적혈구 감소 (소혈구, 저색소) • 스푼모양 손톱 • 이식증 • 혀 궤양	• 열, 황달 • 가쁜 호흡, 창백 • 복통, 담석증 • 간·비장 비대 • 신부전

진 단 및 검 사

- 환자의 병력 및 신체검진
- 일반혈액검사
- 말초혈액도말검사 (PBS, peripheral blood smear examination)
- 골수검사 (골수흡인 및 조직검사)
- Schilling 검사 : 거대적혈모구빈혈 특유의 검사
- 위액검사, 위생검, 내인자항체

치 료

- 원인의 제거(부족 보충 : 비타민 B12 주사, 엽산의 경구투여)
- 경구 철분제제
- 혈소판 수혈, 조혈모세포 이식
- 비장절제술 : 용혈성 빈혈

* 비타민 B12(**악성 빈혈의 경우 내인자가 없어 경구 흡수가 되지 않으므로 근육주사**)

C 적혈구증가증 Polycythemia

적혈구가 감소하는 것이 빈혈인 것에 반해, 적혈구가 증가하는 것은 적혈구증가증(polycythemia)이라고 한다. 정상과 적혈구증가증의 경계가 확실하게 정의되어 있지 않아 그 기준을 아래에 제시한다(표 3–8).

	적혈구 수	혈색소 농도	Hct수치
남성	≧ 600만 개/$\mu\ell$	≧ 18g/dL	≧ 55%
여성	≧ 550만 개/$\mu\ell$	≧ 17g/dL	≧ 50%

[표 3–8] 정상과 적혈구증가증의 경계값

1 적혈구증가증의 분류

상대적 적혈구증가증이란, 순환혈장량이 저하되어 일어나는 외견상의 적혈구증가증이다. 탈수나 설사 등에 의해 체내에서 '물'을 지나치게 잃게 됨으로써 일어나기도 하며, 스트레스적혈구증가증이라고 하여 원인불명인 상대적 적혈구증가증도 있다(그림 3–19).

[그림 3–19] 적혈구증가증에서의 적혈구 수와 혈장량의 관계

어느 쪽이든 순환 총적혈구량(적혈구의 절대수)이 증가하지 않는다는 것이 포인트이다.

한편, 절대적 적혈구증가증은 순환 총적혈구수가 실제로 증가하는 경우로, 진성적혈구증가증과 이차성 적혈구증가증의 2가지가 있다.

- 상대적 적혈구증가증
- 절대적 적혈구증가증
  - 진성적혈구증가증
  - 이차성 적혈구증가증

1. 진성적혈구증가증 Polycythemia vera : PV

골수증식성 질환의 한 가지로, 골수성분 중 적혈구계를 중심으로 전체 혈구계가 증식하는 질환이다.

골수증식성 질환 ………… 4가지를 기억하자

- 만성골수성백혈병(CML)
- 골수섬유증(MF)
- 진성적혈구증가증(PV)
- 진성고혈소판증(ET)

III

1) 원인

적혈구계 전구세포의 EPO 감수성이 높아져, 혈액 속에 존재하는 소량의 EPO에 반응하여 적혈구로 활발하게 분화·증식되는 것이 원인이다. 참고로 EPO는 음성 되먹임(negative feedback)에 의해, 혈중, 요중 양쪽 모두에서 감소된다.

이 질환의 특이한 점은 적혈구계만의 질환이 아니라는 것이다. IL-3이나, GM-CSF와 같은 사이토카인(cytokine)에 대하여 과립구와 거대핵세포의 전구세포 감수성이 높아진다는 사실이 보고되어 있다.

2) 검사소견

① 범혈구 증가

적혈구 수, 백혈구 수, 혈소판 수가 증가한다.

진성적혈구증가증은 적혈구계만의 질환이 아니다. 범혈구 증가로 설명할 수 있는 검사소견으로는 다음과 같은 것이 있다.

- 골수 과형성
- 호염기구(basophils) 증가

② LAP score 증가

LAP score의 증가는 진성적혈구증가증(PV)의 진단기준 중 하나일 정도로 중요하다.

LAP score가 상승되는 질환

- 진성적혈구증가증(PV)
- 백혈병 유사(leukemoid) 반응
- 골수섬유증(MF)
- CML의 blastic crisis

③ 혈중 · 요중 EPO 감소

④ 혈중 · 요중 histamine 증가

원인 중 하나로 호염기구(basophils)의 증가를 생각할 수 있다. 이차성 적혈구증가증의 감별에 중요하다.

⑤ 혈중 비타민 B_{12} 증가

⑥ 철대사(iron metabolism) · 철동태(ferrokinetics)

적혈구를 계속 생산하기 때문에 철의 필요성이 증가한다. 따라서 상대적인 철결핍을 나타낸다.

- 혈청철 감소, TIBC 증가
- PIDT1/2 단축, % RCU 증가

⑦ 동맥혈 산소포화도정상

동맥혈 산소포화도가 감소하는 경우, 그 감소분을 적혈구 수의 증가로 보충하려는 반응이 일어나기도 한다. 이것은 이차성 적혈구증가증에서 볼 수 있지만, 진성적혈구증가증에서는 정상이다.

3) 증상

① 순환 적혈구량의 증가에 수반되는 것

- 두통 · 현기증
- 붉은 얼굴
- 혈전증상(예후를 결정한다)

② 진성적혈구증가증에서 특징적인 것

- 비장비대
- 피부소양감
- 출혈경향(혈소판기능 이상과 관련이 있다)

4) 치료 및 간호

① 사혈(피를 뽑는 것) : 정맥절개술

피를 뽑는다.

→ 혈중의 철을 빼앗게 된다.

→ 인위적 철결핍

→ Hct 감소

② 골수 억제제

③ 탈수되지 않도록 교육한다

2. 이차성 적혈구증가증

다른 질환에 동반되어 2차적으로 절대적 적혈구증가증이 된다.

모든 예에서 EPO의 생산이 증가하는데 이것은 중요하므로 확실히 파악해 두자.

EPO가 증가하는 요인은 저산소, 빈혈, 종양이었지만, 이 중 저산소와 종양이 결정적으로 이차성 적혈구증가증의 원인이 된다.

1) 이차성 적혈구증가증의 원인

- 고산지대 생활
- 선천성 심장질환(Lt. → Rt. shunt)
- 허파꽈리 환기기능상실
- 혈색소이상증 중에서 적혈구증가증을 동반하는 것(헤모글로빈 이상증 참조)
- 선천성 2,3-DPG 결핍증
- EPO 생산 종양
- 신장동맥 협착

2) 치료 및 간호

일반적으로 일차성 적혈구증가증의 치료와 유사하다.

- 정맥절개술
- 원인 질환 관리
- 산소결핍증 관리

백혈구

IV. 백혈구 총론
V. 백혈구 각론
VI. 골수계 종양
VII. 림프계 종양

길잡이

■ 시작에 앞서

백혈구에서는 생리와 병리를 중심으로 공부한다. 총론에서는 백혈구의 기능에 대해 공부하는데 이것은 면역학과 중복된다. 각론에서는 조혈기관 종양에 대해서 공부한다. 조혈기관 종양에 있어서는 최근 연구가 눈부시게 진보하여, 교과서 내용이 계속 수정되고 있다. 먼저, 지금까지 잘 알고 있던 내용부터 정리한 다음에 새로운 것을 공부하도록 한다. 순서를 거꾸로 하지 않도록 주의하자.

■ 총론의 달성목표

① 호중구(neutrophil)가 가지고 있는 것들(MPO, LAP)을 이해하자.
② 림프절(lymph node)의 구조를 알자.
③ 말초혈액 중의 백혈구가 감소하는 질환, 증가하는 질환을 파악하자.

■ 각론의 달성목표

① 조혈계 악성 종양 분류에 자신을 갖자.
② 각 질환의 개념을 이해하자.
③ 사진만 보거나 혹은 요점만 들어도 진단할 수 있는 질환의 수를 늘리자.

Ⅳ 백혈구 총론

A 백혈구 Leukocyte/White blood cell : WBC

1 백혈구의 '백'이란 무슨 의미인가?

적혈구의 '적(赤)'이란 붉은 세포라는 의미이다. 그렇다면 백혈구의 '백(白)'이란 하얀 세포라는 의미인가?

Hct를 측정할 때에는 원심분리를 한다. 이때 붉은 적혈구층 위에 옅은 회색층이 나타나는데 **(그림 4-1)**, 이 층에 모여 있는 것이 백혈구이다. 이 층이 하얗게 보인다고 해서 백혈구라는 명칭이 생기게 된 것이다.

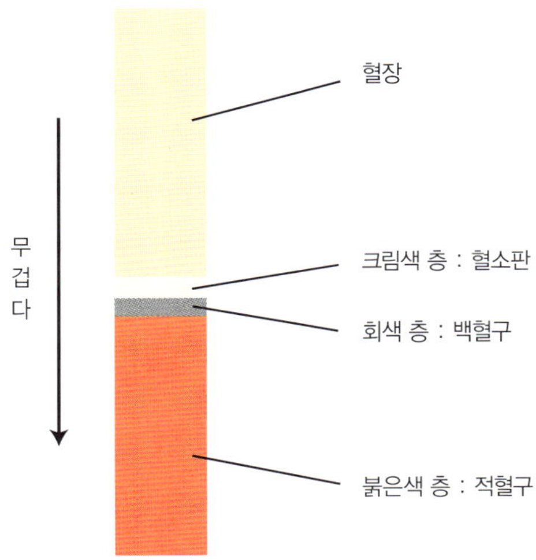

[그림 4-1] 혈액의 원심분리

2 백혈구에는 어떤 것이 있는가?

백혈구에는 여러 가지 세포가 포함되어 있다. 백혈구는 크게 과립구(granulocyte)와 단핵구(monocyte), 림프구(lymphocyte)의 3가지로 나뉜다. 과립구는 다시 호중구(neutrophil), 호산구(eosinophil), 호염기구(basophil)의 3가지로 분류된다. 호중구, 호산구, 호염기구, 단핵구, 림프구의 존재 비율은 중요하므로 **그림 4-2**에서 확인하기 바란다. 백혈구 수의 정상치 4,000~9,000개/μL(기관에 따라 다소 차이가 있다)는 꼭 기억하기 바란다.

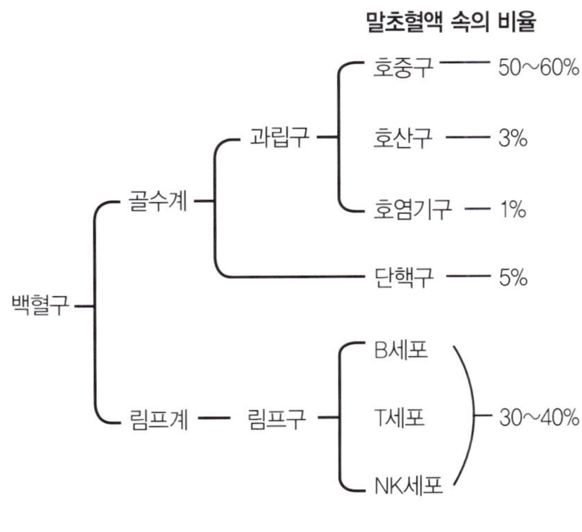

[그림 4-2] 백혈구의 분류

3 백혈구의 분화 · 성숙

형태학적으로 백혈구는 과립구, 단핵구, 림프구의 3가지로 크게 나눌 수 있지만, 발생학적으로는 골수양세포(myeloid cell)와 림프구(lymphoid cell)의 2가지로 나눌 수 있다. **그림 2-6(p.17)**에는 림프구계의 전구세포 이후가 보이지 않는데, 이것은 분화과정이 그다지 명확하지 않기 때문이다. 조혈모세포, 전구세포, 모세포(골수모세포)의 순서로 분화 · 성숙되어 간다. 골수모세포로부터 각종 과립구(neutrophil, eosinophil, basophil의 3가지)가, 단핵모세포로부터 단핵구가 각각 분화 · 성숙된다. 림프구계 공통 전구 세포로부터는 T세포, B세포, NK세포, NKT세포가 분화 · 성숙된다.

그러면 골수세포계 세포인 과립구, 단핵구 및 림프구계 세포인 림프구에 대해 순서대로 살펴보자.

B 과립구 Granulocyte

1 개념

과립(granule)을 갖고 있기 때문에 과립구라고 한다. 보통 염색을 했을 때 과립이 염색되어 나타나는 것을 '과립이 있다'고 한다. 보통 염색으로 과립이 염색되는 색깔에 따라 과립구는 3가지로 분류된다(그림 4-3).

- 과립이 붉다 → 호산구
- 과립이 푸르다 → 호염기구
- 과립이 황갈색으로 염색된다 → 호산성도 호염기성도 아니다 → 호중구

각 과립구의 존재비는 다음과 같다.

호중구 ≫ 호산구 > 호염기구
(과립구 중 호중구가 압도적으로 많고, 호염기구는 거의 없다)

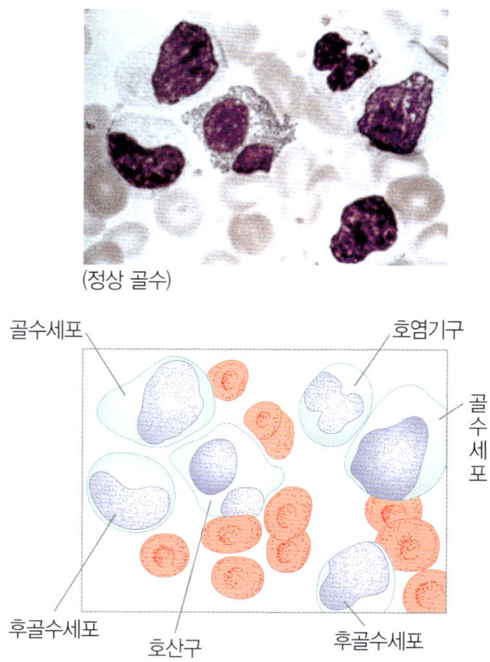

[그림 4-3] 과립구

2 골수모세포 이후의 분화 · 성숙

과립구 대식세포계 전구세포(GMP)로부터 골수모세포가 분화된다. 골수모세포는 다시 다음과 같이 분화된다.

골수모세포(myeloblast) → **전골수세포**(promyelocyte) → **골수세포**(myelocyte) → **후골수세포**(metamyelocyte) → **간상핵세포** → **분절핵세포**(segmented leukocyte)

IV

과립구는 간상핵세포와 분절핵세포로 이루어진다.

아래에 요점을 정리한다.

- 골수모세포 다음에 골수세포로 분화하는데, 골수세포에는 전(pro－)과 후(meta－)가 있다.
- 정상일 때 말초혈액에서 나타나는 것은 간상핵세포와 분절핵세포뿐이다.
- 증식기능(분열기능)이 있는 것은 골수세포까지이다.
- 적혈구처럼 탈핵되는 경우는 없다.
- 전골수세포에서 1차과립(azure granule)이 보인다.
- 골수세포에서 2차과립(특수과립)이 보인다.
- 특수과립의 색으로 호중성, 호산성, 호염기성을 구별할 수 있다. 거꾸로 말하면, 전골수세포까지는 형태적으로 그것이 호중구가 될지 호산구가 될지 구별할 수 없다.

표 4-1은 과립구의 종류를 간단히 나타낸 것이다. 다음 단원부터는 호중구 · 호산구 · 호염기구에 대해 더 자세히 살펴보자.

	호중구	호산구	호염기구
직경	10~14μm	13~20μm	10~16μm
특수과립의 색조 (May-Giemsa 염색)	분홍(호중성)	빨강(호산성)	보라(호염기성)
주된 역할	• 세균 등의 체내 이물의 탐식·제거	• 기생충 제거나 알레르기 반응에 관여	• 즉시형 알레르기에 관여
형태	• 핵은 2~3핵이 많다. • 핵은 성숙되지 않은 곤봉모양의 간상핵구와 성숙하고 잘록한 부분이 있는 분엽핵구가 있다.	• 핵은 2핵이 많다. • 과립이 전체적으로 분포되어 있다.	• 핵은 분엽되어 있거나 또는 되어 있지 않다. • 과립이 충만해 있어 핵은 보기 어렵다.

[표 4-1] 과립구의 종류

플 러 스 코너

1. 과립구 수 증감의 원인질환

과립구 수가 이상 수치를 나타내는 경우 어떤 혈구가 증감하고 있는가를 알아보는 것은 질환감별에 도움이 된다.

	증가의 원인		감소의 원인	
호중구	감염증	• 특히 세균	감염증	• 특히 바이러스
	조직손상	• 외상, 화상, 심근경색 등	혈액질환	• 재생불량빈혈, 급성백혈병, MDS 등
	분포의 변화	• 순환 풀(pool)로 이행	결합조직 질환	• SLE, 류마티스관절염 등
	종양성 질환	• CML 등	약제	• 항갑상선제 등
호산구	감염증	• 기생충	감염증	• 세균(특히 장티푸스)
	알레르기 반응	• 약인성 알레르기, 기관지 천식 등	기타	• 부신피질스테로이드 투여
	결합조직 질환	• 류마티스관절염, 결절성 다발동맥염 등		
	종양성 질환	• Hodgkin 림프종, 균상식육종 등		
호염기구	종양성 질환	• 만성골수증식성 질환 (특히 CML) 등		
	기타	• Crohn병, 궤양대장염 등		

C 호중구 Neutrophil

호중구의 '중'이란 어떤 의미인가?

앞에서 말한 대로 호중구를 보통 염색했을 때, 특수과립이 황갈색으로 염색되기 때문에(호산성도 호염기성도 아니다) 중립, 중성이라는 의미에서 호중구(또는 중성구)라는 이름이 붙었다.

1 호중구의 기능과 역할

호중구는 이물질, 특히 세균 등의 병원체를 처리함으로써, 생체의 방어체계에 중요한 역할을 한다. 때문에 호중구가 감소하거나 호중구 기능이 저하되면 감염증에 걸리기 쉬워진다(**그림 4-4**).

1. 이동기능

호중구는 활발한 아메바 운동을 하고 있어, 모세혈관의 틈을 통과할 수가 있다. 혈관에서 튀어나온 호중구는 조직으로 들어가 세균 등의 이물질을 향해 빠르게 접근한다.

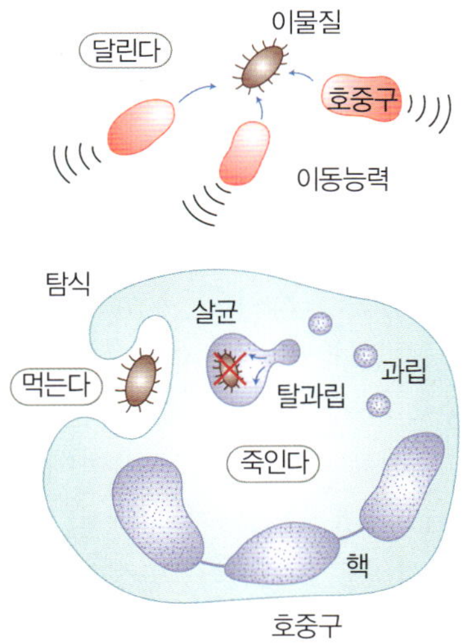

[그림 4-4] 호중구의 기능

2. 탐식기능

이물질에 접근한 호중구는 이물질을 재빨리 식포에 가두어 먹어버린다.

3. 살균기능

세포질 속으로 들어간 이물질은 과립과 융합하여 활성산소(O_2^-, H_2O_2, OH) 등에 의해 살해되고 효소에 의해 분해된다.

이물질과 과립이 융합하여 이물질에 대해서 과립의 내용물을 방출하는 것을 탈과립(degranulation)이라고 한다.

4. 부착기능

2 호중구의 기능부전증

호중구의 주된 기능을 간단하게 말하면 「달린다」, 「먹는다」, 「죽인다」가 되는데, 이 기능이 결핍되어 발병하는 질환이 있다. 어떤 기능이 결핍되는지 살펴보자. 이러한 질환은 소아과 부분에서 자주 출제된다.

1. Chédiak-Higashi 증후군

먹을 수 있지만 달릴 수 없고, 죽일 수 없는 것이 Chédiak-Higashi 증후군이다(표 4-2).

이 질환은 막의 융합 이상이 원인으로 발병한다. 1차과립, 2차과립이 차례로 융합하여 거대과립을 형성한다. 이 거대과립은 탈과립할 수가 없어 '죽일 수 없기' 때문에 유아에게 반복감염을 일으킨다. 또 '달릴 수 없는' 원인의 하나는 이 거대과립이 기계적으로 이동기능에 장애를 주기 때문이라는 견해가 있다.

2. 만성육아종증 Chronic granulomatous disease

달리고 먹을 수 있지만 죽일 수 없는 것이 만성육아종증이다(표 4-2).

NADPH oxidase의 선천적 결핍이 이 병의 실제 원인이다. NADPH oxidase는 활성산소를 생산하는 효소이다. 활성산소는 산화력이 매우 강하여, 호중구는 이 산화력을 이용하여 세균을 죽인다. 이 질환에서는 NADPH oxidase가 결핍되어 있기 때문에 활성산소(특히 H_2O_2가 중요)가 생산되지 않아 「죽일 수 없게」 되는 것이다.

만성육아종증에서는 유아에게서 반복되는 화농성 감염을 일으킨다. 또 단핵구인 NADPH oxidase도 결핍되기 때문에, 시간이 아무리 지나도 죽일 수 없다는 자극이 육아(granulation)의 형성을 초래한다. 만성적인 육아종(granuloma)을 만드는 병이라는 것이 이 병명의 유래이다.

	Chédiak-Higashi 증후군	만성육아종증
달린다	×	○
먹는다	○	○
죽인다	×	×

[표 4-2] 호중구의 기능부전

TIP

H_2O_2 생산과 세균

만성육아종증에서는 모든 세균에 대해 동일한 감염성의 증가를 보이지는 않는다. H_2O_2를 생산할 수 있는 균·할 수 없는 균, 또는 H_2O_2를 분해하는 catalase를 갖고 있는 균·갖고 있지 않은 균 등에 따라 죽일 수 있거나 또는 죽일 수 없다.

① H_2O_2를 생산할 수 없는 균 :
  당연히 죽일 수 없다.

② H_2O_2를 생산할 수 있지만 catalase를 갖고 있는 균 :
  호중구가 만들 수 없는 H_2O_2를 대신 만들어 주기는 하지만, 균 자신이 H_2O_2를 분해해 버린다. 따라서 살균에 H_2O_2를 사용할 수 없어 균을 죽일 수 없다.

③ H_2O_2를 생산할 수 있고, catalase도 갖고 있지 않는 균 :
  호중구가 만들 수 없는 H_2O_2를 만들어 준다. 이런 균은 죽일 수 있다. 이러한 세균에는 용혈사슬구균(*hemolytic streptococcus*)과 폐렴구균(*pneumococcus*) 등이 있다. 따라서 만성육아종증에서는 이들 세균에 의한 감염증이 적은 것이 특징이다.

만성육아종증에서 염증을 일으키는 균으로서, 다음의 4가지 catalase 양성균을 기억해 두자.

- *S. aureus*(황색포도구균)
- *Klebsiella*
- *E. coli*(대장균)
- *Pseudomonas*(녹농균)

ADVANCED STUDY 호중구

호중구가 가지고 있는 것

과립을 갖고 있기 때문에 과립구라는 명칭이 붙었다. 그럼 그 과립의 내용물은 대체 무엇인가?

과립에는 여러 가지가 들어 있다. 과립의 내용물 중에서 한 가지를 목표로 하여 염색하는 특수한 염색이 있다. 이 특수 염색의 목표물을 기억하도록 하자.

이 항목에서는 「호중구가 가지고 있는 것」이라는 제목에서 벗어나 특수 염색법까지 설명하겠다. 이것을 이해하면 각론에서 상당히 도움이 될 것이다.

1. Myeloperoxidase(MPO)

MPO란 골수계의 세포가 갖고 있는 peroxidase라는 의미이다. Peroxidase는 H_2O_2와 halogen ion의 존재하에서 강력한 살균작용을 하는 효소이다.

MPO는 1차과립(azure 과립)에 포함되어 있기 때문에 전골수세포의 시기에 나타난다(단핵구계에서는 전단핵구부터 출현). 그 이후, 성숙 호중구가 될 때까지 이 MPO를 갖는다. 우선 MPO를 갖는 것과 갖지 않는 것으로 분류해 보자.

MPO를 갖고 있는 것

- 과립구(호중구, 호산구, 호염기구)의 전골수세포 ~분절핵세포까지
- 전단핵구~단핵구

MPO를 전혀 갖고 있지 않은 것

- 림프구계 세포(미성숙, 성숙과 관계없음)
- 적혈구계 세포(미성숙, 성숙과 관계없음)

MPO를 갖고 있지 않을 때가 많은 것
(MPO를 만들 정도로 성숙되지 않음)

- 골수모세포
- 단핵모세포

다음으로 MPO 염색, 또는 MPO 반응에 대해 설명하겠다.

MPO 반응이란 MPO와 반응하여 색을 내는 물질을 이용하여, MPO가 염색되는지 염색되지 않는지를 보는 것이다. 위의 'MPO를 갖고 있는 것'은 MPO가 염색되기 때문에 MPO 양성이 되고, 'MPO를 전혀 갖지 않는 것'은 MPO 음성이 되는 것이다.

이 반응의 중요성에 대해서 생각해 보자. MPO 반응이 중요한 것은 급성백혈병의 경우, 그 급성백혈병이 골수성인지 림프성인지를 구별할 수 있다는 점이다.

2. Leukocyte alkalinephosphatase(LAP) =Neutrophil alkaline phosphatase:NAP

LAP는 phosphate를 가수분해하는 효소로, 그 효소활성이 가장 강해질 때의 pH 조건이 알칼리성이다. Alkaline phosphatase는 혈액세포 중 호중구의 특수과립 속에 많이 존재한다.

다음 페이지의 Tip에서 LAP score에 대해 살펴보자.

3. 에스테라제 Esterase

에스테라제(esterase)는 이름 그대로 에스테르(ester)를 가수분해하는 효소이다. 에스테라제를 갖고 있는 세포는 수없이 많으며, 호중구(azure 과립 중에 있다), 단핵구, 림프구, 거대핵세포도 에스테라제를 갖고 있다. 그러나 모두 같은 반응을 나타내는 것은 아니며, 에스테르(ester)의 종류에 따라 반응성에 차이가 있다.

예를 들면, 호중구가 갖고 있는 에스테라제는

na-phthol ASD chloroacetate와 같은 긴 사슬(chain)의 에스테르를 분해하는 에스테라제(specific esterase라고 한다)인 것에 비해, 단핵구가 갖고 있는 에스테라제는 acetate나 butyrate와 같은 짧은 사슬의 에스테르를 분해하는 에스테라제(nonspecific esterase라고 한다)이다.

이와 같은 반응성의 차이 때문에, 에스테라제 염색은 특히 호중구와 단핵구의 감별에 이용되고 있다.

실제로 어떻게 에스테라제 염색을 이용하여 호중구와 단핵구를 감별하는가 하면, 염색액 속에 넣는 기질(ester)을 바꾸어 어느 쪽의 기질과 반응하여 색을 내는지를 보는 것이다. 또 한 가지 에스테라제 염색에 있어서 중요한 것은, 반응액에 NaF(불화나트륨)를 첨가하면 단핵구계의 nonspecific esterase는 염색되지 않는다는 것이다. 이것을 'NaF가 단핵구계의 nonspecific esterase 염색을 억제했다'고 한다. NaF에 의해 염색이 억제되는 것은 단핵구계라는 중요한 증명이 된다.

이상을 표로 정리하였다(표 4-3).

	호중구	단핵구
nonspecific esterase [기질은 α-naphthylacetate α-naphthylbutyrate]	—	++ (NaF첨가 시 −)
specific esterase [기질은 naphthol ASD chloroacetate]	++	—

— : 음성, ++ : 강양성

[표 4-3] Esterase 염색과 호중구·단핵구의 반응

4. 기타

특수 염색의 대상이 아니기 때문에 기타 항목에 넣었지만, 호중구의 기능을 이해하는 데 있어서 중요한 것이 많다.

- elastase(azure 과립에 존재)

esterase와 착각하지 않도록 한다

- collagenase(특수과립에 존재)
- cathepsin G(azure 과립에 존재)
- lysozyme(azure 과립, 특수과립에 존재)

이들이 과잉으로 작용하면, 조직장애를 일으킨다. 호중구는 단백분해 효소의 보고이다.

TIP

LAP score

말초혈액 도말표본에 alkaline phosphatase 염색을 한다. Alkaline phosphatase를 갖고 있는 호중구에서는 alkaline phosphatase가 청색의 과립상으로 나타난다. 이 양성의 정도를 0~5의 6단계로 평가한다(그림 A). 이와 같은 평가를 100개의 성숙 호중구에 대해서 실시한다. 점수는 100개의 호중구 단계의 총합으로 구한다. 예를 들면, 0이 5개, 1이 10개, 2가 48개, 3이 35개, 4가 1개, 5가 1개라면,

LAP score

$$= 0\times5+1\times10+2\times48+3\times35+4\times1+5\times1$$

$$= 220$$

이 된다.

LAP score의 정상치는 150~330이다. 이 정상치까지는 기억할 필요가 없지만, LAP score가 상승하는 질환, 감소하는 질환에 대해서는 기억해 두자.

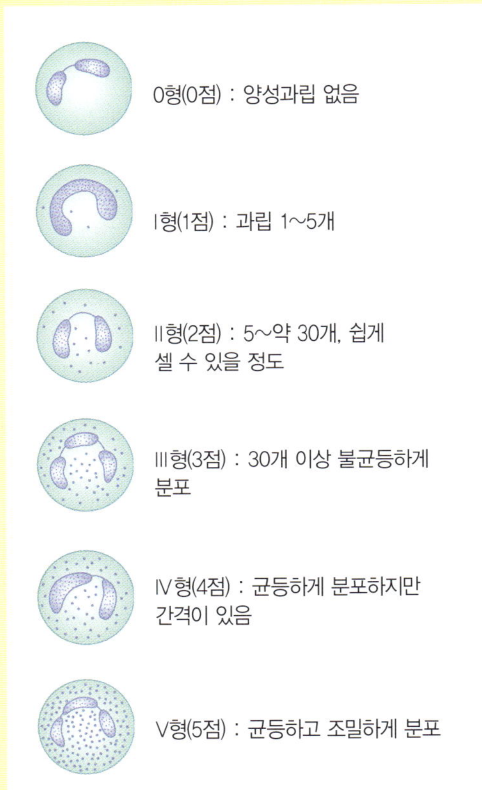

[그림 A] Leukocyte alkaline phosphatase의 분류

LAP score가 상승하는 질환

- CML의 blastic crisis
- 진성적혈구증가증(PV)
- 특발성골수섬유증(IMF)
- 백혈병 유사반응(leukemoid reaction)

LAP score가 감소하는 질환

- 만성골수성백혈병(CML)
- 발작야간혈색뇨증(PNH)
- 골수형성이상증후군(MDS)
- 적백혈병(erythroleukemia)

감별진단에 이용되는 LAP score

1 – CML과 백혈병 유사반응(p.91)

2 – 진성적혈구증가증(PV)과 이차성 적혈구증가증 (p.55~57)

3 – PNH와 재생불량빈혈(p.45)

플러스 코너

2. 혈관벽에 부착하는 호중구

호중구의 증가와 감소를 설명하기 위해서 꼭 필요한 개념이다.

우선 호중구가 몸의 어디에 있는지를 생각해 보자. 물론 호중구는 혈관 속을 흐르고 있다. 이와 같은 호중구의 집단을 순환 풀(pool)이라고 한다. 말초혈액의 도말표본에서 보이는 것은 순환 풀(pool) 속의 호중구이다. 그런데 혈관벽에 달라붙어 있어 순환하지 않는 호중구도 있다. 이들 호중구 집단을 변연 풀(marginal pool)이라고 하는데, 언제라도 혈관 밖으로 나올 수 있도록 대기하고 있는 상태이다. 또한 골수에서 막 만들어진 어린 성숙 호중구는, 골수내에서 밖으로 나갈 차례를 기다리고 있는데 이들 호중구 집단을 골수 풀(pool)이라고 한다(그림 A).

그리고 이 3가지의 분포에는 **그림 B**와 같은 관계가 있다.

채혈을 해서 검사하여 호중구가 늘었다는 결과를 얻었다면 그것은 순환 풀(pool)이 늘었다는 것과 같은 의미이다. 그 반대도 마찬가지이다.

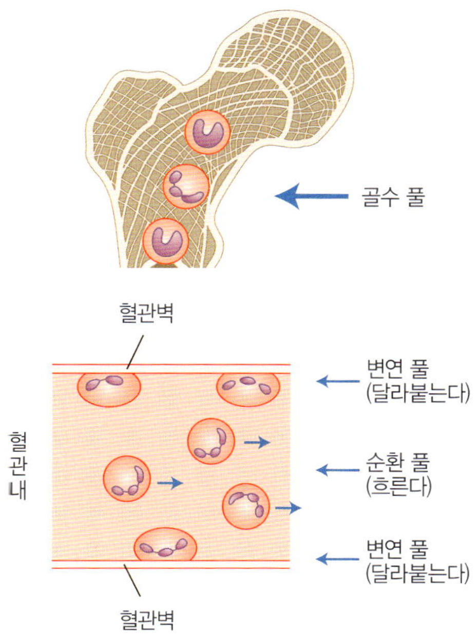

[그림 A] 호중구의 위치

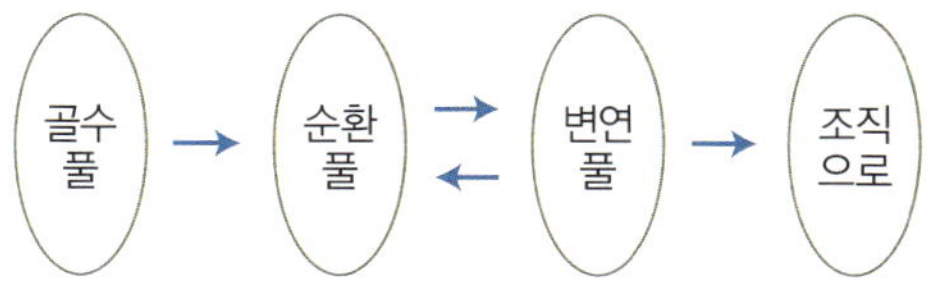

[그림 B] 성숙 호중구의 분포

호중구가 증가하는 질환 · 상태

말초혈액 속의 호중구가 7,500개/μL 이상 되면 호중구증가증(neutrophilia)이라고 정의한다. 호중구의 3가지 분포를 염두에 두면서 호중구 증가의 원인이 되는 질환 · 상태에 대해서 살펴보자.

1. 급성 감염증

급성 감염 시에는 조직의 호중구 수요가 증가한다. 따라서 호중구가 골수 풀로부터 동원되어, 결과적으로 순환 풀의 호중구가 증가한다.

2. 아드레날린

아드레날린은 변연 풀에서 순환 풀로 호중구를 일과성으로 이동시킨다. 외견상, 말초혈액 속의 호중구가 증가한다. 같은 이유로 스트레스나 운동에 의해 호중구의 증가가 나타난다.

3. 부신피질스테로이드제

부신피질스테로이드제는 변연 풀에서 조직으로 유출되는 것을 억제한다. 그 때문에 변연 풀, 순환 풀 모두에서 호중구가 증가한다.

4. 세균감염증, 악성종양, 염증, 조직괴사

이것들은 만성적으로 호중구 증가를 초래한다. 3가지의 풀과 모든 조직에서 호중구의 증가가 나타난다. 구체적으로 질환을 열거하면 아래와 같다.

- 폐암, 신장암 등 CSF(colony stimulating factor) 생산 종양이 원인이 되는 경우도 있다.
- 류마티스열, 류마티스관절염, 통풍, 혈관염 등
- 심근경색, 폐경색, 괴저 등
- 세균감염증에서는 대부분 호중구가 증가한다.

그러나 예외가 있다. 장티푸스, 파라티푸스 감염과, 위험한 세균감염증이다. 이들은 세균감염증임에도 불구하고 백혈구가 감소한다.

5. 혈액질환

골수증식성 질환이나 림프종에서 호중구가 증가하는데, 호중구는 줄기세포 단계에서 증가한다.

골수증식성 질환에는 다음과 같은 것들이 있다.

- 만성골수성백혈병
- 진성적혈구증가증
- 진성고혈소판증
- 특발성골수섬유증

6. 기타

흡연, 다운 증후군에 의해서도 호중구가 증가한다.

호중구가 감소하는 질환 · 상태

말초혈액 속의 호중구가 1,500개/μL 이하인 경우를 호중구감소증(neutropenia)이라고 정의한다. 특히 500개/μL 이하를 무과립구증(agranulocytosis)이라고 한다.

1. 조혈모세포장애에 의한 골수에서의 생산저하

범혈구감소증(pancytopenia)을 일으키는 질환(p.45)은 모두 이 범주에 속한다. 대표적 질환들은 다음과 같다.

- 재생불량빈혈
- 급성백혈병
- 골수형성이상증후군(MDS)
- 발작야간혈색뇨증(PNH)
- 거대적혈모구빈혈

그 밖에 무과립구증도 있다. 무과립구증은 항갑상선제의 부작용으로 발생하기도 한다. 이 경우 치료는 우선 항갑상선제를 즉시 중단하고, 감염예방 대책으로서 항균제를 투여하며, 과립구 성숙을 위해 G-CSF(granulocyte colony-stimulating factor)를 투여한다.

또 조혈모세포장애라는 관점에서 보면,

- 방사선조사(irradiation)
- 항암제투여

도 여기에 포함된다.

2. 바이러스 감염

- Influenza virus 감염증
- 홍역
- AIDS
- 바이러스간염(Viral hepatitis)

이와 같은 바이러스감염에서는 일반적으로 호중구가 감소한다. 줄기세포가 바이러스에 감염되었거나, 바이러스가 직접 호중구를 파괴하는 등, 여러 가지 원인을 생각할 수 있다.

3. 장티푸스, 파라티푸스

세균 감염에서는 일반적으로 호중구가 증가하는 데 비해, 장티푸스, 파라티푸스 감염에서는 호중구가 감소한다. 이 2가지는 세균 감염의 예외이므로 반드시 기억하자.

감염증과 백혈구 증감

- 세균 감염
→ 호중구가 증가함에 따라 백혈구 증가
(장티푸스와 파라티푸스는 예외로 호중구가 감소한다. 위험한 세균감염에서도 호중구는 감소한다)
- 바이러스 감염 → 림프구 증가, 호중구 감소

4. 위험한 감염

- 좁쌀결핵(miliary tuberculosis)
- 패혈증(sepsis)

5. 면역기전으로 인한 호중구의 파괴

- 전신홍반루푸스

자가면역용혈빈혈(autoimmune hemolytic anemia)과 비슷한 현상이 호중구에서 일어난다.

6. 비장기능항진증 Hypersplenism

비장비대 때문에 호중구가 망상내피계에 격리(sequestration)되어, 적혈구에서의 혈관외용혈과 유사한 현상이 일어나기 때문에 호중구가 감소된다.

- 간경변
- 특발성문맥압항진증
- 말라리아
- Felty 증후군(만성류마티스관절염에, 비장비대와 비장기능항진으로 인한 백혈구감소를 동반한다)

7. 기타

- 인공혈액투석
- Rickettsia(쯔쯔가무시〈tsutsugamushi〉병)

D 호산구 Eosinophil

호산구를 보통 염색했을 때 특수과립이 붉게 물들기 때문에(호산성) 이런 명칭이 붙은 것이다. 과립이 호산성의 색소와 친화성이 높다는 것은 과립 자체가 염기성임을 나타낸다.

1 호산구의 기능과 역할

호산구 역시 호중구와 마찬가지로 이동기능, 탐식기능, 살균기능이 있으나 그 작용은 약하다. 호산구는 **기생충에 대한 생체방어기능**을 가지고 있으며, 또 **기관지천식**, **접촉피부염**, **알레르기비염 등의 알레르기 반응에 관여**하고 있다.

이 생체방어체계는 특히 기생충에 대해 발휘된다. 호산구는 기생충 감염으로 증가하고 MBP 등을 분비해 기생충을 제거한다. 그러나 MBP 등은 기관지 상피세포 등 정상 조직을 손상시키기는 것으로 알려져 있으며 이 때문에 알레르기 반응이 일어난다고 생각된다.

또 호산구에는 염증반응의 악순환을 차단하여 부작용을 최소화하는 작용도 있다. 호산구가 갖고 있는 hista-minase는 histamine을 분해함으로써 알레르기 반응을 완화시킨다. 또 prostaglandin을 방출함으로써 호염기구의 탈과립을 억제한다(그림 4-5).

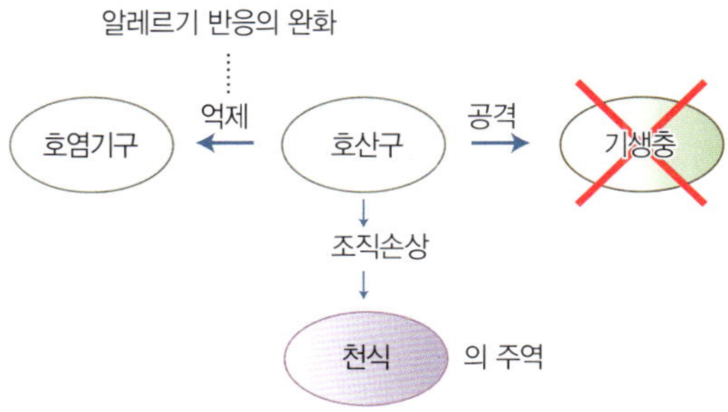

[그림 4-5] 호산구의 기능과 역할

2 호산구가 증가하는 질환 · 상태

말초혈액 속의 호산구가 500개/μL 이상인 경우를 호산구증가증(eosinophilia)이라고 정의한다. 여기에 속하는 질환은 중요하므로 기억해 두자 .

1. 알레르기질환 및 피부질환

- 기관지천식
- 아토피피부염
- 약제 알레르기
- 두드러기
- 천포창(pemphigus)

2. 기생충감염

3. 자가면역질환

- 결절다발동맥염(polyarteritis nodosa)
- 알레르기성육아종성혈관염
- Wegener 육아종증
- Sjögren 증후군

4. PIE 증후군 Pulmonary infiltration with eosinophilia

말초혈액에서 호산구 증가를 동반하며, 허파의 침윤상을 나타내는 질환을 PIE 증후군이라고 한다. PIE 증후군 중, 다음 질환의 명칭 정도는 알아두자.

- Löffler 증후군
- ABPA(allergic bronchopulmonary aspergillosis)

5. 혈액질환

- 만성골수성백혈병
- 진성적혈구증가증
- 골수섬유증
- 림프종

6. 기타

- 사르코이드증
- Addison병

  Cortisol은 호산구를 감소시킨다. Addison병은 cortisol이 감소하는 질환이기 때문에 호산구가 증가된다.

3 호산구가 감소하는 질환 · 상태

원래 적은 호산구이지만 호산구가 소실되어 버리는 질환을 기억하자.

- 장티푸스(호중구도 감소한다)
- 홍역(호중구도 감소한다)
- Rickettsia(쯔쯔가무시병←호중구도 감소한다)
- Cushing 증후군(cortisol은 호산구를 감소시킨다)

IV

TIP

기관지천식과 호산구

기관지천식에는 즉시반응과 지연반응의 2가지가 있는데, 호염기구는 즉시반응에, 호산구는 지연반응에 관여하고 있다. 호염기구로부터 나오는 histamine에 의해 즉시반응이 일어나며(15~30분), 그 후 호산구를 비롯한 염증세포가 기관지 상피세포에 침윤하여 염증반응을 일으키는데 이것이 지연반응이다(항원노출 후 4~12시간).

여기에서 활성화된 호산구는 조직장애성이 증가하여 기관지 상피세포를 박리시켜 버린다. 이렇게 되면 구심성(afferent) 신경이 드러나 기도의 반응성이 항진된다. 즉 차가운 공기를 들이마시기만 해도 천식발작을 일으키게 된다.

이렇게 천식을 심하게 한 것은 호산구이지만, 나쁜 뜻이 있었던 것은 아니다. 처음에는 histamine을 불활성화시키려는 선의의 마음뿐이었다. 그런데 어느새 조직장애성이라고 하는 나쁜 일면이 부각되어 버린 것이지, 실제로 호산구의 입장에서 볼 때에는 호염기구가 나쁜 것이다.

ADVANCED STUDY **백혈구 총론**

호염기구 Basophil

호염기구의 '염기'란 어떤 의미인가?

호염기구를 염색했을 때, 특수 과립이 푸르게 물들기(호염기성) 때문에 이런 명칭이 붙었다.

1. 호염기구의 기능과 역할

호염기구는 생체내에서 즉시형 알레르기 반응의 중심적인 역할을 한다.

과립 안에는 histamine, kallikrein, heparin, chondroitin sulfate 등이 있다. 혈액 속에 존재하는 histamine의 대부분은 호염기구에서 유래한다. Histamine과 kallikrein은 모두 즉시형 알레르기의 중재자로서 작용하고 있다. Heparin의 항응고작용은 명확하지 않다.

증상은 호산구에 의한 알레르기반응과 비슷하지만, 작용기전이 다르다. 호염기구에 의한 알레르기는 항원 노출에 대한 알레르기반응이다. 호염기구는 즉시형 알레르기에 관여해, 아나필락시스 반응 · 알레르기비염 · 두드러기 등을 일으킨다. 증상은 항원 노출 후 30분 이내에 나타난다.

병원체에 대한 방어기전은 호산구와 같다고 생각되지만, 상세한 것은 알려져 있지 않다.

2. 호산구가 증가하는 질환

골수증식성 질환이라고 알아두자.

골수증식성 질환에서는 호중구, 호산구, 호염기구가 모두 증가한다(범혈구 증가).

단핵구 Monocyte

1. 단핵구계의 분화와 성숙

단핵구는 말초혈액세포 중에서 가장 큰 세포로 직경 10~15μm의 원형과 유사한 모양의 대형 백혈구로 말초혈액 중에서 차지하는 비율이 약 5%이다.

단핵구는 호중구보다 강한 탐식능력과 수개월의 긴 수명을 가지고 있으며, 조직 내로 이행하면 더욱 성숙한 대식세포로 분화한다.

단핵구는 과립구 대식세포계 전구세포(granulocyte macrophage progenitor : GMP)로부터 다음과 같이 분화 · 증식되어 간다.

- GMP → 단핵모구(monoblast) → 전단핵구(promonocyte) → 단핵구(monocyte) → 대식세포(macrophage)

2. 단핵구와 대식세포의 차이

골수에서 성숙된 단핵구는 혈액 속을 순환(말초혈액내에서 단핵구계 세포는 모두 단핵구)한 후에 조직에 들어가는데, 조직에 들어간 단핵구는 형태적으로나 기능적으로 그 조직에 특징적인 대식세포로 분화된다.

간단히 정리하면 다음과 같다.

단핵구(혈액내) → 대식세포(조직내)

혈액 속의 단핵구에서 그 조직 특유의 '탐식 · 항원제시의 전문가'로 '업그레이드'된 것이 대식세포이다. 피부의 Langerhans cell처럼 조직에 의해 특유의 명칭으로 불리는 것도 있다(그림 4-6).

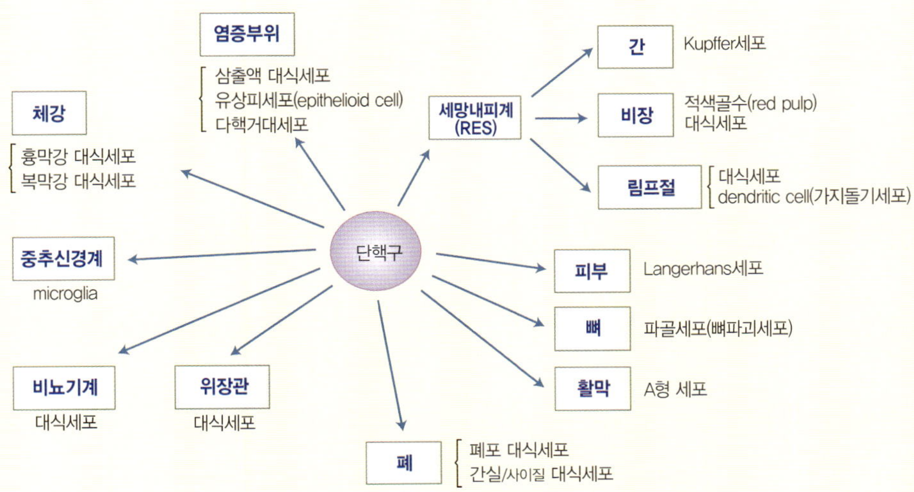

[그림 4-6] 단핵구 · 대식세포의 조직분포와 명칭

3. 단핵구와 대식세포의 기능 · 역할

1) 이동기능, 탐식기능, 살균기능

호중구가 가지고 있는 이동기능, 탐식기능, 살균기능을 단핵구도 가지고 있다.

단핵구 · 대식세포는 호중구에 비해 쓰레기를 처리하는 역할이라는 느낌이 강하다.

세균뿐이 아니라 무엇이든지 먹는다. 예를 들면, 비장의 대식세포는 노화된 적혈구를 먹고, 골수의 대식세포는 비정상적인 적혈모구를 먹는다. 염증 반응의 뒤처리를 해 주는 것도 대식세포이다.

2) 항원제시

면역반응에 있어서, T세포에 대해 항원제시 세포(APC : antigen presenting cell)로서 중요한 역할을 수행하고 있다.

3) 항종양작용

종양세포를 직접 탐식한다.

4) 사이토카인 생산

다양한 염증성 사이토카인(IL, TNF, IFN)을 분비한다.

4. 단핵구가 증가하는 질환 · 상태

1) 혈액질환

급성골수성백혈병에서 단핵구가 증가하는 질환이 있다. 그 외에도 골수증식성질환으로 인해 범혈구가 증가하기 때문에 단핵구가 증가한다.

- 급성골수성백혈병 중, **급성골수단핵구백혈병(AMMoL, FAB 분류의 M4) 급성단핵구성백혈병(AMoL, FAB 분류의 M5)**
- 골수증식성질환(CML 등)
- 만성골수단핵구백혈병(CMMoL)

2) 감염증

결핵과 아급성심내막염(subacute endocarditis)이 잘 알려져 있다.

5. 대식세포가 증가하는 질환 · 상태

대식세포가 말초혈액내에 증가하는 질환 · 상태는 없다. 왜냐하면 대식세포는 조직에 존재하기 때문에 말초혈액 중에서 증가하는 일은 없기 때문이다. 대식세포가 조직에서 증가하는 질환 · 상태는 있는데, 조직구증(histiocytosis)이라는 질환이 여기에 해당된다.

- Langerhans cell histiocytosis
- Langerhans cell 육종
- Dendritic cell 종양/육종
- 조직구성 육종

E 림프구 Lymphocyte

최근 다양한 지식이 집약되어 지금까지 규명되지 않았던 사실이 차례로 밝혀지게 되었다. 림프종이나 림프모구백혈병을 이해하는 데에는, 림프구에 관해 상당한 지식이 요구된다.

IV

1 림프구와 림프관

림프구와 림프관의 관계는 대단히 밀접하다. 지금까지 설명해 온 과립구, 단핵구는 일단 혈관에서 조직으로 나와 버리면 다시 혈관으로 되돌아가는 일은 없다. 그런데 림프구는 림프관을 통해서 혈관계로 다시 돌아온다. 이것이 의미하는 것은, 면역에 있어서 가장 중요한 역할을 감당하는 림프구가 맥관에서 말초조직에 이르기까지 이물질의 침입에 대비하여 순찰을 하고 있다는 것이다(그림 4-7).

2 림프구의 종류

림프구는 기능과 세포표면 표지자에 의해 T세포, B세포, 기타 세포의 3가지로 나누어진다. 기타 세포 중에는 NK세포(natural killer cell)와 NKT세포(NK세포와 T세포 양쪽의 특징을 갖고 있는 세포로서, 1999년에 그 존재가 자세하게 밝혀진 새로운 개념의 세포)가 포함된다(표 4-4).

	B세포	T세포	NK세포
기능	• 항체생산 • 항원기억	• 세포손상 • 다른 림프구나 대식세포의 조절	• 종양·바이러스 감염세포의 제거

[표 4-4] 림프구의 기능

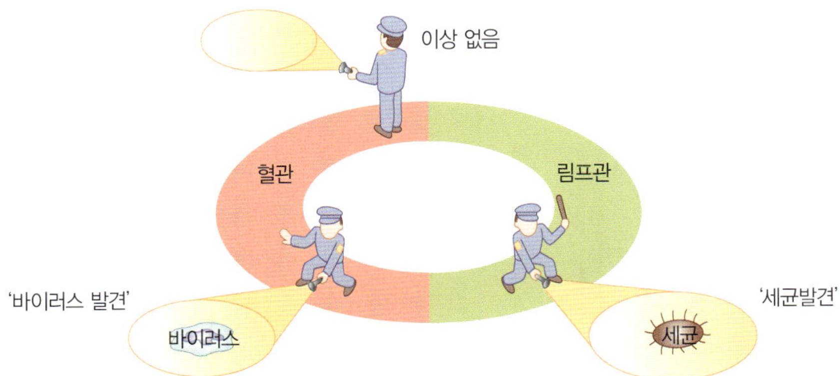

[그림 4-7] 림프구의 순찰

3 림프구가 증가하는 질환 · 상태

림프구증가증(lymphocytosis)이란 말초혈액 속에 림프구가 4,000개/μL 이상인 상태를 말한다. 전염성단핵구증(infectious mononucleosis)과 백일해(pertussis)의 2가지는 꼭 기억하자.

1. 바이러스감염

일반적으로 림프구가 증가하고 호중구가 감소한다.

- 전염성 단핵구증(infectious mononucleosis)
- Cytomegalovirus 감염증
- Herpes virus 감염증

2. 림프구계 종양

- 급성림프모구백혈병(ALL)
- 만성림프모구백혈병(CLL)
- 백혈병화된 림프종

3. 기타

- 백일해(pertussis)
  림프구가 증가되는 세균감염증이다. 재순환(순찰)하는 림프구가 림프절로 유입되는 것이 막히고 그 결과 말초혈액 속에 림프구가 정체되기 때문에 림프구가 증가된다.
- 자가면역질환
- Addison병(cortisol 감소)
- 호중구 감소 시

4 림프구가 감소하는 질환 · 상태

림프구감소증(lymphocytopenia)이란 말초혈액 속에 림프구가 1,500개/μL 이하인 상태를 말한다. 면역결핍증이라는 항목이 별도로 있지만 일반적으로는 림프구 감소=면역결핍증이라고 생각하면 된다.

1. 면역결핍증

1) 선천성 면역결핍증

- DiGeorge 증후군(제 3,4 branchial pouch의 이상)
- Wiskott–Aldrich 증후군
- 모세혈관확장성 운동실조증(ataxia telangiectasia)
- 무감마글로불린혈증(agammaglobulinemia)
- 중증 복합면역결핍증(severe combined immunodeficiency : SCID)

2) 후천성 면역결핍증후군

- Acquired immunodeficiency syndrome : AIDS

2. 암

종양세포가 생산하는 면역 억제물질이 림프구 감소의 원인이 된다.

3. 바이러스감염

앞의 바이러스 감염에서는 림프구가 증가한다고 했는데 예외가 있다. 홍역, 폴리오(polio), HIV에서는 바이러스가 림프구를 감염시켜 파괴한다.

4. 자가면역질환

- 전신홍반루푸스
  항림프구 자가항체에 의해 림프구가 파괴된다. 호중구도 같은 기전으로 파괴된다.

5. 치료에 의한 파괴

- 항암제(면역억제제 포함)
- 방사선조사(irradiation)
  T · B림프구가 감소되는데, 특히 T림프구가 감소된다.
- 부신피질스테로이드제 투여
  부신피질스테로이드제를 투여하면, 림프구의 일부는 파괴되고 대부분은 림프조직으로 이동한다.

6. 림프구 상실

- 단백상실성위장증
- 흉관/가슴림프관 배액술(drainage)

7. 기타

- 림프종
- Cushing 증후군
- 스트레스
- 호중구 증가 시

ADVANCED STUDY 백혈구 총론

IV

림프절

체내의 림프조직에는 다음과 같은 것들이 있다.

- 장기로서 독립되어 있는 것
  - 흉선/가슴샘
  - 비장
- 림프절
- 점막에 존재하는 림프조직

이 중에서 특히 림프절로 범위를 좁혀 그 구조를 중점적으로 살펴보자.

1. 림프절의 구조

1) 3층 구조

우선 림프절의 단면도를 살펴보자**(그림 4-8)**.

이 사진에서는 림프절 전체를 개괄적으로 볼 수 있다. 염석 상태가 좋은 피질(겉질, cortex : Cx)과 염색 상태가 좋지 않은 수질(속질, medulla : M)의 이중 구조로 되어 있다는 것을 알 수 있을 것이다. 피질에는 세포가 많기 때문에 H-E에서 염색이 잘 되고, 수질에는 세포가 적기 때문에 염색이 잘 안 되는 것처럼 보이는 것뿐이다.

피막 근처의 피질에는 푸른 고리가 몇 개나 있고, 수질 근처의 피질에는 푸른 고리가 없다. 이 푸른 고리를 림프여포(lymphoid follicle : F)라고 한다. 수질 근처의 피질을 곁피질(paracortex : P)이라고 한다.

피질을 림프여포가 있는 보통의 피질과 림프여포가 없는 곁피질의 2개 층으로 나누고, 이것에 수질을 더하여 림프절을 3개 층으로 나눈다**(그림 4-9)**. 보통의 피질에는 B세포가 많고 곁피질에는 T세포가 많으며 수질에는 형질세포가 많다.

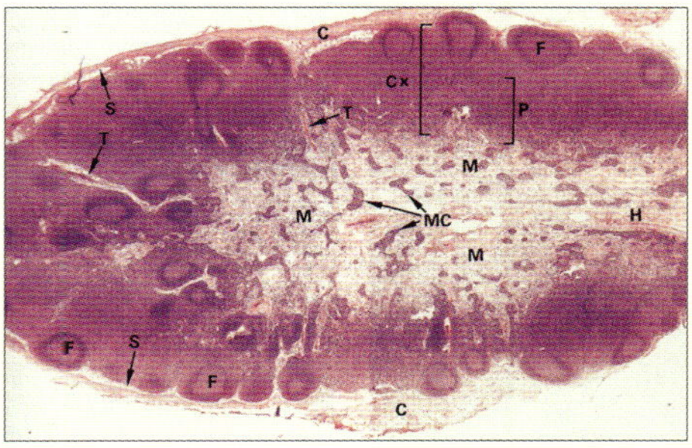

[그림 4-8] 림프절의 단면도

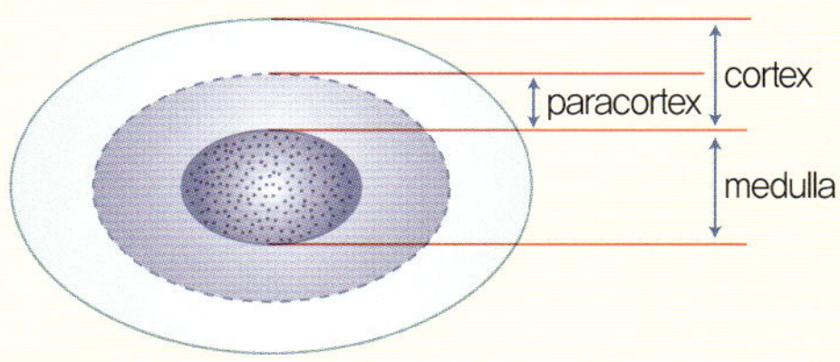

[그림 4-9] 림프절 층의 구조

2) 림프절에 출입하는 것

림프절의 모식도를 살펴보자(**그림 4-10**).

림프절에는 여러 개의 유입림프관(afferent lymphatic)이 들어오고 하나의 유출림프관(efferent lymphatic)이 문에서 나간다. 이 문으로 동맥이 들어오고 정맥이 나간다.

2. 림프여포

림프절의 구조를 좀 더 자세히 살펴보기로 하자. 앞에서 림프여포에 대해 설명했지만, 사실 림프여포에는 1차 림프여포(1차 여포)와 2차 림프여포(2차 여포)의 두 가지가 있다(**그림 4-11**).

1차 여포는 H-E염색의 사진으로 잘 알 수 없지만, 2차 여포는 H-E염색의 사진으로 잘 알 수 있다. **그림 4-8**에서 F라고 되어 있는 것은 전부 2차 여포이다.

2차 여포는 염색 상태가 좋지 않은 중심부와, 그것을 둘러싼 푸른 고리로 구성된다. 염색 상태가 좋지 않은 부분을 종자중심(배중심, germinal center)이라 하고, 푸른 고리를 외투층(mantle zone)이라고 한다. 즉 종자중심을 갖고 있는 것이 2차 여포이다.

Helper T세포에서 증식하도록 명령받은 B세포는 1차 여포 속으로 들어간다. 거기에서 활발히 증식을 반복한다. B세포가 활발하게 증식한 결과가 종자중심이 되고, 1차 여포는 가장자리로 밀려 외투층이 된다(**그림 4-12**). 종자중심에서 증식한 B세포는 배중심을 나와 일부는 외투층에서 기억 B세포로 남고, 일부는 형질세포로 분화한다. 종자중심에서 B세포의 증식이 끝나면 종자중심은 오그라들어 1차 여포로 돌아간다.

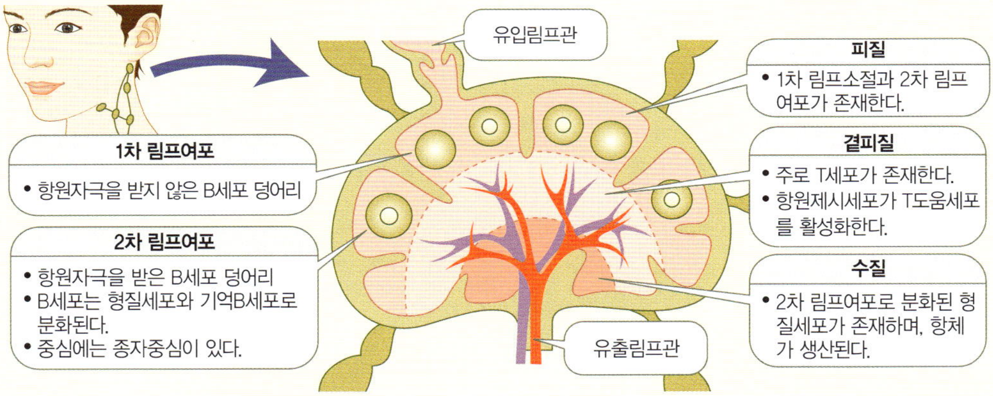

[그림 4-10] 림프절

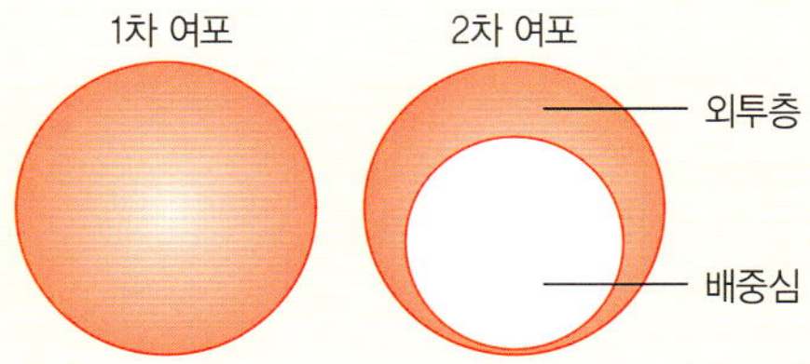

[그림 4-11] 1차 여포(follicle)와 2차 여포

3. 기타 림프조직의 구조

1) 비장(spleen, 지라)

비장에도 림프여포가 존재한다. 백색수질(white pulp)이라고 불리는 결절이 림프여포에 해당된다(**그림 4-13**). 비장의 림프여포 주변, 정확하게는 외투층의 바깥쪽에는 변연대라고 불리는 부분이 존재한다(**그림 4-14**). 변연이라는 명칭이 붙은 림프종을 보면 림프여포의 주변세포가 종양화한 것으로 생각하자.

2) 점막관련림프조직

Mucosa-associated lymphoid tissue : MALT

점막으로 형성된 림프조직을 MALT라고 한다. 앞에서 말한 편도도 MALT의 일종이다. 소장의 파이어판(Peyer's patch), 충수(막창자꼬리)의 림프조직을 비롯한 위장점막의 림프조직, 기도점막의 림프조직, 질 · 자궁점막의 림프조직이 MALT에 포함된다.

림프절과 다른 MALT의 특징은,

- 유입림프관이 없다.
- 그 대신 MALT를 감싸는 점막이 유입림프관의 역할을 한다.
- 피막에 둘러싸여 있지 않다.
- MALT에 존재하는 B세포에는 IgA를 분비하는 것이 많다.

MALT에도 림프여포가 존재하고, 이 림프여포에서 B세포가 증식한다. 참고로 구개편도의 사진(**그림 4-15**)을 제시한다. 림프여포가 많이 있는 것을 알 수 있다.

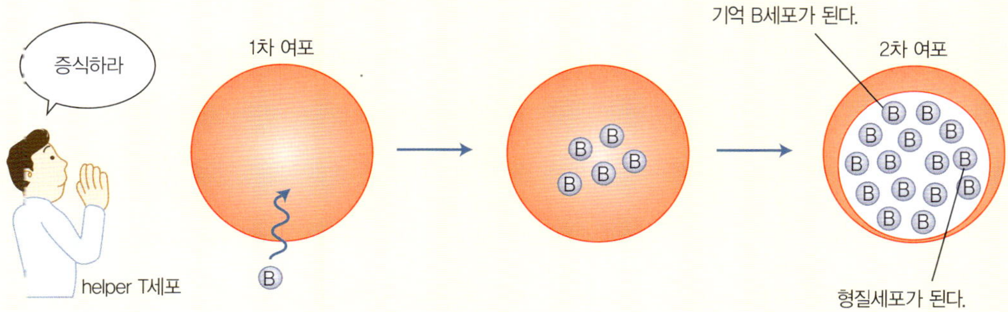

[그림 4-12] 종자중심에서 B세포가 증식한다

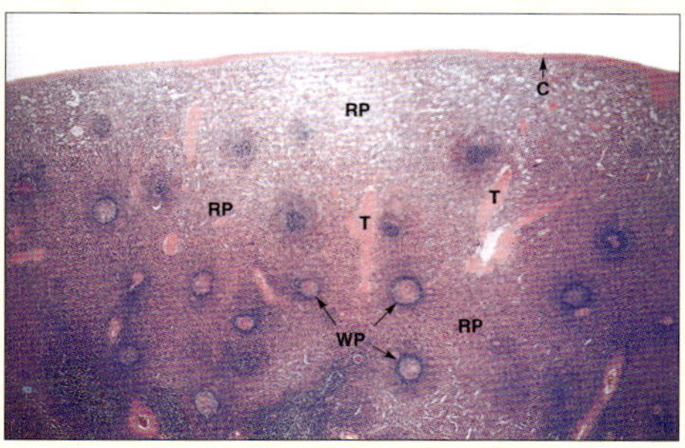

[그림 4-13] 비장

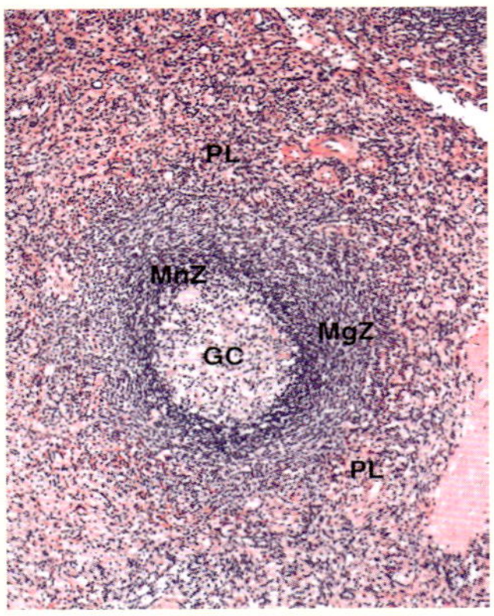

[그림 4-14] 비장림프조직

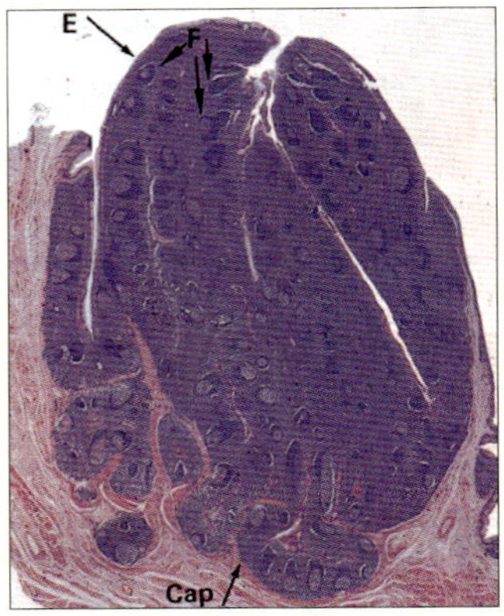

[그림 4-15] 구개편도

4. 림프절이 커지는 질환

건강한 사람에게서는 림프절이 체표에서 만져지지 않기 때문에, 만약 림프절이 만져진다면 이상이 있는 것이라고 생각해야 한다. 림프절에는 B세포, T세포 모두 존재하지만, 대략「B세포가 증식하는 질환에서는 림프절이 커지는 경우가 많다」는 것을 기억해 두자. 한 가지 주의할 점은 말초혈액에서 림프구가 증가했다고 해서, 반드시 림프절이 커지는 것은 아니라는 점이다. 아래에 림프절이 커지는 질환을 정리해 놓았다.

1) 감염에 의한 림프절비대

주로 국한성 비대(화농성〈세균성〉인 경우가 많다).

- 화농성 림프절염
- 결핵성 림프절염
- 서혜림프육아종증(lymphogranulomatosis inguinalis) 등

살모넬라 감염에서는 전신성으로 나타난다.

전신성 비대(바이러스, 진균, 기생충에 의한 것이 많다).

- 전염성단핵구증
  EBV가 B세포를 감염시키고, 그 결과 B세포가 종양성으로 증식한다.
- AIDS
- 진균증
- 패혈증(sepsis)
- Toxoplasma감염증 등

2) 악성 종양에 의한 림프절비대

B세포가 종양성으로 증식해서 림프절이 비대된 경우와 악성 종양의 전이로 림프절이 비대된 경우가 있다.

- B-CLL림프종
- 호지킨림프종
- 급성백혈병
- 암의 전이
  림프절 안으로 전이된 암이 증식한 결과 림프절이 비대해진다.

3) 기타

- 결합조직질환
  SLE나 만성류마티스관절염에서는 림프절비대가 나타나는데, 이것도 항체생산에 관여하는 B세포가 림프절에서 증식하기 때문이다.
- 사르코이드증(sarcoidosis)

TIP

유입림프관의 유무

림프절과 편도의 구조상 차이를 기억해 두자. 구조상의 차이는 '림프절에는 림프관이 흐르는 것에 비해, 편도에는 림프관이 흐르지 않는다'는 점이다. 바꾸어 말하면, '림프절에는 유입림프관이 존재하지만, 편도에는 유입림프관이 존재하지 않는다'는 것이다. 참고로 유출림프관은 양쪽 모두에 존재한다(그림 A).

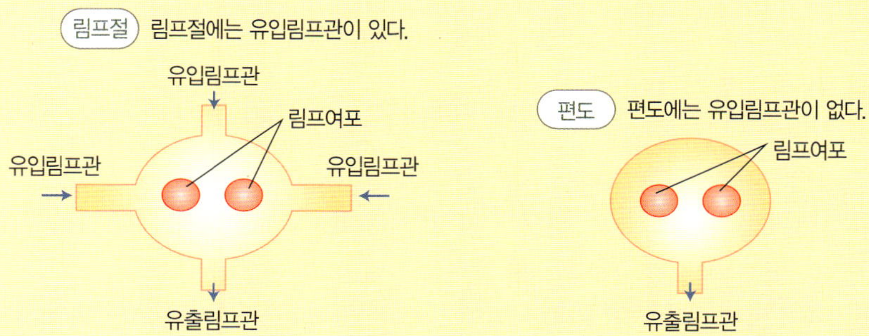

[그림 A] 림프절과 편도의 차이

F 백혈구의 증가 및 감소/백혈구의 이상

1 백혈구가 증가하는 질환

백혈구는 호중구(neutrophil)와 림프구, 2가지가 대부분 차지하고 있으므로, 지금까지 배운 **호중구의 증가, 림프구의 증가**를 기억한다면 문제가 없을 것이다(p.72, 82). 말초혈액의 백혈구가 10,000/μL 이상인 것을 **백혈구증가증(leukocytosis)**이라고 한다. 혈액의 종양성 질환이 아닌데도, 말초혈액의 백혈구가 50,000/μL 이상이나 되는 경우가 있다. 이와 같은 증가를 **백혈병 유사반응(leukemoid reaction)**이라고 한다.

2 백혈병 유사반응 Leukemoid reaction

백혈병 유사반응이라는 명칭대로, 말초혈액소견이 백혈병과 동일하게 나타난다. 백혈병을 진단할 때 반드시 감별이 필요한 질환이다.

구체적으로는, 배경에 원인이 되는 기저질환이 있으며 아래와 같은 병태를 나타낼 때 백혈병 유사반응이라고 한다(그림 4-16).

① 백혈구 수가 50,000/μL 이상이 된다(양적 백혈병 유사반응).

또는

② 말초혈액에 미성숙 백혈구가 나타난다(질적 백혈병 유사반응).

여러분은 어떤 점이 백혈병과 유사하다고 생각하는가?

백혈구 수가 50,000/μL을 넘는 점은 만성 백혈병과 유사하다. 말초혈액에 미성숙 백혈구가 나타나는 것은 급성 백혈병과 유사하다. 또 한 가지, 백혈병 유사반응은 놀랄 만한 혈액소견을 나타냄에도 불구하고 조혈계 악성종양은 아니다. 어디까지나 기저질환에 대한 2차적인 반응이다.

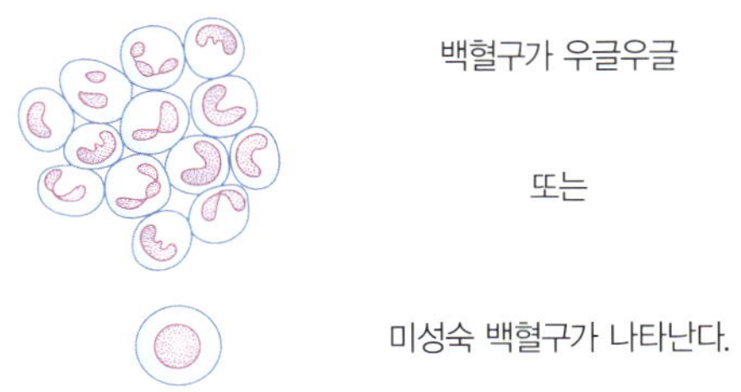

[그림 4-16] 백혈병 유사반응이란?

1. 양적 백혈병 유사반응

주로 증가하는 백혈구에 의해 호중구증가형, 림프구증가형, 단핵구증가형으로 분류할 수가 있다. 총론의 지식을 갖고 있다면 쉽게 이해할 수 있을 것이다. 모두 반응성 증식이다. 호중구증가형에서는 세균감염증, CSF생산종양이 중요하다. 림프구증가형에서는 백일해, 전염성 단핵구증이 중요하고, 단핵구증가형에는 결핵이 중요하다(표 4-5).

양적	호중구증가형	세균감염증 CSF생산종양 화상 중독
	림프구증가형	백일해 전염성 단핵구증 유행성이하선염 약물알레르기
	단핵구증가형	결핵
질적	백적혈모구증	암의 골수전이 좁쌀결핵

[표 4-5] 백혈병 유사반응과 CML의 감별점

2. 질적 백혈병 유사반응

말초혈액에 미성숙 백혈구가 나타났다는 말을 들으면 백적혈모구증(leukoerythroblastosis)을 바로 떠올릴 수 있어야 한다(p.141). 백적혈모구증 중에, 암의 골수전이와 좁쌀결핵(miliary tuberculosis), 2가지는 알아두자. 골수섬유증(MF)은 백적혈모구증을 일으키지만, 백혈병 유사반응이라고는 하지 않는다.

3. 유사 질환과의 감별

백혈병과 유사하기 때문에 백혈병 유사반응이라는 명칭이 붙었다. 백혈병 중, 특히 만성골수성백혈병(CML)이 감별을 요하는 질환이다.

CML과는 말초의 백혈구 수가 현저하게 증가한다는 점에서 유사하다. 감별점은 표 4-6에 나와 있다. 포인트는 Philadelphia 염색체와 LAP score이다.

	말초백혈구수	Philadelphia 염색체	LAP score	골수소견	비장비대
백혈병 유사반응	5만/μL 이상 가끔 수십 만/μL	없음	↑인 경우가 많다.	암이 골수에 전이되면 암조직이 나타난다.	없음
CML	위와 비슷하다.	있음	↓	골수세포의 현저한 증가	있음

[표 4-6] 백혈병 유사반응과 CML의 감별점

3 백혈구가 감소하는 질환

말초혈액의 백혈구가 4,000/μL 이하인 상태를 백혈구감소증(leukocytopenia)이라고 한다. 호중구 감소 = 백혈구 감소로 생각하기 바란다.

4 백혈구 증감에 관한 정리

1. 세균감염	일반적으로 호중구 증가, 림프구 감소이지만, 아래와 같은 예외가 있다. • 장티푸스, 파라티푸스에서는 호중구 감소 • 좁쌀결핵, 패혈증에서도 호중구 감소 • 백일해에서는 림프구 증가
2. 바이러스감염	일반적으로 호중구 감소, 림프구 증가이지만, 예외로 HIV감염, 홍역, 폴리오 등과 같이 림프구가 감소되는 경우가 있다.
3. 부신피질스테로이드제	호중구 증가, 호산구 감소, 림프구 감소
4. 전신홍반루푸스	호중구 감소, 림프구 감소(T세포 감소, B세포 증가, 또는 불변)
5. 항암제, 방사선	호중구 감소, 림프구 감소
6. 혈액질환	• 급성 백혈병에서는 호중구 감소 • CML, CLL에서는 백혈구 증가 • 다발성골수종에서는 말초혈액의 백혈구 증감보다, 골수 속에서 형질세포가 증식한다는 사실이 중요하다.

5 기타 백혈구 이상 질환

- 무과립구증
- 전염성 단핵구증
- 조직구증식증
- 백혈구기능이상증

IV

플러스 코너

3. T세포의 분화 및 성숙

P.95의 **그림 A**를 보기 전에 대전제를 확인해 두자.

대전제 ① T세포는 흉선에서 성숙한다.
대전제 ② T세포는 T세포 수용체(TCR)를 갖는다.
대전제 ③ T세포에는 CD4양성 세포와 CD8양성 세포가 있다.

이들 대전제가 분화 · 성숙의 과정에서 어떻게 되는가를 **그림 A**에서 확인해 보자.

대전제 ① T세포는 흉선에서 성숙한다.
흉선 밖, 즉 골수로부터 림프구계 공통전구세포(lymphocyte precursor)가 흉선으로 들어온다. 그림 위쪽에 '흉선피질, 흉선수질'이라고 되어 있으므로, 확실히 흉선에서 성숙하는 것을 확인할 수 있다.

대전제 ② T세포는 T세포 수용체(TCR)를 갖는다.
그림 아래쪽에 'TCR유전자 재구성'이라고 쓰여 있다. TCR유전자 재구성은 T세포에서만 일어난다. TCR이 세포 표면상에 나타나는 것은 성숙흉선세포 단계(mature thymocyte)이다. 성숙한 T세포는 TCR을 갖는다.

대전제 ③ T세포는 CD4양성 세포와 CD8양성 세포가 있다.
보통 흉선세포(common thymocyte)가 있는 곳에 'CD4 and/or CD8'이라고 쓰여 있다. 이 단계에서 비로소 CD4 및 CD8이 T세포로 발현하게 된다. 이 단계에서는 CD4와 CD8 양쪽 모두를 갖는 세포도 존재한다. 그것이 성숙 흉선세포가 되면 어느 쪽이든 한 쪽밖에 가질 수 없게 된다. 윗단은 CD4 양성 세포, 아랫단은 CD8 양성 세포이다.

이제 어느 정도 그림을 이해할 수 있을 것이다. 다음으로 알아두면 도움이 되는 것을 몇 가지 사항을 추가하겠다.

추가 ① HLA-DR은 어떻게 되어 있는가?

B세포에서는 HLA-DR이 일관되게 존재하고 있다는 것을 알 수 있지만(「PLUS」 4의 그림 B), T세포에서는 미숙 흉선세포의 단계에서 소실된다. HLA-DR은 MHC를 구성하는 분자 중 하나이다. B세포는 항원제시도 하기 때문에 HLA-DR이 존재하지만, T세포는 항원제시를 하지 않기 때문에 HLA-DR이 분화 · 성숙의 과정에서 소실된다.

추가 ② CD5에 대하여 기억해 두자.

CD5는 미숙 흉선세포에서 나타나며, 성숙 T세포가 갖고 있는 분자이다. T세포가 갖고 있는 대표적인 분자이지만, CD5를 갖고 있는 B세포도 드물게 존재한다는 것이 알려져 있다. CD5 양성 B세포에 대해서는 p.96, 'B세포의 분화 · 성숙'에서 설명하기로 한다.

추가 ③ CD34는 줄기세포 표지

CD34는 림프구계 전구세포가 갖고 있는 것처럼 적혀 있지만, 이것은 림프구계로 분화될 세포만이 갖고 있는 분자는 아니다. 상위의 조혈모세포도 이 분자를 갖고 있다. CD34를 다른 이름으로 줄기세포 표지라고 한다.

추가 ④ CD3은 성숙 T세포 표지

성숙 흉선세포, 성숙 T세포가 CD3을 갖고 있음을 확인할 수 있을 것이다. 기억해 두자.

그 외의 분자에 대해서는 기억하지 않아도 된다.

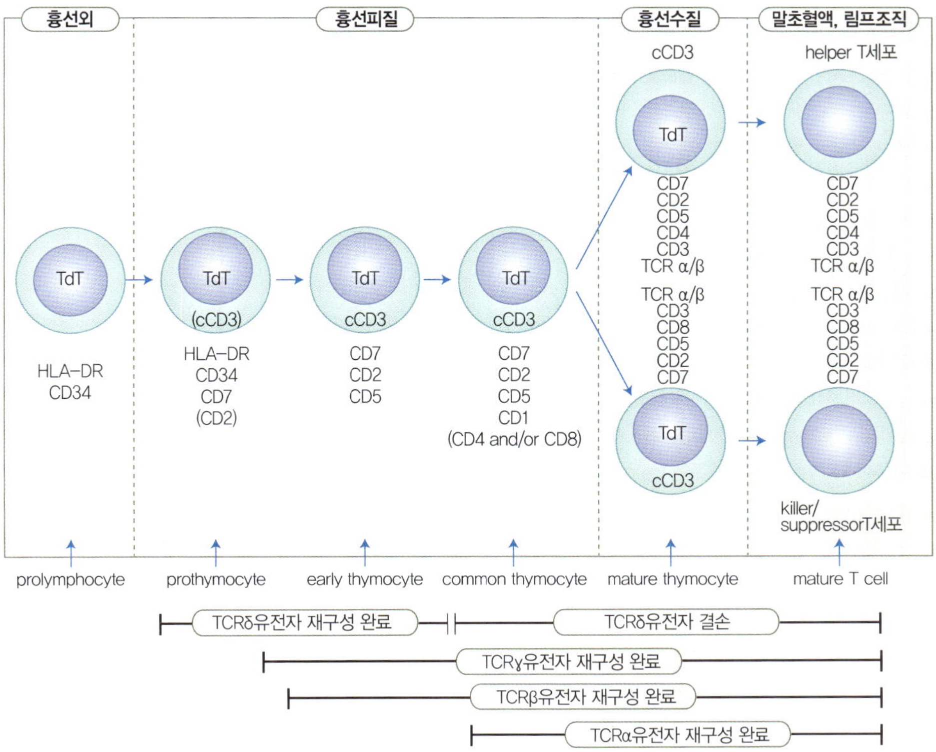

괄호 속의 항원은 일부 세포에서만 나타난다

※ cCD3: cytoplasmic CD3, TCR : T-cell receptor, TdT : terminal deoxynucleotidyl transferase

[그림 A] T세포의 분화 및 성숙

TIP

좁쌀결핵 (miliary tuberculosis)

좁쌀결핵은 아주 고약해서, 호중구감소증(≒백혈구감소증)을 일으키면서 백혈병 유사반응까지도 일으킨다. 양적 백혈병 유사반응의 이미지가 너무 강하면, 좁쌀결핵에 의해 발생하는 백혈구감소증을 이해하기 힘들다. 좁쌀결핵에 의해 발생하는 백혈병 유사반응은 어디까지나 질적인 것이라는 인식을 갖자.

플 러 스 코너

4. B세포의 분화 및 성숙

여기에서도 그림 B를 보기 전에, 대전제를 확인해 두자.

대전제 ① B세포는 면역글로불린을 생산한다.
대전제 ② B세포는 항원제시를 한다.

그럼, **그림 B**에서는 어떻게 되어 있는지 살펴보자.

대전제 ① B세포는 면역글로불린을 생산한다.

그림 아래쪽에 면역글로불린의 재구성이라고 적혀 있다. B세포만의 변화가 일어나고 있다. Pre B 세포의 세포질이 있는 곳에 'mu'라고 적혀 있는 것에 주목하자. 이것은 세포질 내에 H쇄(μ군)가 나타나 있는 것을 의미한다. 아직 L쇄가 만들어져 있지 않기 때문에, 면역글로불린은 만들 수 없다. 옆에 있는 세포(immature B세포)로 눈을 돌려보자. 「mlgM」이라고 쓰여 있다. 이것은 L쇄도 만들 수 있게 되었다는 것을 의미한다.

IgG는 어느 단계에서 생산된다고 적혀 있는가? 형질세포로 분화 중인 세포가 있는 곳에 「mIgM or IgG」라고 쓰여 있다. 어느 정도 분화된 세포가 아니면 IgG를 만들 수 없다는 것을 알 수 있다.

대전제 ② B세포는 항원제시를 한다.

T세포 부분에서 설명한 HLA-DR이다. 전구세포 때부터 일관되게 가지고 있다. B세포의 항원제시능력(antigen- presenting competence)을 나타내고 있다.

추가 : T세포에서 설명했던 CD5는 어떻게 되었는가?

Immature B세포가 있는 곳에 '(CD5)'라고 괄호로 표시해 놓았다. CD5를 갖는 것도, 갖지 않는 것도 있다는 의미에서 괄호로 표시한 것인데, 그 이전에도 그 이후에도 CD5는 나타나지 않는다. 원칙적으로 mature B세포에는 CD5가 없다.

그러나 일부의 mature B세포 속에 CD5 양성이 되는 subtype이 존재한다는 사실이 밝혀졌다(이 그림에는 없다). 이 CD5 양성 세포를 B-1세포라고 한다. 지금까지 이야기해 온 B세포를 B-2세포라고 한다. 전체 B세포 중 몇 %는 B-1세포이다. B-1세포의 기능, 발생에 관해서는 밝혀진 것이 거의 없다.

만성림프모구백혈병 : CLL에서는 CD5가 양성이 되는 경우가 많은데, 이런 이유에서 B-1 세포계의 종양이 아닌가 하고 추측되고 있다.

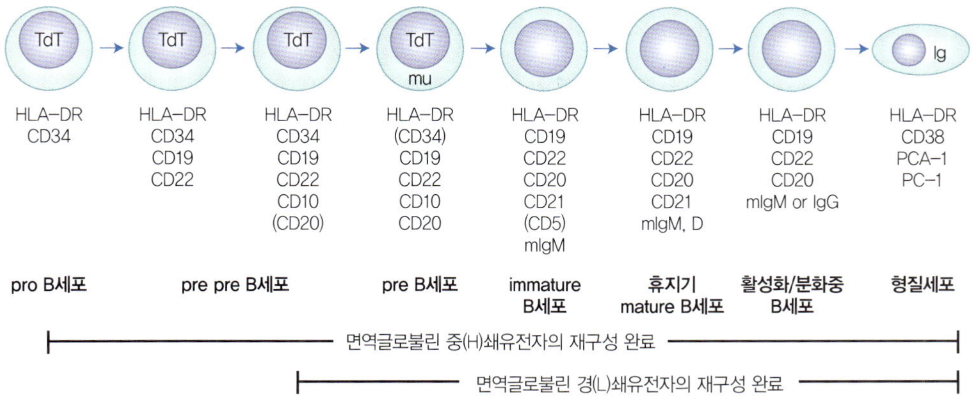

※ 괄호 안의 항원은 일부 세포에만 나타난다
mu: cytoplasmic μ heavy chain, m: membrane, TdT: terminal deoxynucleotidyl transferase

[그림 B] B세포의 분화 및 성숙

V 백혈구 각론

적혈구의 질환에서는 적혈구가 많은지 적은지, 즉 증다증인지 감소(빈혈)인지가 문제였다. 그리고 그것을 정확하게 진단하는 것이 중요하였다.

백혈구계의 질환에서 배울 것은 조혈계 종양 · 림프조직 종양이다. 조혈계 종양 · 림프조직 종양에서 중요한 것은 말초혈액의 백혈구 수 증감보다는 각 질환의 개념을 확실히 파악해 두는 것이라고 할 수 있다.

백혈구 각론에서는 종양성 질환의 분류에 대해 어느 정도 정리하고 나서 각 질환에 대해서 공부하기로 한다. 지금까지 혼란스러웠던 조혈계 종양 · 림프조직 종양의 분류는 21세기를 맞아 통일된 방향성을 나타내고 있다. 기존의 분류를 살펴보고 나서 WHO의 분류를 살펴보기로 하자.

A 조혈계 종양·림프조직 종양의 분류

1 기존의 분류

백혈구의 종양질환을 열거해 보자. 백혈병, 림프종, 골수형성이상증후군, 다발성 골수종…. 그리고 백혈병에는 급성골수성백혈병, 급성림프모구백혈병, 만성골수성백혈병, 만성림프모구백혈병, 그리고 골수증식성 질환…. 처음 혈액을 공부하는 사람이라도 들은 적이 있는 질환명은 몇 가지 있을 것이다.

이러한 질환들은 일반적으로 다음과 같이 분류할 수 있다.

- **백혈병**
  - 급성골수성백혈병(AML)
  - 급성림프모구백혈병(ALL)
  - 만성골수성백혈병(CML)
  - 만성림프모구백혈병(CLL)
- **골수형성이상증후군(MDS)**
- **골수증식성 질환(MPD)**
  - 만성골수성백혈병 등 4질환
- **림프종**
  - 호지킨림프종(Hodgkin lymphoma)
  - 비호지킨림프종 (non–Hodgkin lymphoma)
- **다발성골수종(MM)**

언뜻 보면 분류가 잘 되어 있는 것 같다. 그러나 몇 가지 이상한 점이 있다. 예를 들어, 만성 림프모구백혈병은 백혈병이라기보다는 오히려 림프종에 가까운 특징을 나타낸다. 또 만성골수성백혈병은 백혈병인지 골수증식성 질환인지 확실하지 않다. 골수형성이상증후군이라든가 골수증식성 질환은 잘 이해되지 않는다. 그러나 다행스럽게도 최근 이 분야의 진보에 힘입어 각 질환의 병태생리가 분자 단계에서 밝혀지게 되었다. 이 새로운 지식에 힘입어 질환 분류가 재구성되었는데, 그 결과가 2000년에 발표된 WHO의 조혈계 · 림프조직 종양의 분류(**표 5-1**)이다.

만성골수증식성질환

- 만성골수성백혈병
- 만성호중구성백혈병
- 만성호산구성백혈병/특발성 호산구증가증후군
- 진성적혈구증가증
- 만성특발성골수섬유증
- 본태성혈소판혈증
- 만성골수증식성 질환, 분류 불능형

골수이형성/골수증식성 질환

- 만성골수단핵구백혈병
- 비전형성 만성골수백혈병
- 청년성 골수단핵구백혈병
- 골수이형성/골수증식성 질환, 분류 불능형

골수이형성 증후군

- 불응성빈혈
- 고리철적혈모구를 동반한 불응성빈혈
- 다계통의 이형성을 동반하는 불응성혈구감소증
- 다계통의 이형성과 고리철적혈모구를 동반한 불응성혈구감소증
- 모구 증가를 동반하는 불응성빈혈
- 골수형성이상증후군, 분류불능형
- 5q-증후군

급성골수성백혈병

- 특정 유전자 이상이 있는 급성골수성백혈병
- 다계통의 형태 이상을 동반하는 급성골수성백혈병
- 치료 관련 급성골수성백혈병 및 골수형성이상증후군
- 상기 범주 이외의 급성골수성백혈병
- 계통 미상의 급성백혈병(급성혼합성백혈병)

B 및 T전구세포 종양

- B전구세포 림프모구성백혈병/림프종
- T전구세포 림프모구성백혈병/림프종

성숙B세포종양

- 만성림프성백혈병/소림프구성림프종
- B세포성 전림프구성백혈병
- 림프형질세포성림프종/Waldenström 마크로글로불린혈증
- 비장 변연대(가장자리구역, marginal zone) 림프종
- 유모세포백혈병
- 형질세포종양
- 절외성 가장자리구역(변연대) B세포림프종(MALT림프종)
- 절성 가장자리구역(변연대) B세포림프종
- 여포성림프종
- 맨틀세포림프종
- 미만성 대세포형 B세포림프종
- 종격(흉선) 대세포형 B세포림프종
- 혈관내 대세포형 B세포림프종
- 원발성 삼출액림프종
- Burkitt 림프종/백혈병
- 림프종성 육아종증

성숙T · NK세포종양

- T세포성전림프구성백혈병
- T세포대과립림프성백혈병
- 공격적(aggressive) NK세포백혈병
- 성인T세포백혈병/림프종
- 절외성 NK/T세포림프종, 비(코)형
- 장관증형 T세포림프종
- 간비장T세포림프종
- 피하지방조직염성 T세포림프종
- 모구성 NK세포림프종
- 균상식육증/Sézary 증후군
- 원발성 피부CD30 양성 T세포림프증식성 질환
- 혈관면역모구성 T세포림프종
- 말초성 T세포림프종, 비특정형
- 미분화대세포형 림프종

Hodgkin림프종

- 결절성 림프구우위형 Hodgkin림프종
- 고전적 Hodgkin 림프종

※ 이 외에도, 면역결핍증 관련 림프증식증, 조직구 및 나뭇가지세포 종양, 비만세포증 등이 조혈계 종양의 WHO 분류에 포함된다.

[표 5-1] 조혈계 종양의 WHO 분류

WHO 분류가 발표되기 전에는 조혈계 종양을 임상적인 형태별로 묶어 질환마다 다른 분류법이 존재했는데, WHO 분류에서는 종양화하는 세포의 계통이나 그 배경에 있는 염색체 · 유전자 이상을 토대로 포괄적으로 분류하였다. 우선 백혈병과 림프종의 고전적인 개념을 살펴보고 동시에, 그들의 고전적인 개념의 한계도 살펴보자.

- 급성골수성백혈병(acute myeloid leukemia : AML)
- 급성림프모구백혈병(acute lymphoid leukemia : ALL)
- 만성골수성백혈병(chronic myeloid leukemia : CML)
- 만성림프모구백혈병(chronic lymphoid leukemia : CLL)

V

2 백혈병의 고전적 개념

백혈병(leukemia)은 말초혈액 중에 비정상 백혈구(백혈병세포라고 한다)가 병적으로 증식하는 병으로 정의된다. 백혈병이 발병한 후의 경과(사망할 때까지의 기간)로 비교해 보면, 빠른 경과를 보이는 것과 완만한 경과를 보이는 것이 있는데, 전자를 급성백혈병, 후자를 만성백혈병이라고 한다. 백혈병세포를 잘 조사하면, 골수세포(과립구, 단핵구)가 증식하는 유형과 림프구가 증식하는 유형이 있다는 것을 알 수 있는데 전자를 골수성백혈병, 후자를 림프모구백혈병이라고 한다.

그리고 백혈병은 다시 4종류로 분류된다.

급성과 만성이라는 분류법은 처음에는 경과를 참고로 했었지만, 급성백혈병에서는 미성숙한 백혈구(모세포)가 증가하는 데 반해, 만성백혈병에서는 성숙한 백혈구가 증가한다는 것이 밝혀졌다. 이것은 급성백혈병에서는 전구세포가 이상 증식하는 동시에 분화도 장애를 받는다는 것을 나타내고, 만성백혈병은 전구세포가 이상 증식하는 데도 분화는 장애를 받지 않는다는 것을 나타낸다. 전구세포가 증식한 만큼 성숙세포도 증가하는 것이다**(그림 5-1)**.

분화에 장애를 받지 않는 전구세포가 이상 증식하는 것은 백혈구계에만 한정된 것은 아니다. 적혈구계, 혈소판계, 골수줄기세포에서도 볼 수 있다. 이들에 만성골수성백혈병을 합쳐서 골수증식성질환이라는 새로운 질환군을 만들었다.

백혈병은 고전적으로는 말초혈액의 백혈구가 증식하는 질환이었지만, 미성숙한 세포가 골수에서 증식한다는 것이 밝혀져, 병변의 주원인이 골수에 있다는 것도 알게 되었다. 즉 미성숙 백혈병세포가 골수에서 증식하는 것이 백혈병인 것이다. 그러나 만성림프모구백혈병은 림프구가 골수에서보다 먼저 림프절에서 증식한다. 그 외에도 만성림프모구백혈병은 림프종과 유사한 점이 많아, 어떤 위치에 놓으면 좋을지 문제가 되어 왔다.

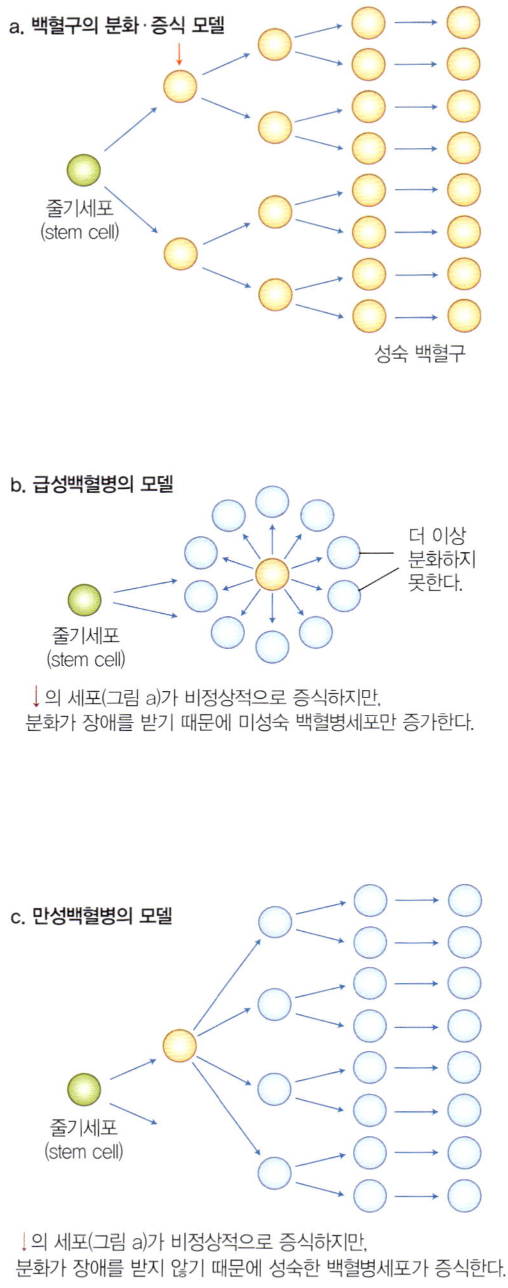

[그림 5-1] 급성백혈병 vs 만성백혈병

3 림프종의 고전적 개념

림프종은 비정상 림프구가 림프절을 비롯한 림프조직에서 증식하여, 그곳이 커지는 병으로 정의되었다.

급성골수성백혈병 환자의 림프절이 골수세포계의 백혈병세포의 침윤으로 부어도 림프종이라고 하지는 않는다. 그럼 급성림프모구백혈병 환자와 만성림프모구백혈병 환자의 림프절비대는 어떻게 이해해야 하는가? 이런 의문에 대해 지금까지의 분류로는 대답할 수가 없었다.

반대로 림프종 환자의 말초혈액에 비정상 림프구가 나타나는 경우에는 어떻게 생각하면 좋은가? 림프종에서는 종양세포가 림프조직에 머무르기 쉬워 말초혈액으로 나오기 어려운 경향이 있지만, 물론 예외가 있다. 그런 경우, 즉 림프조직에서 증식하는 이상 림프구가 말초혈액에 나타나는 것을 '백혈화'라고 한다. 만성림프모구백혈병은 림프종이 먼저 존재하고, 그것이 백혈화된 것일까? 림프모구백혈병과 림프종의 관계는 애매하다.

이러한 상태에서 **그림 5-2**와 같이 백혈병과 림프종의 차이를 나타낼 수 있다.

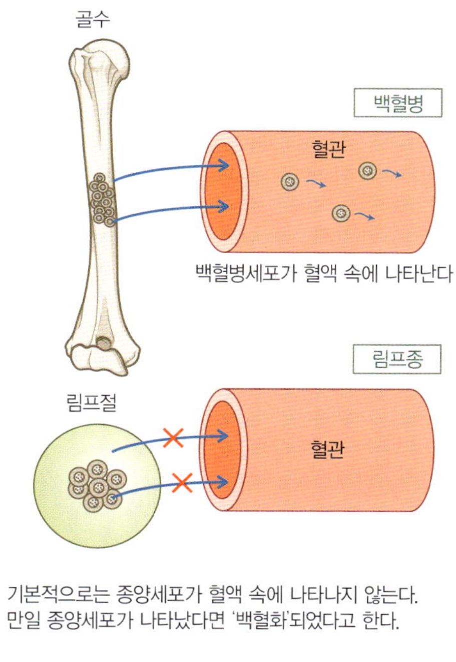

[그림 5-2] 백혈병과 림프종의 차이

ADVANCED STUDY

조혈계 종양 · 림프조직 종양의 분류

어떤 세포가 증가하는가?

각 질환을 '어떤 세포가 증가하는가' 하는 시점에서 우선 분류한다. 기존의 분류는 '어디에 주요 병변이 있는가' 하는 점에서 실시되었기 때문에 그것이 다른 점이다. 예를 들어, '백혈병은 골수가 주요 병변이고, 림프종은 림프절이 주요 병변'이다.

'어떤 세포가 증가하는가'로 분류할 때는 백혈구 분획을 그대로 적용하면 된다. 조혈모세포는 우선 크게 골수세포와 림프구로 나뉜다. 이에 따라, 골수세포가 증식하는 질환군을 골수계 종양(myeloid neoplasm), 림프구가 증식하는 질환군을 림프계 종양(lymphoid neoplasms)이라고 한다.

1. 림프계 종양

림프구에는 B세포, T세포, NK세포, NK/T세포가 있다. 이것을 참고해서, 림프계 종양은 다음의 3가지로 크게 분류된다.

- B세포종양(B cell neoplasms)
- T세포 및 NK세포종양
  (T cell and NK cell neoplasms)
- 호지킨림프종

NK/T세포는 최근에 밝혀진 림프구이기 때문에, NK/T세포종양이라는 질환개념은 확립되어 있지 않지만, T세포 및 NK세포종양에 포함된다.

갑자기 호지킨림프종이 나왔는데 그 이유는 호지킨림프종에서 증식하는 세포가 정체불명의 림프구계 세포이기 때문이다.

B세포종양과 T세포종양은 다시, 종양세포의 성숙도에 따라 2가지로 분류된다.

- B세포종양
  B 전구세포종양
  (precursor B-cell neoplasms)
  B 성숙세포종양
  (mature B-cell neoplasms)
- T세포종양
  T 전구세포종양
  (precursor T-cell neoplasms)
  T 성숙세포종양
  (mature T-cell neoplasms)

림프모구백혈병과 림프종을 일단 림프계 종양으로 통합하고 그 다음 종양세포의 근원으로 다시 분류한다. 림프계 종양 분류에서 가장 눈에 띄는 것은, '림프모구백혈병이란 림프종이 백혈화된 것'이라고 정의한 것이다.

이 재분류에서 가장 잘 된 것은 만성림프모구백혈병과 소세포성림프종(small lymphocytic lymphoma)의 관계이다. 만성림프모구백혈병과 소세포성림프종은 본질적으로 같은 것인데도, 한쪽에서는 백혈병이라고 불렸고 다른 한쪽에서는 림프종이라고 불렸었다. 이 재분류 덕분에 림프모구백혈병과 림프종은 본질적으로 같은 것이라 하여 무리하게 분류하지 않게 되었다.

2. 골수계 종양

림프계 종양은 림프구의 분류에 따라 다시 나눈 것이지만, 골수계 종양은 이와 같이 분류하지 않고 개념적으로 아래의 4가지로 크게 분류한다.

- **골수증식성 질환** (myeloproliferative disease)
- **골수형성이상 · 골수증식성 질환** (myelodysplastic/myeloproliferative disease)
- **골수형성이상증후군** (myelodysplastic syndrome)
- **급성골수성백혈병**(acute myeloid leukemia)

두 번째인 골수형성이상 · 골수증식성 질환은 이 2가지가 합쳐진 것이라고 생각하면 되기 때문에, 크게 3가지의 개념을 알고 있으면 된다. 첫 번째인 골수증식성 질환은 분화에 장애를 받지 않은 미성숙 골수세포가 이상 증식하는 것이다. 급성골수성백혈병은 분화에 장애를 받은 미성숙 골수세포가 이상 증식한 것이다. 골수형성이상증후군은 골수세포의 조혈이 잘 진행되지 않아 말초혈액에서는 각 골수세포가 감소하는데 반해, 골수에서는 미성숙 골수세포가 증식하는 질환이다. 또 그 증식의 정도도 백혈병보다는 떨어진다는 점이 골수형성이상증후군의 특징이다.

V

플 러 스 코너

1. 조혈계 종양의 WHO 분류

WHO 분류란 2000년에 발표된 새로운 조혈계 종양의 분류법이다. WHO 분류가 발표되기 이전에는 조혈계 종양은 임상적인 병태별로 묶어, 질환마다 다른 분류법이 존재했다.

한편, WHO 분류에서는 종양화하는 세포의 계통이나 종양화의 배경에 있는 염색체 · 유전자 이상을 기초로 해서 조혈계 종양을 포괄적으로 분류하고 있다.

다시 말해 종양의 원인에 근거한 분류법이다.

종래의 분류

급성백혈병	FAB 분류(1976년)
골수형성이상증후군	FAB 분류(1982년)
만성골수성백혈병	FAB 분류(1974년)
악성림프종	LSG 분류(1979년) REAL 분류(1994년)
급성백혈병	FAB 분류(1966년)

→

새로운 분류

WHO 분류

- 백혈병, 악성림프종 등 모든 조혈계 종양을 포함한 분류.
- 모든 조혈계 종양은 유전자이상이 원인이라는 것을 전제로 하고 있다.
- 아직 해명되지 않은 유전자 이상도 많아, 앞으로 병태 해명에 따라 개정이 이루어질 수 있다.

B 급성백혈병/급성골수성백혈병과 급성림프모구백혈병

1 백혈병의 개념

원래 백혈병이라는 이름은 말초혈액 속에 백혈구가 비정상적으로 증식하고 있다는 검사소견에서 붙여진 것이었다. 그러한 검사소견에 일치하는 질환이 몇 가지 존재하는데, 그것을 대략 급성골수성백혈병(AML), 만성골수성백혈병(CML), 급성림프모구백혈병(ALL), 만성림프모구백혈병의 4가지로 분류해 왔다.

백혈병에 관하여 많은 지식이 축적되면서 위의 4가지 질환을 백혈병으로 묶어 취급하는 것에 무리가 생기게 되었다. 그래서 재분류가 이루어지게 되었는데 각 백혈병이 재분류된 후에는 어떻게 정의되었는지 살펴보자.

- 급성골수성백혈병 → 급성골수성백혈병
- 만성골수성백혈병 → 골수증식성질환
- 급성림프모구백혈병 → B 전구세포종양 또는 T 전구세포종양(쉽게 말하면 림프계 종양)
- 만성림프모구백혈병 → B 성숙세포종양(쉽게 말하면 림프계 종양)

림프모구백혈병과 림프종을 거의 같다고 생각했기 때문에 만성림프모구백혈병을 이해하기 쉬워졌지만, 반면 급성림프모구백혈병을 이해하는 데에는 무리가 생겼다. 발생생물학적으로는 급성림프모구백혈병도 림프종이 백혈화(백혈병으로 진행된 것)된 것이라고 생각해도, 이해하는 것이 쉽지는 않을 것이다. 오히려 증상학적으로 유사한 급성림프모구백혈병과 급성골수성백혈병을 하나로 묶어 취급하는 것이 기억하는 데 도움이 될 것이다.

A항목에서 다룬 WHO의 분류를 재구성하면, 백혈병의 4가지 질환은 다음과 같다.

- 급성골수성백혈병 → 급성백혈병
- 만성골수성백혈병 → 골수증식성 질환
- 급성림프모구백혈병 → 급성백혈병
- 만성림프모구백혈병 → 림프계 종양

따라서 여기서에서는 급성골수성백혈병과 급성림프모구백혈병을 급성백혈병으로서 함께 취급하고, 그 차이점에 대해서는 나올 때마다 설명하겠다.

2 급성백혈병의 증상학적 개념

급성백혈병이란 조혈모세포에 유전자 이상이 생겨 분화능력을 잃은 비정상적인 모구(백혈병세포)가 단세포군(monoclonal)으로 증식하는 질환이다. 비정상적인 모구는 말초혈액에 나타나 백혈병세포단절(열공)이 나타난다.

골수계의 세포가 증식하면 급성골수성백혈병(AML), 림프계의 세포가 증식하면 급성림프성백혈병(ALL)이라고 한다.

급성백혈병은 어느 연령층에나 발병하지만 AML은 50세 이상의 고령자, ALL은 10세 미만의 소아, 50세 이상의 고령자에서 많이 발생한다. 남녀 차이는 없다.

급성골수성백혈병이나 급성림프모구백혈병에서도 모두 분화에 장애가 있는 미성숙 세포가 자율적이고 무제한으로 골수에서 증식한다. 그 결과 정상적인 조혈조직이 압박되어, 조혈기능이 현저하게 저하된다. 이것이 가장 중요한 점이다(그림 5-3).

이에 따라 범혈구 감소가 발생하고 각종 임상증상이 나타난다. 빈혈이 생기면 호흡곤란, 전신권태감이 나타나고, 과립구가 감소되면 감염성 증가로 인해 발열이 나타난다. 또한 혈소판이 감소되면 출혈경향이 나타난다. 빈혈, 발열, 출혈경향은 급성백혈병의 중요한 증상이므로 반드시 기억해 두자.

종양세포가 여러 장기로 침윤 · 전이되어 가는 것은 급성백혈병에 국한된 것이 아니고, 악성종양 전반에 걸쳐 나타나는데, 급성백혈병에서도 특징적인 침윤이 나타나는 경우가 있다. 피부, 점막, 중추신경계, 고환이 그 특이적인 침윤 부위이다.

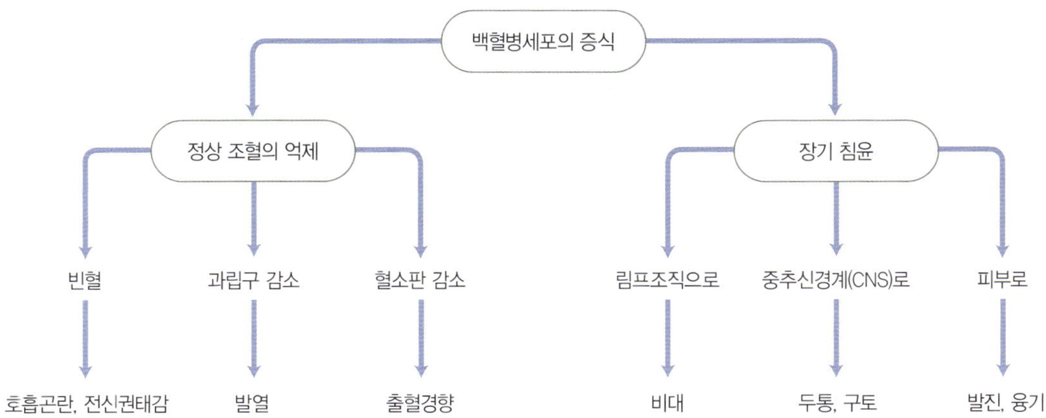

[그림 5-3] 급성백혈병의 병태생리

플 러 스 코너

2. 백혈병세포단절 Leukemic hiatus

급성백혈병은 골수에서 다수의 미성숙 모구(백혈병세포)가 증식해 말초혈액에도 나타난다. 따라서 말초혈액 속에서는 정상적인 성숙 혈구와 모구가 보이고 중간 단계의 혈구는 보이지 않는데 이러한 현상을 백혈병세포단절(leukemic hiatus)이라고 한다.

만성골수성백혈병(만성기)에서는 백혈병세포의 성숙은 장애를 받지 않고, 각 분화단계의 백혈구가 말초혈액에 나타나기 때문에 백혈병세포단절은 나타나지 않는다.

급성백혈병(특히 골수성)의 말초혈액에는 성숙과정의 장애 때문에 미숙한 백혈구 세포가 증가하지만, 동시에 소수의 성숙한 정상 백혈구도 존재한다. 성숙과정에 있는 골수세포(myelocyte)나 후골수세포(metamyelocyte)와 같은 백혈구는 말초혈액에서 나타나지 않는다(그림 A). 이것을 백혈병세포단절(hiatus leukemicus)이라고 한다. 이것은 급성백혈병의 특징적인 소견이다. 그에 비해, 만성백혈병에서는 위와 같은 백혈병세포단절은 나타나지 않고 전체 분화과정의 백혈구계 세포가 말초혈액에 나타난다.

급성백혈병에서는 성숙장애가 일어난 모세포가 증가한다. 정상 모세포가 골수방호벽을 통과하여 말초혈액 속에 나타나는 일은 없다. 급성백혈병에서도 예외는 아니다. 그러나 증식된 모세포가 골수에서 흘러넘치면, 약간의 모세포가 말초혈액으로 새어 나온다. 더구나 이 모세포는 성숙장애를 수반하기 때문에 골수세포나 후골수세포와 같이 어느 정도 성숙한 혈구가 흘러나오는 일은 없다. 간상핵세포와 분절핵세포는 정상 조혈에 의한 것이다.

만성백혈병에서는 성숙장애를 받지 않는 모세포가 각 성숙 단계의 혈구 비율을 유지하면서 증식한다. 이때에도 혈구는 골수에서 흘러넘치지만, 급성백혈병과 달리 모세포만 흘러넘치는 일은 없다. 그러므로 흘러나오는 혈구에 각 성숙단계에 있는 것이 존재한다. 모세포가 말초혈액에서 나타나는 것 자체가 불균형이긴 하지만, 백혈병세포단절이라고 불릴 만한 혈구 성분의 불균형은 당연히 존재하지 않는다.

급성과 만성의 의미, 골수방호벽을 알고 있으면 백혈병세포단절은 쉽게 이해할 수 있다.

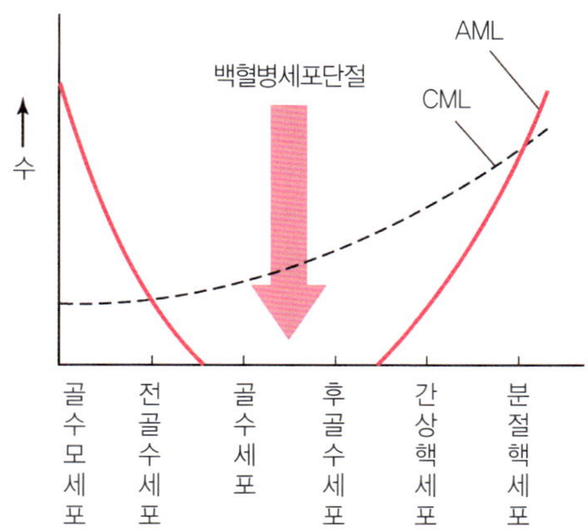

[그림 A] 백혈병세포단절

TIP

급성백혈병에서는 범혈구 감소와 백혈구 증가 중 어느 쪽이 나타나는가?

원래 백혈병이라는 이름은 말초혈액 속의 백혈구 증가를 나타내는 것이었다. 그러나 강조하고 싶은 것은 정상 조혈의 억제로 인한 범혈구 감소이다. 급성백혈병에서 범혈구가 감소되는 것은 옳은 것일까? 그렇지 않으면 말초혈액 백혈구 증가가 옳은 것일까?

양쪽 모두 옳다. 골수에서 증식한 백혈병세포가 정상 조혈을 억제하지만, 경우에 따라서는 골수로 들어오지 못한 백혈병세포가 말초혈액 속으로 대량 누출되는 경우가 있다(그림 A).

급성백혈병에서 말초혈액 속에 있는 백혈구 수에만 주목하면, 적을 때도 있고 많을 때도 있어 혼란스럽지만, 이것은 병태생리를 파악하면 이해할 수 있다.

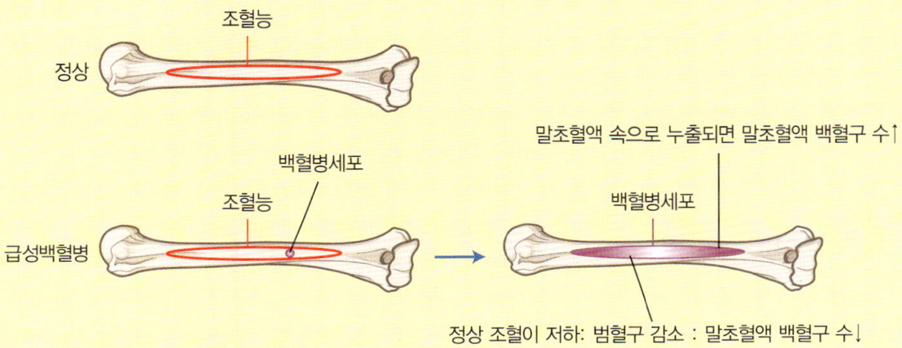

[그림 A] **급성백혈병에서의 골수**

3 골수 중 모세포 수

급성백혈병이란 골수에서 백혈병세포가 증식하는 것인데, 어느 정도 증식해야 백혈병이라고 할 수 있는가?

급성백혈병에 있어서 종양세포는 성숙할 수 없는 세포이기 때문에 모두 미성숙한 세포이다. 정상인 골수혈액 중에도 미성숙한 세포(모세포)가 존재하는데 그 비율은 골수혈액 전체 유핵세포 중 5% 이하이다. 이것이 급성백혈병에서는 20% 이상이 된다.

그럼 모세포가 정상보다 많고(5% 이상), 급성백혈병보다 적은 경우(20% 이하)를 무엇이라고 할까? 이것은 골수형성이상증후군(MDS)이라고 정의한다. 골수혈액은 골수천자로 채취한다.

4 급성백혈병의 진단순서

증상이나 말초혈액 소견에서 급성백혈병이 의심되는 경우에는 골수천자를 실시해 골수도말표본(May–Giemsa 염색)을 만들어 모구가 증가되었는지 조사한다.

골수 소견에서 모구 증가가 현저하게 나타난 경우 급성백혈병 진단을 확정한다.

급성백혈병 진단이 확정되면 세포 형태, MPO 염색, 세포표면 표지자, 염색체, 유전자 등을 자세히 검사하여 감별한다.

5 급성백혈병의 치료

급성백혈병의 치료뿐만 아니라, 조혈계 · 림프조직 종양 전반에 대한 치료의 개념에 대하여 살펴보자.

1. 치료의 흐름

1) 완치와 관해의 차이

「완치」란 백혈병세포가 몸속에서 완전히 없어지는 것을 말한다. 「관해」에는 자세한 정의가 있지만, 대략 **표 5-2**와 같은 조건을 충족시키는 경우에 「완전 관해되었다」고 한다.

급성백혈병의 초진 시에는 환자의 몸속에 대략 10^{12}개 정도의 백혈병세포가 존재하고 있다. 이 백혈병세포를 1/1,000까지 줄이면 **표 5-2**에서 제시한 상태, 즉 관해에 도달한다. 10^{12}의 1/1,000은 10^{9}(10억!)이다. 따라서 관해가 되었다고 하더라도, 엄청나게 많은 수의 백혈병세포가 몸속에 남아 있는 것이다. **표 5-2**의 관해 기준은 혈구의 형태를 보고 판단하기 때문에 「형태학적 관해」라고 한다. 골수혈액과 말초혈액의 도말표본을 제작하면, 백혈병세포를 찾아낼 수 있는 한계가 10^{9}이라는 수치가 나오는데, 이 수치로 관해 기준이 충족된다.

10억 개나 남아 있는 백혈병세포를 겨우 찾아낼 수 있다면 곤란하다. 최근에는 분자학적 방식이 발달하여, 10^{6}~10^{7} 정도만 되어도 찾아낼 수 있게 되었다. 10^{6}~10^{7} 이하로 백혈병세포가 줄어든 상태를 「분자적 관해」라고 한다. 그래도 100만 개는 남아 있다.

- 골수의 모세포(blast)가 5% 이하로 된다.
- 말초혈액에 모세포가 나타나지 않는다.
- 조혈기능이 회복된다.
- 위와 같은 상태가 4주일 이상 지속된다.

[표 5-2] 백혈병 관해의 기준

2) 관해유도요법

관해를 거치지 않는 완치는 없다. 따라서 우선 관해를 위한 치료를 한다. 이것을 관해유도요법(remission induction)이라고 한다. 관해유도요법의 중심은 화학요법이다. 이것은 환자를 입원시켜서 실시해야 할 정도로 강한 화학요법이다.

3) 관해후 요법

관해가 되어도 환자의 체내에는 아직 10억 개의 백혈병세포가 남아 있는 셈이다. 이것을 방치해 두면 당연히 재발하게 된다.

관해 후에는 완치를 목표로 관해후 요법을 실시한다. 관해후 요법에는 2가지가 있는데 하나는 공고요법(consolidation therapy), 또 하나는 유지 · 강화요법(maintenance · intensification therapy)이다. 전자인 공고요법은 관해도입요법과 비슷할 정도로 강한 화학요법이다. 관해도입요법으로 관해가 된 후에도 계속해서 강한 화학요법을 실시하여 관해를 확고히 하려는 목적으로 실시된다. 후자인 유지 · 강화요법은 관해를 가능한 한 오랜 기간 유지하기 위해서 실시하는 화학요법으로, 외래에서 실시된다.

일반적으로 관해유도요법 → 공고요법 → 유지 · 강화요법이라는 순서로 실시된다.

V

4) 백혈병세포 수의 추이

백혈병세포 수의 추이에는 **그림 5-4**에서 제시한 것과 같은 유형이 있다. A는 관해도입요법 간으로 완치에 이른 예이다. B는 관해도입요법에서 공고요법을 거쳐 완치에 이른 예이다. C는 관해 후에 조혈모세포이식을 선택한 경우이다. 관해 후 요법에 있어서 대부분의 경우, 백혈병 세포 수는 D 또는 E와 같아진다. E는 관해 후에 재발한 예이다.

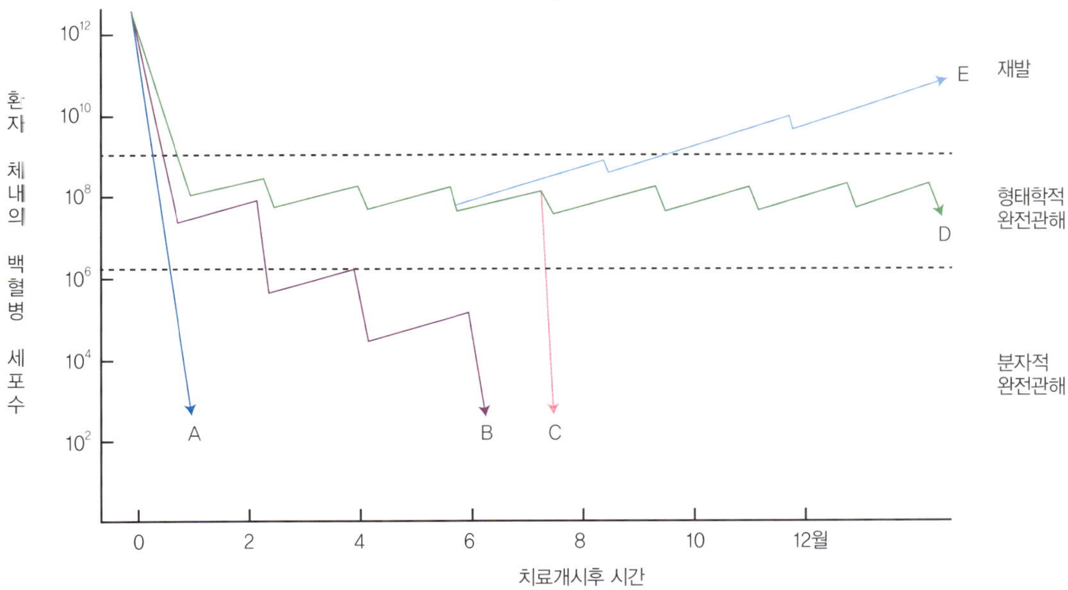

[그림 5-4] 백혈병세포 수의 추이

2. 화학요법

백혈병세포는 다른 정상 세포보다도 분열능력이 강해 빠르게 증식된다. 이 특징을 겨냥한 것이 항백혈병제이다(표 5-3).

이상적인 화학요법은 항백혈병제가 정상 조혈을 억제하지 않고, 또 다른 유해한 부작용을 일으키지도 않으면서 백혈병세포에서 선택적인 효과를 보여야 한다는 것이다. 이런 이상적인 상태에 상당히 근접한 것이 급성전골수성백혈병(APL)에서의 all-trans retinoic acid(ATRA)와 만성골수성백혈병(CML)에서의 interferon(IFN)이다. 이것은 임상에서도 매우 중요하다.

1) 대사길항제

대사길항제인 피리미딘(pyrimidine) 길항제, 퓨린(purine) 길항제는 DNA염기인 피리미딘, 퓨린과 매우 유사한 구조를 하고 있다. 세포가 분열할 때에는 DNA의 복사본을 1세트 작성해야 하기 때문에, 대량의 염기가 필요하다. 백혈병세포가 대사길항제를 흡수하면, DNA를 복제할 수가 없기 때문에 증식하지 못하고 죽게 된다.

2) 항생제

항생제 중에서 항암작용을 갖는 것이 있다. DNA의 고차구조 형성을 억제한다. 세포분열을 억제한다고 기억해 두면 충분하다.

TIP

Total cell kill

급성백혈병의 치료개념에 'Total cell kill'이라는 것이 있는데 이것은 모든 백혈병세포를 근절시키는 방법이다. 항암제 등을 이용한 치료를 시작하여 백혈병세포가 없어질 때까지 단계적으로 계속 실시한다.

1) 대사길항제(antimetabolite)

① Pyrimidine 길항제
Cytarabine(cytosine arabinoside, Ara-C)
Behenoyl Ara-C(BHAC)
Cyclocytidine(Cyclo-C)
Cytarabine ocfosfate(YNK01)
② Purine 길항제
6-mercaptopurine(6MP)
6-thioguanine(6TG)
Fludarabine(FLA)
Claribine(2-chlorodeoxyadenosine, 2-CdA)
Pentostain(2-deoxycoformycin)
③ Folic acid 길항제
Methotrexate(MTX)

2) 항생제

① Anthracycline계
Daunorubicin(DNR-daunomycin)
Doxorubicin(DXR-adriamycin)
Aclarubicin(ACR-aclacinomycin)
Idarubicin(IDR)
Pirarubicin(THP-adriamycin)
② Polypeptide
Neocarcinostatin(NCS)

3) 알킬화제(alkylating agent)

Cyclophosphamide(CY)
Busulfan
Chlorambucil
Nimustine(ACNU)
Ranimustine(MCNU)

4) 식물 알칼로이드(plant alkaloid)

Vincristine(VCR)
Vinblastine(VLB)
Vindesine(VDS)
Etoposide(VP-16)
Teniposide(VM-26)

5) 부신피질호르몬제

Prednisone
Prednisolone
Dexamethasone

6) 기타

L-asparaginase(L-Asp)
Mitoxantrone
Amsacrine(m-AMSA)
Hydroxyurea
Interferon-α(IFN-α)
Sobuzoxane(MST-16)
All-trans retinoic acid(ATRA)

[표 5-3] 항백혈병제

3) 알킬화제 Alkylating agent

DNA의 2줄 chain을 연결시켜, DNA를 분열할 수 없게 만든다. 이 약은 휴지기의 백혈병세포에도 효과가 있다.

4) 식물 알칼로이드 Plant alkaloid

Tubulin에 결합하여 방추사를 파괴한다. 결과적으로 분열할 수 없게 된다.

5) 부신피질호르몬제

림프구계 종양세포에 대해서 세포자멸사(apoptosis)를 유도한다.

V

6) 기타

L-asparaginase는 림프계 종양에 대해서 효과가 있다.

인터페론(IFN)은 만성골수성백혈병에 이용된다. 털세포백혈병(hairy cell leukemia)에도 효과가 있다.

All-trans retinoic acid는 급성전골수성백혈병(APL)에 대하여 분화유도 요법제로서 매우 효과가 있다.

7) 기억해 두어야 할 부작용

- Cyclophosphamide – 출혈성방광염
- Daunorubicin, Adriamycin } 심근장애
- Vincristine – 말초신경병증
- Bleomycin – 폐섬유증
  (림프종에 사용)

8) 항암제의 부작용

대부분의 항암제는 세포분열이 왕성한 세포를 표적으로 하기 때문에, 원래 세포의 교체가 빠른 골수, 소화관점막, 모포 등이 항암제에 의한 장애를 받기 쉽다.

구체적으로는 골수억제, 구내염, 설사, 메스꺼움, 구토, 탈모증 등이 공통되는 부작용으로서 나타나기 쉽다. 이러한 부작용이 있기 때문에, 항암제의 투여량이나 투여 횟수에는 제한이 있다.

① 일반적인 부작용과 보완요법

항암제의 부작용에 대한 예방책이나 치료를 보완요법이라고 한다.

적절한 보완요법에 의해 부작용을 조절하는 것이 화학요법의 성공을 위해서는 매우 중요하다.

3. 조혈모세포이식……백혈병 치료의 입장에서

화학요법에는 한계가 있다. 약제 내성이 있는 백혈병세포에는 항종양 효과가 약하고, 부작용 문제로 충분한 화학요법을 실시할 수 없는 경우도 있다. 전자인 **약제 내성을 극복하는 가장 강력한 수단으로 조혈모세포이식(hematopoietic stem cell transplantation)이 있다.**

조혈모세포이식에는 이식과 관련한 위험요소가 존재하기 때문에 조혈모세포이식을 한다고 무조건 좋은 것은 아니다. 학회 등에서는 어떤 종류의 백혈병에, 어떤 조건의 환자에게, 또 어느 시기에 조혈모세포이식을 하는지에 대해서 가이드라인을 정하고 있다.

마지막으로 **백혈병 치료에 있어서 조혈모세포이식은 관해가 아니라 완치를 목표로 한 최선의 치료법**이라는 사실을 알아두자.

C 급성백혈병/각론

1 급성골수성백혈병 Acute myeloid leukemia : AML

1. 개념

조혈모세포에 유전자 변이가 생겨 골수계 전구세포가 여러 가지 단계에서 분화를 정지해, 미성숙한 골수모구가 단세포군(monoclonal)으로 증식하는 조혈기종양이다. 정상 조혈은 3계통 모두 억제되어 빈혈, 감염에 의한 발열, 출혈경향을 나타낸다. 또 종양세포의 장기침윤에 의한 증상도 나타낸다.

2. 증상

급성 백혈병의 특이 증상은 없으나, 빈혈(RBC↓↓), 발열, 감염성 증가(WBC↓↓), 출혈경향(혈소판↓↓) 등의 골수기능장애 증상을 나타내며, 비장비대, 림프절 종창 등 종양세포의 장기침윤 증상 등이 나타나는 경우도 있다.

3. 검사

말초혈액에서 미성숙 백혈구의 증식 외에 백혈병세포단절이 보이고, 골수도말 May–Giemsa 염색에서는 모구가 20% 이상 보이며, MPO 염색에서 양성(골수성)을 나타낸다.

4. 치료

항암제에 의한 다제병용 화학요법이 중심이다.

1) 화학요법

① 관해도입 요법(APL은 제외)

안트라사이클린계 약제(IDR, DNR)와 시타라빈(Ara–C)에 의한 다제병용화학요법이 기본이다.

- 안트라사이클린계 약제는 이다루비신(IDR)이나 다우노루비신(DNR)이 이용되고 있다.

② 관해후 요법

Ara–C 대량 요법이 중심이 된다.

2) 조혈모세포 이식

젊은 층의 재발, 난치 사례나 예후불량군의 제1관해기에 실시한다. 화학요법이나 조혈모세포 이식에 의한 부작용에 대해서는 필요에 따라서 보완요법을 실시한다.

5. 예후인자

우리나라의 급성골수성백혈병(AML)의 치료성적은 5년 생존율이 35~40%이다.

치료방침의 결정에는 예후의 추정이 중요한데, 예후인자에는 연령, MPO 양성률, 진단 시 백혈구 수, 염색체 이상 등이 있다.

50세 이상이고 MPO 양성률이 50% 미만이며 진단 시 백혈구 수가 2만/μL인 경우, 예후가 좋지 않다. 염색체 이상은 예후 양호, 중간, 불량의 3개의 군으로 나눌 수 있다.

6. 급성 골수성 백혈병의 분류

WHO 분류에서는 급성 골수성 백혈병을 4가지 개념으로 분류하고 있다. 이 분류는 임상소견과 분자유전학적 소견을 진단, 예후에 유용하게 이용하려는 관점에서 이루어진 것이다.

1. 염색체 전위를 수반하는 재발형
2. 골수형성이상에 관련된 것
3. 치료에 관련되어 발생하는 것
4. 기타

TIP

급성백혈병 (FAB 대상 정형례 : 골수 정상~과형성, 모세포 30% 이상)	
A. 급성골수성백혈병(AML)	
M_0	MPO 음성, CD13/33/EMMPO/anti-MPO 중 하나 이상 : 양성 림프계 표지 : 음성
M_1	myeloblast 90% 이상, MPO 3% 이상
M_2	분화경향(+), 전골수세포 이후 10% 이상
M_3	전골수세포형 이상세포 (M3V : azure 과립이 보이지 않는다)
M_4	골수세포계와 단핵구계의 혼재 (M_4E_0 : 비정상 eosinophil 증가)
M_5	단핵계 80% 이상 (M_{5a}:단핵모세포 90% 이상, M_{5b}:성숙 단핵구 주체)
M_6	골수모구(비적혈모구 성분의 30% 이상)와 적혈모구(50% 이상)의 혼재
M_7	거대핵모세포(EMPPO 양성/CD41 양성) 30% 이상
B. 급성림프모구백혈병(ALL)(MPO 3% 미만)	
L_1	핵소체가 불분명한 소형 림프모구가 주체
L_2	핵소체가 명료한 대형 림프모구가 주체
L_3	대형의 원형핵과 짙은 청색 포체에 공포를 많이 가지고 있는 림프모구가 주체

[표 A] 급성백혈병의 FAB 분류

1) 염색체 전위(translocation)를 수반하는 재발형

4가지 염색체 전위가 여기에 등록되어 있다.

① 염색체 전위 t(8;21)를 갖는 AML(AML with t(8;21))

t(8;21)는 FAB 분류인 M_2로 확인되었지만, 그것을 하나의 질환으로 취급했다.

t(8;21)에 의해 AML1이라는 융합 유전자가 발생한다.

② 급성 전골수세포성 백혈병(acute promyelocytic leukemia ; APL)

염색체 전위는 t(15;17)이다. FAB 분류의 M_3 그 자체이다. 이 질환은 매우 특징이 많기 때문에, 자세한 사항은 다음 기회에 설명하겠다.

③ 골수 속 eosinophil 증가를 수반하는 AML1 (AML with abnormal bone marrow eosinophilis)

염색체 전위(translocation)는 기억하지 않아도 된다. FAB 분류의 M_4-E_0에 해당된다.

④ AML with 11q23 abnormalities

염색체 전위, 질환명 모두 기억하지 않아도 된다.

2) 골수형성이상에 관련된 것

골수형성이상 증후군으로부터 AML1로 이행한 것이 여기에 포함된다.

3) 치료에 관련되어 발생하는 것

항암제 투여 후에 급성 골수성 백혈병이 발생하는 경우가 있다.

4) 기타

FAB 분류에서 나왔던 것을 정리해 본다. "기타"로 정리한 것은, 치료와 예후를 생각할 때 그다지 중요하지 않다고 판단했기 때문이다.

- 극소분화형 AML(minimally differentiated leukemia) ……………… FAB분류의 M_0
- 미분화형 AML(myeloblastic leukemia without maturation) ……… FAB분류의 M_1
- 분화형 AML(myeloblastic leukemia with maturation) ……………… FAB분류의 M_2
- 급성 골수단구백혈병(AMMoL; myelomonocytic leukemia) ………… FAB분류의 M_4
- 급성 단구성 백혈병(AMoL;acute monocytic leukemia) ……………… FAB분류의 M_5
- 적백혈병(erythroleukemia) ……………………………………………… FAB분류의 M_6
- 급성 거대핵모세포성 백혈병(acute megakaryocytic leukemia) ……… FAB분류의 M_7
- 기타

플러스 코너

3. 레티노인산(retinoic acid) 증후군

ATRA 투여 개시 후, 레티노인산 증후군이라고 하는 심각한 부작용이 일어나는 경우가 있는데 이것은 ATRA에 의해 분화된 성숙 호중구가 사이토카인을 방출함으로써 발생하는 것으로, 호흡곤란이나 발열, 부종 등의 증상을 나타낸다.

방치하면 사망률이 20% 이상이 되므로 발병한 경우에는 ATRA의 투여를 중지하고 부신피질스테로이드로 호중구의 작용을 억제한다.

치료 개시 전 APL세포가 많은 경우에 발병하기 쉽기 때문에, 백혈구 수가 3000/μL 이상인 경우에는 다른 항암제(안트라사이클린계 약제나 Ara-C)를 병용해, 레티노인산 증후군을 예방해야 한다.

아비산에 의한 치료에서도 레티노인산 증후군과 같은 증상을 나타내는 일이 있는데, 이것을 APL분화 증후군이라고 한다.

2 급성림프모구백혈병 ALL

FAB 분류와 같이 형태로 분류하는 것은 의미가 없다고 간주되어, L_1, L_2, L_3는 폐지되었다. WHO 분류에서는 B세포성과 T세포성으로 나누어 그것에 버킷세포백혈병(Burkitt's cell leukemia)을 추가하였다.

- Precursor B-cell ALL (또는 B전구림프모구백혈병/림프종)
- Precursor T-cell ALL (또는 T전구림프모구백혈병/림프종)
- Burkitt's cell leukemia

미숙한 림프구가 종양화되면 급성백혈병의 임상증상을 나타낸다. 즉 백혈병세포가 골수에 침윤하여 백혈병으로 진행되는 것이다. 이것이 바로 전구세포성림프모구백혈병이다.

급성림프성백혈병(ALL)은 급성 골수성 백혈병(AML)에 비해 소아에게서 호발하며, 또 중추신경에 침윤하기 쉽다.

따라서 중추신경증상, 정신증상, 두통, 구토 등의 증상을 나타낸다.

버킷림프종(Burkitt's lymphoma)이 백혈병으로 진행되는 것은 FAB 분류에서는 급성백혈병의 L_3로서 취급되었다. WHO 분류에서는 버킷림프종이 백혈병으로 진행되는지의 여부에 상관없이, 성숙 B세포종양으로서 취급하고 있다. 그러나 버킷림프종에서 급성림프모구백혈병 양상이 강한 것은 버킷세포백혈병이라고 하여 급성림프모구백혈병의 하나로 취급한다.

1. 역학

조혈모세포에 유전자 변이가 생겨 림프계 전구세포의 단계에서 분화가 정지해, 미성숙한 림프모구가 단세포군(monoclonal)으로 증식하는 조혈계 종양이다. WHO 분류에서는 림프계 종양에 속하며, B세포 유래의 것과 T세포 유래의 것으로 나뉜다.

AML은 50세 이상의 성인에게 많은 데 비해, ALL은 소아에게 많다. AML은 성인:소아=4:1의 비율로 나타나는데 비해, ALL은 성인:소아=1:4의 빈도이다. ALL의 대부분은 T세포성이다.

ALL은 소아 악성종양 중에서도 가장 많이 나타나는 질환이다.

2. 증상

소아나 고령자에게 많이 발생하며, 발열, 빈혈, 출혈경향 등이 나타나며 때때로 림프절 종창, 비장비대, 전종격/앞세로칸종양, 두통, 구토, 정신적 증상 등의 중추신경 증상, 고환 침윤이 나타난다. 고환 침윤이 나타나는 경우에는 중추신경의 침윤도 나타나는 경우가 많다.

3. 소아 급성백혈병의 위험인자

아래의 내용이 있으면 예후가 나쁘다.

- 연령이 2세 이하 또는 10세 이상
- 남자아이
- ALL이 아니다(AML이다)
- 말초백혈구 수가 20,000/μL 이상
- Philadelphia 염색체가 있다.

소아가 아니라 유아나 사춘기 연령, 그리고 ALL이 아니라 AML이거나 Philadelphia 염색체 양성인 경우에는 예후가 나쁘다.

4. 버킷세포백혈병

공포(vacuole)가 있는 백혈병세포 사진이나 그림을 보면, 버킷림프종 · 버킷세포백혈병이라고 즉시 알 수 있어야 한다**(그림 5-5)**.

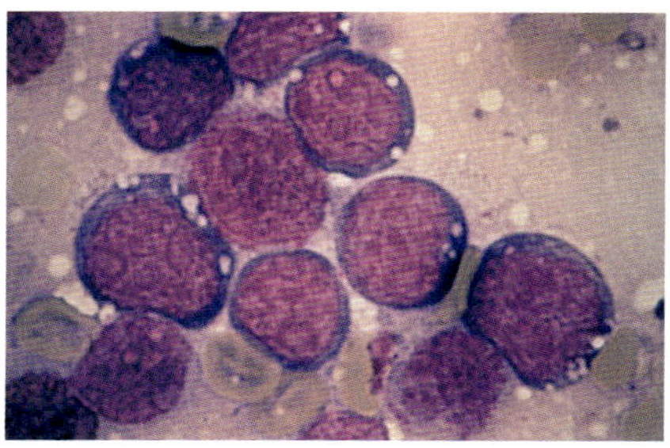

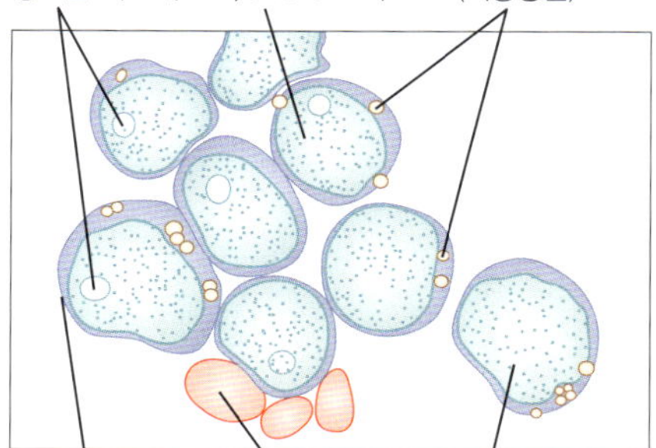

균일한 세포크기, 핵에 잘록한 부분이 없음

[그림 5-5] Burkitt's lymphoma

5. 검사

골수상에서 모구가 현저하게 증가하고, MPO 염색이 (－)이다. 세포표면 표지자나 염색체 · 유전자, 세포형태 등을 조사해 급성림프성백혈병의 자세한 분류를 실시한다.

성인 ALL에서는 Philadelphia 염색체[t(9:22)]가 25%로 양성이 된다.

생화학소견에서는 LDH 상승, 고요산혈증이 나타난다.

이 질환에서는 백혈병세포의 증가 정도에 따라 백혈구 수가 다양한 수치를 나타낸다.

6. 치료

항암제에 의한 다제병용 화학요법이 중심이 된다.

1) 화학요법

① 관해유도 요법

안트라싸이클린계 약제(DNR, DXR), 빈크리스틴(VCR), 프레드니솔론(PSL), L－아스파라기네이즈(L－ASP), 시클로포스파미드(CPA) 등을 이용한 다제병용요법이다.

② 관해후 요법

관해유도에 이용하지 않았던 약제를 중심으로 한 다제병용요법으로 중추신경에서의 재발을 예방하기 위해 methotrexate(MTX) 척수강내 주사(intraspinal injection) 등을 실시한다.

2) 조혈모세포 이식

Philadelphia 염색체 양성 등의 예후 불량군에 대해서 관해되지 않으면 조혈모세포 이식을 고려한다.

7. 예후인자

ALL의 장기 생존율은 성인이 15～35%인데 비해 소아는 약 80%이다.

예후인자에는 연령, 진단 시의 백혈구 수, 완전관해(CR)까지의 기간, 염색체 이상 등이 있다.

30세 이상으로서, 진단 시의 백혈구 수가 3만/μL 이상, CR까지의 기간이 4주일 이상, 그리고 특정 염색체이상 등이 예후불량 인자이다.

그중에서도 성인 ALL의 약 25%에서 볼 수 있는 Philadelphia 염색체는 최대의 예후불량 인자이다. 한편, 소아에서는 예후가 비교적 양호한 염색체이상이 많다.

백혈병 핵심정리

병태생리로 보는 백혈병

말초혈액 중에 비정상백혈구(백혈병세포)가 병적으로 증식하는 질병이다.

병 인	• 조혈모세포에 유전자 이상이 생겨 분화능력을 잃은 비정상적인 모구(백혈병세포)가 단세포군으로 증식하는 것이 원인이다. • 급성골수성백혈병은 50세 이상 고령자, 급성림프성백혈병은 10세 미만에서 많이 발생한다.
병 태	• 급성골수성백혈병(AML) : 골수계세포(과립구, 단핵구)의 증식, 가장 흔한 형태의 백혈병으로 50세 이상 성인에게 호발 • 만성골수성백혈병(CML) : 골수계 세포가 백혈구를 만드는 과정에서 발생하며 나이가 많을수록 발병 증가 • 급성림프성백혈병(ALL) : 림프계세포의 증식, 어린이에게 호발 • 만성림프성백혈병(CLL) : 성인 및 노인에게 호발하며 증상은 비교적 가볍다. • 조혈기능의 저하(조혈조직의 압박)로 범혈구 감소가 발생하고 각종 증상이 나타남.
증 상	**정상조혈의 억제** • 비정상적인 백혈구 증가, 적혈구 및 혈소판 감소 • 빈혈(호흡곤란, 전신권태감) • 발열(과립구 감소) • 출혈(혈소판 감소) **장기침윤, 전이** • 비대(림프조직) • 두통, 구토(중추신경계) • 발진, 융기(피부) **대사이상** • 저나트륨혈증, 저칼륨혈증, 고퓨린증 등

진 단 및 검 사	**진단** • 골수천자를 실시하여 골수도말표본(MAY-Giemsa 염색)을 만들어 모구의 증가를 조사한다. **검사** • 혈액생화학검사 • 세포조직화학검사
치 료	**1. 관해유도요법** • 관해유도요법 → 공고요법 → 유지·강화요법의 순서로 실시 **2. 화학요법** • 급성전골수성백혈병(APL) : All-trans retinoic acid(ATRA) • 만성골수성백혈병(CML) : interferon(IFN), TKI(Tirosine kinase inhibitor) 제제 • 대사길항제(Pyrimidine 길항제, purine 길항제 등) • 항생제 • 알킬화제 • 식물알칼로이드 • 부신피질호르몬제 **※ 화학요법 중인 백혈병 환자의 부작용** • 소화기 증상 : 오심, 구토, 식욕부진, 설사, 변비 등 • 피부 증상 : 탈모, 발진, 광선과민증, 색소침착 등 • 생식기 증상 : 정자 수 감소, 월경불순 및 폐경 • 골수기능 증상 : 감염, 빈혈, 점상출혈, 발열, 창백 등 **3. 조혈모세포이식** • 완치를 목표로 약제내성을 극복하는 강력한 수단 **4. 방사선요법**

VI 골수계 종양

VI

1. 정의

골수계 종양이란 조혈모세포에 유전자 변이가 일어나, 골수계 세포(과립구계, 단핵구계, 적혈모구계, 거대핵구계)가 종양성 증식이나 형태이상을 나타내는 질환을 말한다.

2. WHO 분류 (표 6-1)

WHO 분류에서 골수계 종양은 급성 골수성 백혈병(AML), 골수형성이상증후군(MDS), 만성 골수증식성 질환(CMPD), 골수형성이상/골수증식성 질환(MDS/MPD)의 4가지로 분류된다.

AML은 골수 또는 말초혈액에서 차지하고 있는 모구의 비율이 20% 이상인 것이라고 정의되고 있어, 다른 골수계 종양과 구별된다.

	AML	MDS	CMPD	MDS/MPD
특징	• 종양세포가 분화능력을 잃었기 때문에 미성숙 모구가 현저하게 증가한다.	• 세포증식보다 세포이형이 현저하게 많아 전백혈병 상태가 된다.	• 조혈모세포가 종양화하지만 분화능력은 상실되지 않고 성숙 혈구가 현저하게 증가한다.	• MDS와 CMPD 양쪽 모두의 성질을 가진다.
모구의 비율	20% 이상	20% 이하	20% 이하	20% 이하
성숙 경향	없다	있다	있다	있다
형태	이상	이상	정상	이상

[표 6-1] 골수계 종양의 WHO 분류

A 골수형성이상증후군 Myelodysplastic syndrome: MDS

1 MDS란?

MDS를 직역하면, '골수에 이상이 생긴 증후군'이다.
그 본질은 다음의 두 가지이다.

- 골수세포계 세포가 이상해진다.
- 종양성 질환이다.

MDS에서는 조혈모세포에 질적 이상이 일어나, 조혈을 효과적으로 할 수 없게 된다. 그것을 보상하는 형태로 미숙한 세포가 골수에서 증식한다. 적혈구 항목에서 배운 무효조혈과 같은 것이 적혈구계뿐만 아니라 과립구계, 혈소판계에서도 일어난다.

경과에서 중요한 점은 급성 백혈병으로 이행할 수 있다는 점이다.

미성숙한 골수세포가 증식하는 질환에는 급성골수성백혈병이 있다. 골수혈액 중의 모세포수가 많고 적음에 따라 MDS와 급성골수성백혈병을 감별한다. 5~20%가 MDS이고, 20% 이상이 급성골수성백혈병인데, 모세포 수가 5% 이하라도 MDS로서의 특징(형성이상, dysplasia)이 확인되면 모세포 수에 상관없이 MDS로 진단한다.

2 MDS의 기본개념

어떤 원인으로 줄기세포(stem cell)에서 장애가 발생하여, 그 비정상적인 줄기세포에 이상 클론(clone)이 증가해 버린 상태가 MDS의 특징이라고 여겨진다.

비정상적인 적혈구가 생기기 때문에, 비정상적인 적혈구 → 비정상이기 때문에, 골수내에서 파괴된다 → 빈혈 → 이것을 보상하기 위해 적혈구계가 과형성을 일으킨다(정상형성인 경우도 있다).

이 흐름을 어디에선가 본 적이 있을 것이다. 바로 무효조혈이다. 빈혈을 보상하려고 적혈구계가 분발하지만, 비정상이기 때문에 골수에서 파괴되어 버린다. 그 결과 MDS에서는 불응성 빈혈(refractory anemia)이 발생한다.

3 MDS의 증상 및 특징

- 빈혈을 주증상으로 하는 경우가 많다. 범혈구 감소를 보이는 경우도 있다. 적혈구의 감소에 의해 빈혈, 피로감 증가, 현기증, 심계항진, 숨가쁨 등이 나타나며 백혈구의 감소에 의해 감염성 증가, 발열 등도 나타난다. 또 혈소판의 감소에 의해 출혈 경향을 나타내는데, 피부의 점상출혈, 코출혈 등도 나타난다.
- 골수는 과형성에서부터 저형성까지를 나타낸다.
- 무효조혈을 일으킨다.
- 각 혈구계에서 형태 및 기능이상을 보인다.
- 약 반수에서 염색체 이상이 나타난다. 그중에서도 제5염색체 장완부분 결손(5q−)이 유명하다.
- 주로 중~노년층에서 보이고, 임상경과는 만성적 그리고 불가역적으로 진행되어, 치료에 대한 반응이 좋지 않다.
- 일반적으로 예후가 좋지 않은데, 골수부전(감염, 출혈) 및 급성백혈병으로의 이행이 예후를 결정한다.

MDS는 치료에 저항하는 불응성빈혈(refractory anemia)과 후에 백혈병으로 이행하기 쉬운 전백혈병 상태(preleukemic state)라는 두 가지 얼굴을 가지고 있다**(그림 6-1)**.

MDS는 골수성종양이기 때문에 백혈병으로 이행하는 경우, 대부분 급성골수성백혈병이 된다.

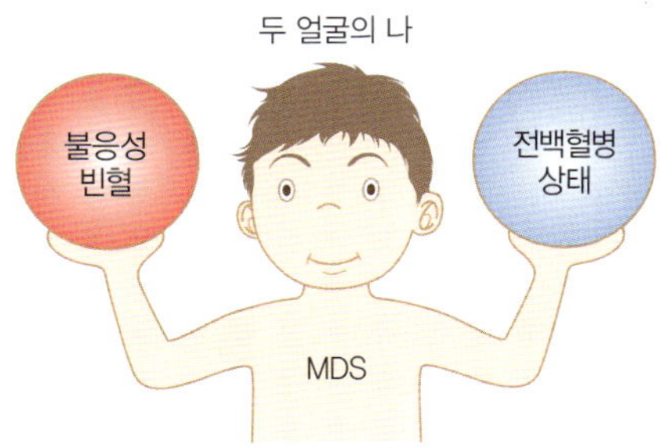

[그림 6-1] MDS의 양면성

TIP

MDS에도 구조조정이 있다!

급성백혈병에서 골수 중 모세포의 숫자에 대한 정의가 30% 이상에서 20% 이상으로 조정되었다. 따라서 모세포 수의 20~30%가 구조조정된 셈이다. 그 대상은 FAB 분류에서 말하는 RAEB in transformation이다. 원래 RAEB in transformation(RAEBT)은 급성백혈병으로 이행되기 매우 쉬운 MDS라고 알려져 있었지만, 경과를 보니 급성백혈병 그 자체였기 때문에 이렇게 다시 조정된 것이다.

또 한 가지, 만성골수단구백혈병(CMMoL)이라는 질환이 있었는데, 이것은 골수형성이상 질환과 골수증식성 질환(MDS와 골수증식성 질환이 혼합된 것)으로 분류되었다.

4 분류

MDS는 다음과 같이 분류할 수 있다.

① 불응성빈혈(refractory anemia : RA)
② 다계열형성이상 불응성혈구감소증(refractory cytopenia with multilineage dysplasia)
③ 모세포증가 불응성빈혈(RA with excess of blasts : RAEB)
④ 5q 증후군
⑤ 기타

1. 불응성빈혈 Refractory anemia : RA

일반적인 빈혈 치료로 전혀 효과를 보지 못한 경우를 불응성빈혈이라고 한다. 그중에서 고리철적혈모구가 골수유핵세포의 15% 이상이 되는 경우를 '고리철적혈모구를 수반하는 불응성빈혈'(RA with ringed sideroblasts : RARS)이라고 한다. 고리철적혈모구는 철적혈모구빈혈에서 공부하였다.

2. 다계열형성이상 불응성혈구감소증 Refractory cytopenia with multilineage dysplasia

MDS에서는 골수계 세포 중에서 적혈구계에 이상을 초래하는 경우가 많지만, 다른 혈구계에서도 이상이 나타난다.

3. 모세포증가 불응성빈혈 RA with excess of blasts : RAEB

골수 중의 모세포가 5~20%일 때 모세포증가 불응성빈혈이라고 진단한다. ①, ②, ④, ⑤에서는 골수 중의 모세포가 5% 이하이다.

4. 5q 증후군

MDS에서 가장 빈도가 높은 제5염색체 장완부분 결손을 5q 증후군이라고 한다. 대적혈구성빈혈, 혈소판 증가, 거대혈소판, 핵이 분절되지 않은 거대핵세포가 나타나며 경과가 완만하고 예후가 비교적 양호하다는 등의 특징을 가지고 있다.

5 치료

현재 유효한 치료법은 없지만, 위험성(IPSS 등에 의함)과 연령에 따라 치료법을 결정한다.

① 증상이 안정되어 있다 → 치료하지 않음, 수혈을 위주로 한 대증요법
② 증상이 진행되고 있다 → 화학요법
③ 젊은 환자이고 기증자가 있다 → 조혈모세포이식, 유일한 근치요법이다.

VI

플러스 코너

1. 골수형성이상/골수증식성 질환

골수형성이상/골수증식성 질환(MDS/MPD) WHO 분류에서 신설된 질환군으로, 골수형성이상증후군과 만성골수증식성질환 양쪽 모두의 성질을 가지고 있다. 형성이상을 나타내는 혈구가 골수에 나타나지만, 세포자멸사(apoptosis)에 이르는 것(MDS의 성질)과 과형성을 나타내며 말초혈액에 나타나는 것(CMPD의 성질)이 혼재한다.

결과적으로 말초혈액의 혈구 수는 증가한다. 또 Philadelphia염색체는 음성이다.

	특징
만성골수단핵구백혈병(CMML)	단핵구증가와 혈구의 형성이상
비전형성만성골수백혈병(aCML)	형성이상을 지닌 다양한 성숙 단계의 호중구 증식
청년성골수단핵구백혈병(JMML)	소아에 생기는 과립구, 단핵구의 증식과 혈구의 형성이상
분류불능형(MDS/MPD, U)	위에서 분류할 수 없는 것

[표 A] MDS/MPD에 포함되는 질환

플러스 코너

2. MDS의 FAB 분류와 WHO 분류

MDS의 병형 분류에서는 이전에는 FAB 분류(1982년)가 이용되어, 골수 또는 말초혈액에서 모구의 비율이 30% 미만을 MDS라고 하였고, 30% 이상을 급성 골수성백혈병(AML)으로 하여, MDS는 5가지로 분류되었다.

그러나 WHO 분류(2000년)에서는 골수 또는 말초혈액에서 모구의 비율이 20% 이상이 되면 AML로 하고, MDS를 8가지로 분류하였다. 따라서 RAEB-t의 대부분은 AML에 포함되게 되었다.

또 만성골수단핵구백혈병은 WHO 분류에서 신설된 골수형성이상/골수증식성 질환에 포함되게 되었다.

WHO 분류에서는 RA와 RARS가 백혈병으로의 이행이 적은 예후 양호군이다. RAEB(특히 RAEB-II)는 백혈병으로 이행이 많은 예후 불량군이며, RCMD와 RCMD-RS가 그 뒤를 잇는다.

MDS의 분류에 대해서는 현재 FAB 분류와 WHO 분류를 병기해 대응하고 있다(표 B).

FAB 분류	골수 소견: 원래 FAB 분류에 있던 기준	골수 소견: WHO 분류에 의해 부가·변경된 것		WHO 분류
RA (불응성빈혈)	모구 < 5% 고리철적혈모구 < 5%	적혈구에게만 형성이상이 있다.		**RA** (불응성빈혈)
		2계통 이상에서 10% 이상의 세포에 형성이상이 있다.		**RCMD** (다계통의 형성이상을 동반하는 불응성혈구감소증)
RARS (고리철적혈모구를 동반하는 불응성빈혈)	모구 < 5% 고리철적혈모구 ≥ 15%	적혈구에만 형성이상이 있다.		**RARS** (고리철적혈모구를 동반하는 불응성빈혈)
		2계통 이상에서 10% 이상의 세포에 형성이상이 있다.		**RCMD-RS** (다계통의 형성이상과 고리철적혈모구를 동반하는 불응성혈구감소증)
		모구 < 5%	제5염색체 장완의 결손이 있다.	**5q 증후군** (5q-syndrome)
			적혈구 이외의 1계통에서 형성이상	**MDS-U** (MDS, 분류불능형)
RAEB (모구 증가를 동반하는 불응성빈혈)	5% ≤ 모구 < 20%	5% ≤ 모구 < 10%		**RAEB-I** (모구 증가를 동반하는 불응성빈혈-I)
		10% ≤ 모구 < 20%		**RAEB-II** (모구 증가를 동반하는 불응성빈혈-II)
RAEB-t (이행기의 RAEB)	20% ≤ 모구 < 30%	→ 급성골수성백혈병으로		
CMML (만성골수단핵구백혈병)	모구 < 20% + 말초혈액단핵구 수 ≥ 1,000/μL	→ 골수형성이상/골수증식성 질환으로		

RA와 RARS는 형성이상이 나타나는 혈구의 계통수에 따라 각각 2가지로 분류되었다.

FAB 분류에서 RA로 분류된 것 중에 제5염색체 장완의 결손이 보이는 것을 5q 증후군으로서 신설했다.

RAEB 모구의 비율에 따라 2가지로 나뉘었다.

[표 B] MDS의 FAB 분류와 WHO 분류

B 골수증식성 질환 Myeloproliferative disorder : MPD

골수증식성 질환은 골수계 종양의 하나이다. 조혈모세포(hematopoietic stem cell) 단계의 이상으로, 성숙한 골수세포계 세포(분화장애가 없는)가 골수에서 비정상적으로 증식한다.

이 질환군의 대표인 만성골수성백혈병은 말초혈액에서 과립구가 비정상적으로 증식한다고 하여 백혈병이라는 명칭을 붙이기는 했지만, 그 본질은 분화장애가 없는 비정상 조혈모세포의 증식인 것이다.

만성골수성백혈병에서는 과립구의 증식이 두드러지지만, 그 외의 골수세포계 세포, 즉 적혈구계, 혈소판계의 세포도 증식한다. 이처럼 골수세포계의 3계통 모두에 걸쳐서 증식하는 질환은 그 밖에도 또 있다는 것이 밝혀졌다.

그들 유사질환은 진성적혈구증가증(PV), 진성고혈소판증(ET), 골수섬유증(MF)의 3가지이다. 모두 범혈구 증가를 나타내지만, 질환마다 특히 현저하게 증가하는 혈구성분이 있다.

만성골수성백혈병(CML)에서는 과립구계의 증가가 현저하다.
진성적혈구증가증(PV)에서는 적혈구계의 증가가 현저하다.
진성고혈소판증(ET)에서는 혈소판계의 증가가 현저하다.
골수섬유증(MF)에서는 골수줄기세포의 증가가 현저하다.

골수증식성 질환에 대해서 정리해 보자.

- 골수세포(3계통 + 골수줄기세포)가 골수에서 이상증식한다
- 골수증식성 질환에는 4가지 질환이 있다.

① 만성골수성백혈병(chronic myelogenous leukemia : CML)
② 진성적혈구증가증(polycythemia vera : PV)
③ 진성고혈소판증(essential thrombocythemia : ET)
④ 골수섬유증(myelofibrosis : MF)

플 러 스 코너

3. 골수증식성 질환의 WHO 분류

골수증식성 질환은 주로 증식하는 혈구의 종류에 따라 7개의 질환으로 분류된다.

예외적으로 특발성 골수섬유증은 증식한 거대핵구의 자극에 따라 섬유모세포가 증식하는 질환이다.

또, 골수증식성 질환에서 Philadelphia 염색체나 BCR/ABL 유전자는 만성골수성백혈병에서만 검출되어 다른 질환과의 구별에 중요하다.

증식의 주체	질환명
과립구	만성골수성백혈병(CML)
적혈구	진성적혈구증가증(PV)
혈소판	본태성혈소판혈증(ET)
섬유모세포	만성특발성골수섬유증(CIMF)
호중구	만성호중구성백혈병(CNL)
호산구	만성호산구성백혈병/ 호산구증가증후군(CEL/HES)
기타	분류불능형(CMPD, U)

VI

1 만성골수성백혈병

Chronic myelogenous leukemia : CML

조혈모세포에 이상이 일어나 이 조혈모세포가 성숙장애를 동반하지 않고 증식한다. 성숙된 과립구가 현저하게 증가하는 것이 만성골수성백혈병이며 중 · 노년층에 많이 발생한다.

1. 병태생리

한 마디로 말하면 염색체 이상이다. 9번 염색체에는 abl 유전자가 존재한다. 22번 염색체에는 bcr 유전자가 존재한다. 이 9번 염색체와 22번 염색체가 전위(translocation)를 일으켜 t(9;22), Philadelphia 염색체(philadelphia chromosome)를 만든다**(그림 6-2)**.

이 Philadelphia 염색체에는 전위의 결과로 생긴 bcr/abl 융합유전자가 존재한다. 이 bcr/abl 융합유전자로부터 만들어진 단백질은 강한 tyrosine kinase 활성을 갖고 있으며, 이것이 백혈병세포의 자율적인 증식기능에 관여하고 있다.

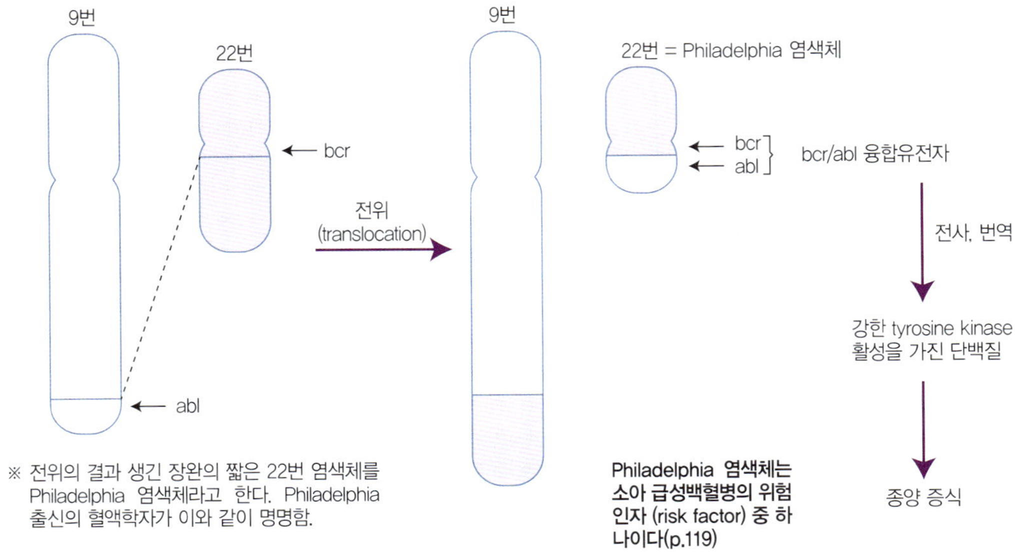

[그림 6-2] Philadelphia 염색체

Philadelphia 염색체는 상당히 진단적 가치가 있다. 따라서 CML 진단에 혼동할 것은 거의 없다. 하지만 Philadelphia 염색체가 있다고 해서 CML이라고 단정해서는 안 된다. ALL의 20~30%에서 Philadelphia 염색체가 나타나기 때문이다.

또 방사선에 의해 CML 발생 빈도가 상승한다는 것은 잘 알려져 있다. 1950~1955년에 걸쳐 일본의 히로시마, 나가사키에서 CML의 발생빈도가 급상승하였다. 방사선이 염색체 이상을 유발했다고 생각할 수 있다.

2. 검사소견

1) 말초혈액

① 현저한 백혈구 증가(때로 수십 만/μL)

② 나타나는 백혈구는 골수모세포로부터 성숙 분절핵세포에 이르기까지, 각 성숙단계의 세포가 빠짐없이 나타난다 ← 백혈병세포단절(hiatus leukemicus)이 없다.

③ 호산구 증가, 호염기구 증가

④ 적혈구는 약간 감소하는 경우가 많다. 단지 심한 빈혈이 있을 경우 blastic crisis를 의심하는 것이 좋다.

⑤ 혈소판 증가 또는 정상

2) 골수

골수계 세포와 적혈구계 세포의 비율(M/E ratio)이 현저하게 높은 수치(과립구계 세포의 증식이 현저하기 때문)이다.

3) 생화학적 검사

① LAP score 감소

- 원인 불명
- Blastic crisis에서 LAP score 증가
- 진성적혈구증가증(PV), 골수섬유증(MF), 백혈병양반응에서는 높은 수치를 나타내기 때문에 감별 진단상의 효과가 크다.

② 혈청 비타민 B_{12} 증가

- 총 백혈구 수 증가 → 그 분량만큼 혈중에서 비타민 B_{12}가 필요하게 된다.
- 백혈구의 붕괴 → 세포내의 비타민 B_{12}를 혈중으로 방출한다.

③ 혈중 · 요중 요산 증가

백혈구의 붕괴 증가 → 핵산 방출량 증가 → 핵산의 대사산물인 요산 증가

④ LDH 증가

용혈빈혈에서 LDH가 상승한 것과 같은 기전이다.

3. 임상증상

자각증상이 없는 경우가 많다. 따라서 건강진단 시에 발견되는 경우도 종종 있다.

- 피로감, 현기증, 체중감소(에너지를 백혈구 생산에 사용하기 때문이다)
- 비장비대에 의한 복부팽만감
  병이 상당히 깊게 진행된 경우(여기까지 방치하는 경우는 드물다)에 나타난다.
- 음경지속발기증
- 갑상선기능항진증과 비슷한 증상
- 통풍(요산 수치의 상승이 원인)
- 위궤양(호염기구 증가에 의한 hyperhistaminemia가 원인)

4. 병기분류

CML은 만성기 → 가속기 → 급성기로 진행된다. 만성기의 상태에서 사망하는 경우는 거의 없고, 증례의 95%는 급성기에 사망한다. 만성기부터 급성기로 진행되는 것을 특히 blastic crisis라고 한다.

혈액학적으로는 모세포가 급증하고, 혈소판 감소, 빈혈이 발생한다. 임상적으로도 급성백혈병과 매우 유사한 증상(발열, 출혈경향 등)을 나타낸다. Blastic crisis가 일어나면 '매우 위험'하기 때문에, blastic crisis를 얼마나 빨리 진단할 수 있는지가 의사의 실력을 가늠하는 척도가 된다(표 6-2).

Blastic crisis의 핵심포인트를 확실하게 알아두기 바란다.

주지표 (major)	① 만성기 치료에 저항하여 축소 경향이 없어지거나, 또는 급격히 다시 커지는 비장 ② 말초혈액 또는 골수의 골수모세포≧5% ③ 말초혈액 또는 골수의 전골수세포≧20% ④ 부가적 염색체 이상 ⑤ 현저한 림프절비대, 기타 종양 형성
부지표 (minor)	① 원인불명의 발열(38℃ 이상) ② 사지의 신경통성 통증 ③ 출혈경향의 출현 ④ 원인불명의 빈혈(적혈구 300만/㎕ 이하) ⑤ 혈소판 수의 현저한 감소(10만/㎕ 이하), 또는 현저한 증가(300만/㎕ 이상) ⑥ 만성기 치료에 저항하는 백혈구 수의 증가(5만/㎕ 이상) ⑦ 말초혈액 또는 골수 중 호염기구의 현저한 증가(20% 이상) ⑧ 골수천자 'dry tap' ⑨ CRP 양성화 ⑩ LAP score 상승(score ≧ 100)

CML blastic crisis의 조기진단기준
1. 주지표만 3항목 이상 2. 주지표 2항목 이상 + 부지표 1항목 이상 3. 주지표 1항목 이상 + 부지표 3항목 이상 4. 부지표만 5항목 이상 ※ 이상 중 어느 것이라도 해당되면, blastic crisis 초기로 본다.

[표 6-2] CML의 blastic crisis 조기진단을 위한 지표

5. 치료

크게 3가지로 나눌 수 있다. 우선순위는 1), 2), 3)인데 왜 우선순위를 정해 놓았느냐 하면 이 순서대로 치료해야 blastic crisis(모세포위기)를 막을 수가 있기 때문이다. CML의 blastic crisis는 예후가 매우 나빠서 어떤 치료법을 실시해도 장기 생존은 기대할 수 없다. Blastic crisis를 막거나 또는 지연시키는 것이 치료의 목적이 된다.

1) 조혈모세포이식

조혈모세포이식으로 이상 염색체를 박멸한다. 이로 인해 blastic crisis는 물론 CML의 완치를 기대할 수 있다. 조혈모세포이식이 적용된다면 최우선으로 실시한다.

2) IFN-α

Interferon은 세포의 증식억제에 작용하는 사이토카인(cytokine)이다. 그 일종인 IFN-α를 투여하면, 백혈구 수를 감소시킬 수가 있다. IFN-α의 특기할 만한 점은 종양세포를 감소시킬 뿐만 아니라, Philadelphia 염색체의 양성률을 감소(40%), 소실(10~20%)시킨다. 그 결과 blastic crisis를 막을 수가 있다. 일부 환자에게는 상당히 효과가 있다.

플 러 스 코너

4. CML의 blastic crisis

- CML 경과 중에 발열, 비장비대 증가, 림프절 종창의 증가, 뼈통증 · 관절통의 악화가 나타난다.
- 혈액검사에서 모구의 증가, 적혈구, 혈소판 감소가 나타난다.
- LAP score 상승 : 만성기에 LAP score가 감소했지만, blastic crisis에서 LAP score가 증가되는 것은 진단적 가치가 크다.
- 골수천자에서 dry tap : dry tap이란 골수천자에 의한 골수액의 흡인 채취가 불가능한 경우를 말한다. 이는 미성숙 세포가 급격히 증가되었기 때문에 발생한다.
- 림프절비대의 진행
- 급성백혈병과 유사한 증상
- Philadelphia 염색체가 소실되지 않는다.
- 치료 : 매우 어렵다.
  ① 이마티니브(imatinib, 글리벡®)
  ② 다제병용 화학요법
  TdT 활성* 2/3에서 (−) : AML type
  ⇨ AML에 준한 요법
  1/3에서 (+) : ALL type
  ⇨ ALL에 준한 요법
  * TdT(DNA 합성효소)활성의 유무에 따라 AML type인지 ALL type인지 감별할 수 있다.
  ③ 동종조혈모세포이식 : 50~55세 미만의 경우

3) 화학요법

Hydroxyurea를 사용한다. 백혈구의 증가를 막을 수는 있지만 blastic crisis를 막을 수는 없다.

4) Tyrosine kinase 억제제(imatinib mesylate : Gleevec〈글리벡〉)

유전자 표적요법으로서 최근 개발된 CML의 만성기 치료제이다. CML의 특징적 유전자인 bcr/abl에 의한 tyrosine kinase의 활성화를 억제하고 백혈병세포가 증식하는 것을 막는다

TIP

제1선택약 이마티니브(imatinib)의 작용

CML 치료의 제1차 선택약은 이마티니브이며, 이것은 BCR/ABL 티로신키나제를 저해하는 분자표적 약제이다.

단독 치료로 97%의 증례에서 혈액학적 관해가 이루어졌으며, Philadelphia 염색체 양성세포는 82%의 증례에서 소실되었다. 또 5년 생존률은 95%이다.

그러나 피진, 부종, 구역질 등 경도의 부작용이 적지 않은 점이나, 약값이 비싸 약 복용을 스스로 중단하는 경우 등이 발생한다. 이마티니브의 복용을 중단하면 대부분이 재발하기 때문에 복약의 중요성을 설명해, 순응도(compliance) 향상에 노력해야 한다.

2 진성적혈구증가증 Polycythemia vera : PV

「III. 적혈구 각론」을 참조하기 바란다. 골수증식성 질환과 관련하여 중요한 것은 LAP score 증가, 비장비대, 혈청 비타민 B_{12} 증가의 3가지이다.

3 진성고혈소판증 Essential thrombocythemia : ET

이것은 골수성분 중 혈소판계가 증식하는 질환이다. 말초혈액의 혈소판 증가와 골수 중 거대핵세포의 과형성이 특징으로 나타난다.

1. 임상증상

증상이 다양해서 혈전증을 일으키는 경우(약 30% : 혈소판의 증가가 원인)도 있고, 출혈경향을 일으키는 경우(약 60% : 혈소판의 기능 이상이 원인)도 있다.

2. 검사소견

① 말초혈액의 혈소판 수가 100만/μL를 넘는 경우가 많다.

② 골수거대핵세포(megakaryocyte) 과형성

③ 혈소판기능이상(특히 아드레날린 응집의 결여는 반드시 일어남)

④ Philadelphia 염색체 음성

⑤ 혈청비타민 B_{12} 증가

3. 치료

- 증상이 없는 경우
  → 치료하지 않고 경과만 관찰한다. 혈소판이 증가해도 방치해 둔다.
- 혈전증, 출혈경향이 있는 경우
  → hydroxyurea와 IFN-α를 투여하여, 혈소판 수를 조절한다. 진성고혈소판증은 예후가 좋다.

VI

플러스 코너

5. 혈소판증가증

혈소판증가증은 말초혈액에서 혈소판이 증가하는 상태로서, 보통 혈소판 수가 40만/μL 이상인 경우를 가리킨다.

혈소판이 증가하는 원인은 만성골수증식성 질환 등에 의해 종양성으로 혈소판이 증가하는 경우와 일차성 질환 등에 의해 반응성으로 혈소판이 증가하는 경우로 나눌 수가 있다.

종양성인 경우는 반응성인 경우보다 혈소판 수가 증가하며, 100만/μL를 초과하는 경우도 흔히 있다.

종양성	반응성
• 본태성혈소판혈증 • 진성적혈구증가증 • 만성골수성백혈병 • 만성특발성골수섬유증	• 감염증 • 염증성 질환 • 악성종양(비혈액계) • 출혈 • 용혈 • 철결핍빈혈 • 비장 적출 후

4 골수섬유증 Myelofibrosis : MF

1. 골수의 섬유화

CML은 과립구가, 진성적혈구증가증은 적혈구계가, 진성고혈소판증은 혈소판계가 각각 클론성 증식을 한 것이다. 그런데 골수의 줄기세포가 클론성 증식을 했다는 보고는 없다.

최근의 연구에 의하면, 클론성 증식을 한 세포로부터 방출되는 사이토카인(cytokine)에 의해 섬유가 증가한다고 추정되고 있다.

골수의 섬유화가 아무리 진행되어도 거대핵세포만은 남기 때문에(남는다기보다 오히려 증가하고 있다), 이 거대핵세포가 방출하는 PDGF, EGF, TGF-β, Endothelial cell growth factor 등에 의해 섬유모세포(fibroblast)가 증식하여 섬유화되는 것으로 추정되고 있다(**그림 6-3**).

2. 골수섬유증(MF)의 분류

특발성과 이차성으로 분류된다. 어떤 특정한 기저질환이 있어, 그것에 대한 반응으로서 섬유화가 일어나는 것을 이차성 골수섬유증이라고 한다. 그러나 이때의 기저질환에는 아직 치료되지 않은 백혈병과 MDS는 포함되지 않는다.

중요한 것은 특발성골수섬유증으로서, 이것은 경과에 따라 급성과 만성으로 분류된다.

MDS와 AML-M7(급성거대핵세포백혈병)에 수반되는 골수섬유증은 급성 경과를 보인다.

만성 경과를 보이는 것으로는 좁은 의미의 특발성골수섬유증과 골수증식성 질환(CML, PV, ET)에 수반되는 골수섬유증이 있다. 일반적으로 골수섬유증이라고 하면, 만성 경과를 보이는 좁은 의미의 특발성골수섬유증을 가리킨다(**표 6-3**).

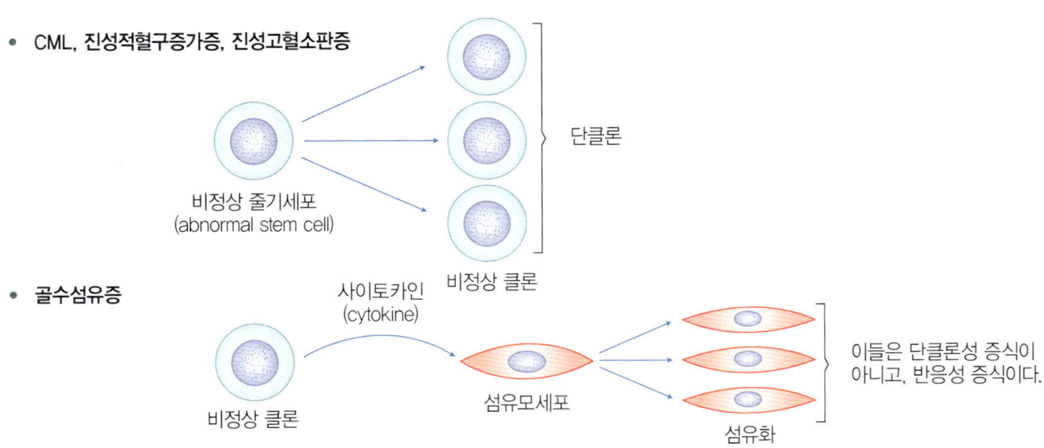

[그림 6-3] 섬유화의 기전

3. 검사소견

애매한 검사소견이 많은데, 일반적인 검사 소견들을 파악해 두자.

① 급성
• MDS에 수반되는 것 • AML-M_7(급성거대핵세포백혈병)에 수반되는 것 • 다른 AML에 수반되는 것
② 만성
• 좁은 의미의 특발성골수섬유증(IMF) ← 일반적으로 골수섬유증이라고 하면 이것을 말한다. • 골수증식성 질환에 수반되는 것

[표 6-3] 특발성골수섬유증(IMF)의 분류

1) 말초혈액

① 적혈구계

• 중등도의 빈혈

섬유화로 인해 조혈부전이 발생한다. 단, 본증의 10%에서 적혈구증가증이 나타난다.

이것은 골수증식성 질환으로서의 한 측면을 나타내고 있다.

• 눈물방울적혈구(tear drop cell, **그림 6-4**)

골수섬유증(MF)에 특이적인 것은 아니지만, 이 tear drop cell을 보면 골수섬유증을 우선 생각하자.

• 적혈모구의 출현

정상에서는 말초혈액에 적혈모구가 나타나는 경우가 없지만, 골수섬유증에서는 적혈모구가 나타난다. 과립구계의 미성숙 세포도 나타나기 때문에, 통틀어서 백적혈모구증(leukoerythroblastosis)이라고 한다. 이는 골수외조혈(이자, 간, 림프절)이 일어나기 때문에 발생하게 된다.

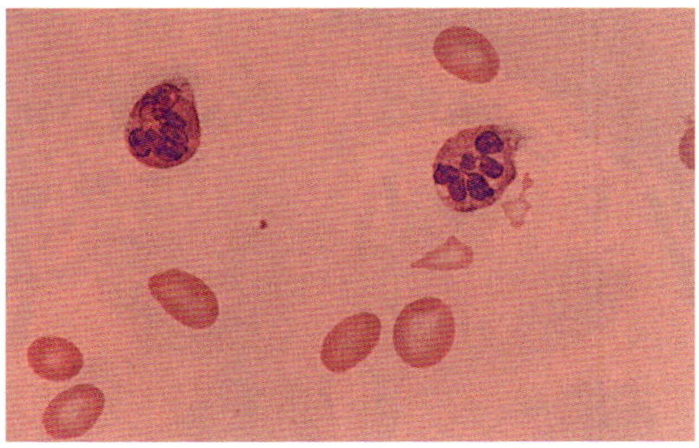

(특발성골수섬유증 44세, 여성)

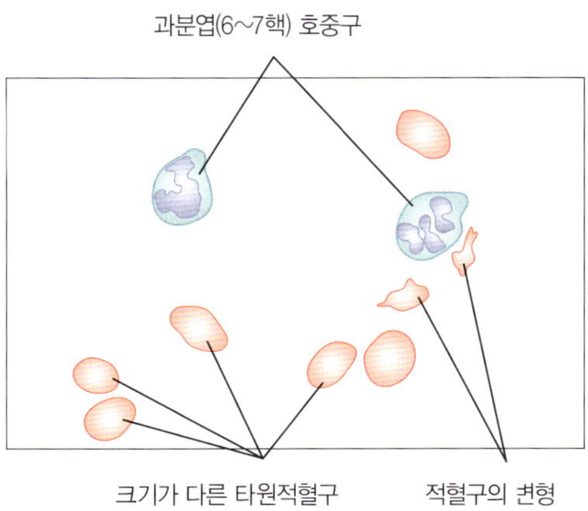

[그림 6-4] 눈물방울적혈구

② 과립구계, 혈소판계

백혈구증가인 경우가 많다. 증가이긴 하지만 5만/μL를 넘는 경우는 별로 없으며, 반대로 백혈구감소인 경우도 있다. 또 과립구계의 미성숙 세포가 나타난다. 혈소판 수는 대부분의 경우 증가한다.

2) 골수

광범위한 섬유화가 일어나고 있다. 섬유화로 인해 미성숙 세포가 감소되는 중에도 거대핵세포만은 남아 있다.

섬유화의 결과, 골수천자를 실시하면 dry tap이 발생한다.

Dry tap이 발생하는 질환

- 골수섬유증(MF)
- CML의 blastic crisis
- 암의 골수전이

3) 생화학적 검사

① LAP score

대부분의 증례에서는 LAP score 상승이 확인되나 약 10%의 증례에서는 CML과 마찬가지로 저하되기도 한다.

② 혈청 비타민 B_{12} 감소

다른 골수증식성 질환에서는 혈청 비타민 B_{12}가 상승하는 데 비해, 본 증상에서는 낮은 수치를 보인다.

③ LDH 증가

④ 혈중 자가항체

드물게 Coombs 검사 양성이 되는 경우가 있다.

4. 병태생리와 임상증상

검사소견과 중복된다.

골수섬유증(MF)의 3가지 특징은 다음과 같다.

① 골수의 광범위한 섬유화 및 뼈경화

② 골수외조혈에 의한 현저한 간비장비대

③ 말초혈액의 백적혈모구증(leukoerythroblastosis)

자각소견이 별로 없고, 권태감과 피로감, 체중감소 등의 전신증상이 주로 나타난다. 타각소견으로는 간비장비대, 특히 거대비장이 중요하다. 골수섬유증(MF)을 병태생리로 간단하게 파악해 보자.

- 골수의 섬유화 → 골수천자에서 dry tap
- 골수의 섬유화 → 조혈장애 → 빈혈 → 권태감, 피로감
- 골수의 섬유화 → 조혈장애 → 보상(compensation)하기 위해 골수외조혈 → 간비장비대 (특히 거대비장)
- 골수의 섬유화 → 조혈장애 → 보상(compensation)하기 위해 골수외조혈 → 백적혈모구증

이를 정리하면 다음 그림 6-5와 같다.

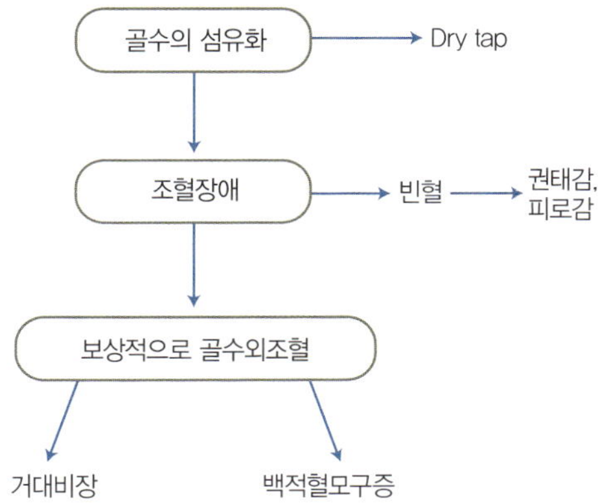

[그림 6-5] 골수섬유증의 병태생리

5. 치료

- 무증상인 경우는 치료하지 않고 경과관찰
- 단백동화 스테로이드→빈혈 치료
- hydroxyurea와 방사선→거대비장과 백혈구수의 조절
- 비장절제술 → 근본적 치료는 아님

골수섬유증의 예후는 나빠서, 평균 생존기간이 5년이다. 20~30%는 말기에 급성백혈병을 일으킨다.

TIP

백적혈모구증(leukoerythroblastosis)

일반적으로 말초혈액에 나타나지 않는 적혈모구와 과립구에서 미성숙 세포가 나타나는 것을 말한다. 백적혈모구증을 일으키는 질환으로 다음의 3가지를 꼭 기억해 두자.

① 골수섬유증(MF)

골수의 섬유화가 고도로 진행됨에 따라 조혈이 장애를 받아 골수외조혈이 나타난다. 골수에서는 미성숙 세포가 말초로 누출되지 못하게 하는 방호벽이 존재했지만, 간과 비장, 림프절에서는 그와 같은 방호벽이 없다. 따라서 골수외조혈이 일어나, 미성숙 세포가 말초에서 나타나는 것이다.

② 암의 골수전이

암이 골수에 전이된 결과, 위에서 말한 방호벽을 파괴해 버린다. 그 때문에 미성숙 세포가 말초혈액에 나타난다.

③ 좁쌀결핵

좁쌀결핵에서 백적혈모구증이 발생하는 사실은 유명한데, 최근에는 이렇게 될 때까지 결핵을 치료하지 않는 사람이 없기 때문에 거의 찾아볼 수가 없다.

5 정리

4가지의 골수증식성 질환을 배웠는데, 비슷한 부분이 있는가 하면, 전혀 다른 부분도 있다. 이러한 점을 명확히 하면서 정리하기 바란다(**표 6-4**). 아래에 정리한 내용은 중요하므로 다시 확인하기 바란다.

① **만성골수성백혈병 (CML)**
- 백혈병세포단절(hiatus leukemicus)이 없다
- 호산구, 호염기구 증가
- Blastic crisis 시에는 dry tap

② **진성적혈구증가증 (PV)**
- 혈중, 요중 EPO 감소

③ **진성고혈소판증 (ET)**
- 예후가 좋다
- 혈소판의 고도 증가

④ **골수섬유증 (MF)**
- 골수천자에서 dry tap
- 백적혈모구증(leukoerythroblastosis)
- 눈물방울적혈구

TIP

골수형성이상·골수증식성 질환

WHO 분류에서의 골수성 종양 중의 한 범주이다. 이 중에 다음의 3가지가 있다.

- 만성골수단핵구백혈병(chronic myelomonocytic leukemia : CML)
- 비정형만성골수성백혈병(atypical CML)
- 연소성골수단핵구백혈병(juvenile myelomonocytic leukemia)

	만성골수성백혈병(CML)	진성적혈구증가증(PV)	진성고혈소판증(ET)	골수섬유증(MF)
백혈구 수	↑↑↑ (때로 수십 만/μl)	↑	↑ 또는 →	↑↑ (50,000/μl 이하인 경우가 많다)
적혈구 수	→	↑↑	→	↓
비장	거대비장	거대비장	비장비대가 나타나지만, 거대비장이 되는 경우는 드물다	거대비장
Philadelphia 염색체	+	−	−	−
LAP	↓ (blastic crisis에 의해 ↑)	↑	→	↑
비타민 B_{12}	↑	↑	↑	↓
치료	조혈모세포이식, interferon α, hydroxyurea	사혈(피를 뺌), 골수억제제	치료하지 않거나 또는 대증요법	치료하지 않거나 또는 대증요법

[표 6-4] 골수증식성 질환의 정리

TIP

거대비장(megalosplenia)

비장비대의 정도가 심한 것이 거대비장인데 그 기준은 명확하지 않다. 하지만 거대비장을 유발하는 질환은 매우 중요하다. 다음의 5가지를 확실하게 기억해 두자.

거대비장을 유발하는 질환

- 만성골수성백혈병(CML)
- 골수섬유증(MF)
- 진성적혈구증가증(PV)
- 특발성 문맥압항진증(Banti 증후군에 해당)
- 말라리아

'골수증식성 질환 중 진성고혈소판증(ET)을 제외한 것'이라고 기억해 두면 3가지는 기억할 수 있다. 진성고혈소판증에서 거대비장이 나타나지 않는 이유는 다음과 같이 생각할 수 있다.

- 혈전증에 걸리기 쉽다→무증상성 비장경색→비장의 위축

참고로 비장을 촉지하는 데 가장 적당한 체위는 오른쪽으로 누운 자세이다.

VII 림프계 종양

1. 개념

림프계 종양은 조혈계 종양 중에서 림프계 세포(B세포, T세포, NK세포)에 생긴 유전자 변이로 인해 종양성 증식을 초래해 백혈병이나 악성 림프종 등 다양한 병태가 나타나는 질환이다.

림프계 종양을 공부하는 방법

림프계 종양에는 여러 가지 질환이 포함된다. WHO 분류에 적용시켜 보면 **표 7-1**과 같다. 이미 급성림프모구백혈병은 공부했으므로 여기에서 제외시키면, 전구세포, 성숙세포와 같은 성숙도에 의한 분류에서도 제외된다. 남은 것은 전부 성숙림프구에 의한 종양이다(**표 7-2**).

여기에서는 WHO 분류가 제시한 「림프모구백혈병과 림프종은 비슷한 것」이라는 개념을 이

림프계 종양
B세포 종양 • 전구(precursor) B세포종양 B-급성림프모구백혈병(B-ALL) • 성숙(mature) B세포 종양 만성림프모구백혈병(CLL) 털세포백혈병 B-비호지킨림프종 다발성골수종(MM) 마크로글로불린혈증 의미불명의 단세포군감마글로불린병증(MGUS) 아밀로이드증
T세포 및 NK세포 종양 • 전구T세포종양 T-급성림프모구백혈병(T-ALL) • 성숙T세포종양 성인T세포백혈병 T-비호지킨림프종 피부T세포림프종 균상식육종(mycosis fungoides)
호지킨림프종 • 호지킨림프종

[표 7-1] 중요한 림프계 종양

림프계 종양
B세포 종양 만성림프모구백혈병(CLL) 털세포백혈병 B-비호지킨림프종 다발성골수종(MM) 마크로글로불린혈증 의미불명의 단세포군감마글로불린병증(MGUS) 아밀로이드증
T세포 및 NK세포 종양 성인T세포백혈병 T-비호지킨림프종 면역모세포림프절병증 피부T세포림프종 균상식육종
호지킨림프종 호지킨림프종

[표 7-2] 림프계 종양(급성림프모구백혈병을 제외)

용하여, 표에 있는 질환은 모두 림프종으로 간주하겠다(다발성골수종과 아밀로이드증에는 적용되지 않는다). 그렇게 하면 림프계 종양에는 호지킨림프종과 그 외의 림프종만 남게 된다. 호지킨림프종은 결코 빈도가 높은 질환은 아니지만, 림프종(≒림프계 종양)의 기본적인 개념을 공부하는 데 있어서, 함축된 내용이 많은 질환이기 때문에 깊이 공부할 필요가 있다. 호지킨림프종과 비호지킨림프종의 차이를 이해한 다음에 비호지킨림프종의 각 질환에 대해서 공부하자.

A 호지킨림프종 Hodgkin's disease

호지킨림프종과 비호지킨림프종의 비교는 매우 중요하다. 항상 두 가지를 비교하면서 읽어 나가도록 하자.

공부의 포인트는 다음의 4가지이다.

- 병기분류
- 진행양식
- 치료
- 2가지의 비교

1 호중구의 기능 · 역할

호지킨림프종을 의심하여, 림프절 생검을 실시한다. 그 생검에서 다음과 같은 특징적인 세포를 확인했다면, 호지킨림프종이라고 진단할 수 있다. 특징적인 세포란 Reed-Sternberg세포(RS cell) 또는 호지킨세포이다(**그림 7-1**). 이 2가지 세포의 형태를 단적으로 나타내는 말이 있다.

- Reed-Sternberg 세포 → **올빼미눈** ; 2개의 핵을 가지며 진단에 가장 중요한 세포이다.
- 호지킨 세포 → **귀신의 눈** ; 한 개의 핵과 봉입체 모양의 큰 핵소체(nucleolus)를 가진다.

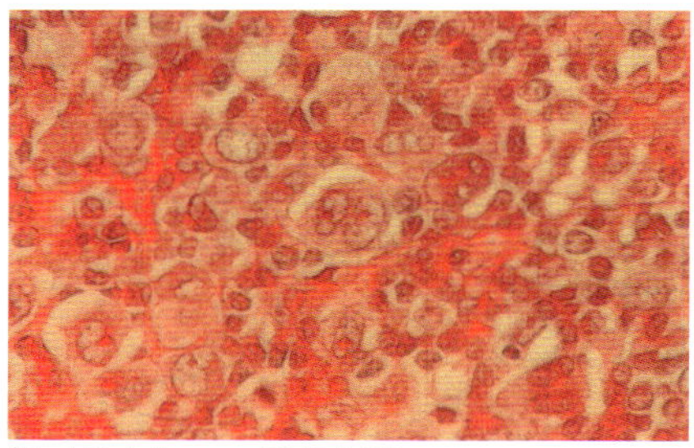

(Hodgkin' disease, 53세, 남성)

[그림 7-1] Reed-Sternberg세포와 호지킨세포

이 2가지 세포를 보면 호지킨림프종임을 즉시 알아차려야 한다. 호지킨림프종에서 종양세포는 T세포의 표지와 B세포의 표지를 함께 가지고 있다. 이처럼 양쪽의 표면표지를 갖고 있는 것은 호지킨림프종뿐이다. 따라서 호지킨림프종은 T세포종양이나 B세포종양 그 어느 쪽이라고도 할 수 없는 애매한 종양이다.

2 병기분류

병기분류란 병의 증상을 진행도로 분류한 것이다. 호지킨림프종에서는 종양의 진행양식에 특징이 있기 때문에, 이 병기 분류는 치료를 결정하는 데 있어서 중요하다.

병기 분류에는 임상병기(clinical stage : CS)와 병리병기(pathological stage : PS)의 2가지가 있다.

임상병기란 문진, 이학적 검사, 혈액검사, 영상검사로 결정되는 병기이다. 예를 들면, 배를 만져서 진찰하여 거대비장이 있으면 임상병기의 결정요인이 된다. 그러나 임상적으로 보아 거대비장이 있다는 것을 알았다고 해도 반드시 종양의 침윤이 있다고는 할 수 없다. 비장을 생검하여 병리학적으로 확인할 필요가 있다. 그래서 다음으로 병리병기를 결정하기 위해 시험개복을 한다. 시험적으로 개복하여, 비장절제술, 간생검, 주위대동맥 림프절생검, 골수생검, 난소이동(여성의 경우, 방사선 치료를 하기 전에 방사선이 닿지 않도록 난소의 위치를 이동시켜 둔다)을 실시한다.

시험개복을 하여 조직을 생검한 결과 밝혀진 병기를 병리병기 또는 병리학적 병기라고 한다.

임상병기 → 각종 검사 결과 판정된 병기
병리병기 → 시험개복을 한 다음에 판정된 병기

• Ann - Arbor에 의한 병기분류

진행양식을 공부하고 나서, 다시 한 번 이 병기분류를 읽으면 이해가 깊어짐과 동시에 병기분류의 중요성을 이해하게 될 것이다(**그림 7-2**).

• 전신증상의 표기

A : 다음 증상이 모두 나타나지 않는다

B : 어느 한 가지 증상이 나타난다 (B symptom)

① 입원 전 6개월 사이에 원인불명으로 10% 이상의 체중감소

② 38℃ 이상 원인불명의 발열

③ 야간발한

체중감소, 발열, 야간발한을 B 증상(B symptom)이라고 한다. 이는 **비호지킨림프종보다 호지킨림프종에서 더 흔하며,** 예후와 관련이 있다. 예를 들어, 경부림프절과 주위대동맥림프절, 비장에서 병변이 나타나고, 동시에 38℃ 이상의 원인불명의 발열이 있는 환자는 병리병기가 IIISB(PSIIISB)가 된다.

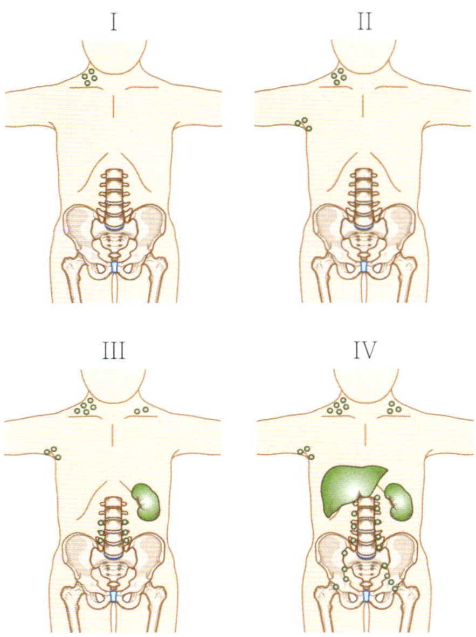

1병기: 병변이 하나의 림프절구역(I), 또는 하나의 림프절 이외의 조직(extralymphatic tissue) 또는 부위(IE)에 국한되어 있는 것

2병기: 횡격막의 같은 쪽(상하 한쪽)에서 병변이 2군데 이상의 림프절구역(II) 또는 림프절 이외의 장기나 부위의 병변과 함께 림프절구역(IIE)을 수반하는 것

3병기: 가로막의 상하 양측에 걸친 림프절구역의 병변(III), extranodal site의 병변을 수반하는 것은 IIIE, 비장 병변을 수반하는 것은 IIIS, 양쪽 모두 나타나는 경우를 IIISE로 표기한다.

4병기: 림프절 병변의 유무에 관계없이, 하나 이상의 림프조직 이외의 장기 또는 조직에서 광범위하게 또는 흩어져서 병변이 나타나는 것

※ 이 분류는 비호지킨림프종에도 거의 들어맞는다

[그림 7-2] **호지킨림프종의 병기분류(Ann Arbor, 1971)**

3 진행양식

① 대부분 림프절에서 병변이 시작된다.

② 인접한 림프절 영역 순서대로 진행된다.

1. 림프절에서 병변이 처음 발생

대부분 림프절에서 처음 발생하며 주로 횡격막상에서 발생한다. 목부위 림프절이 가장 많고, 다음으로 종격동/세로칸오목의 림프절이 많다.

← 한편, 비호지킨림프종에서는 림프절 밖에서 처음 발생하는 경우도 많다(약 40%). 예를 들어, Waldeyer ring이나 위장관 등에서 처음 발생한다.

Waldeyer ring : 인두편도, 구개편도, 혀편도, 귀인두관편도, 인두후벽의 고립림프여포의 총칭

2. 인접한 림프절 영역으로 진행

전형적인 예로서, 왼목부분림프절 → 종격림프절 → 오른목부분림프절과 같이, 인접한 영역으로 차례대로 진행되어 간다(**그림 7-3**).

병기분류는 이러한 진행양식에 따라 이루어진다. 단, 쇄골상와/빗장위오목와 명치부위(상복부)는 인접한 영역이라고 생각한다. 이 두 부분은 가로막에 의해 차단되어 있기는 하지만, 흉관에서 연결되기 때문이다. 응용문제로서 다음 사항을 생각해 보자. 간에 병변이 있는 경우 비장에는 병변이 있을까 없을까?

답은 '반드시 비장에도 병변이 있다'이다. 간은 림프조직이 아니다. 그에 비해, 비장은 림프조직이다. 그러므로 림프조직인 비장보다 간이 먼저 침범당하는 경우는 거의 있을 수 없다.

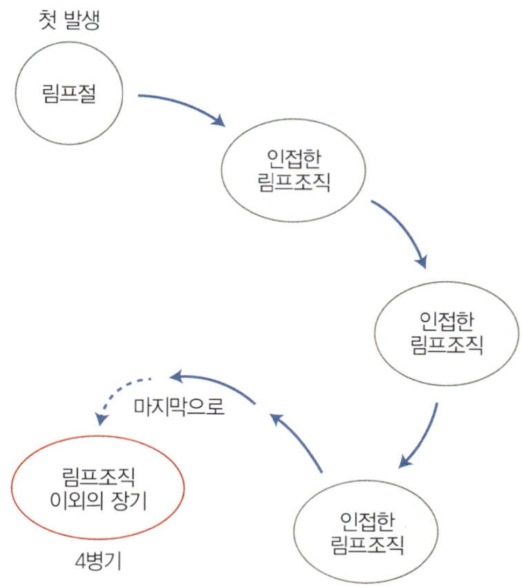

[그림 7-3] 호지킨림프종의 진행양식

← 한편, 비호지킨림프종에서의 진행양식은 무작위적이다.

호지킨림프종에서는 진행양식에 이와 같은 특징이 있기 때문에, 방사선 치료를 할 때 방사선 조사영역을 결정하기가 쉽다.

여기에서 다시 한 번 Ann-Arbor의 병기분류를 살펴보자(**그림 7-2**).

4 임상증상

1) B 증상 B symptom

- 발열(Pel-Ebstein형 발열 : 1~2주일 간격으로 38℃ 이상의 고열이 나타난다)
- 체중감소(6개월 사이에 10% 이상의 체중감소)
- 야간발한(잠옷을 갈아입어야 하는 정도)

2) 림프절비대

최근 와이셔츠의 가장 윗단추를 잠그기 어렵지 않은가? 아니면 넥타이를 매는 느낌이 달라지지 않았는가? 하는 식으로 문진한다. 또 악성 질환이기 때문에 급속한 증가가 없는 한 기본적으로는 통증이 없다.

3) 알코올 섭취 후의 림프절통증

4) 피부소양감

5 검사소견

1. 말초혈액소견

1) 백혈구 증가

백혈구 증가가 나타나는 경우가 있다. 이것은 호산구 증가, 호중구 증가, 단핵구 증가의 결과 발생한다. 호지킨림프종에서는 백혈병으로 진행되는 경우는 적고 일반적으로 림프구가 감소된다. 호산구 증가는 종양세포가 생산하는 IL-5(호산구의 증식자극을 담당한다)에 의해 일어난다.

2) 빈혈

종양세포의 철 이용 증가에 동반되어 나타나며, 정적혈구성정색소성빈혈, 혈청철 감소, 혈청 ferritin 증가가 나타난다. 그리고 혈청구리는 감염증, 종양에서 증가하는 경향이 있다. 혈청철과 반대라고 기억해 두자. 따라서 호지킨림프종에서는 혈청구리가 증가한다.

2. 혈청생화학소견

1) ESR, CRP 증가

발열과 활동성 병변이 있으면 항진한다.

2) LDH 증가

광범위한 세포파괴에 의해 LDH가 증가한다. 호지킨림프종에서 LDH가 증가된 것과 기전이 같다. 비호지킨림프종에서 많이 나타나며 활동기에 상승한다.

3) 혈청 Ca 증가, 혈청 ALP 증가

뼈병변이 있을 때 혈청 Ca이 증가되고, 간병변이 있을 때 혈청 ALP가 증가된다.

3. 기타 : 세포매개면역의 저하

2병기 이상의 약 2/3에서 나타난다. 세포매개면역의 저하라고는 해도 이것만으로 면역결핍증을 유발할 만큼 위험하지는 않다. 구체적으로는 다음의 3가지이다.

- 투베르쿨린반응 음전화
- DNCB 피부반응 음전화
- PHA 모세포화반응 저하

PHA 모세포화 반응에 대해서 살펴보자.

강낭콩에서 유래된 phytohemagglutinin(PHA)은 T림프구를 자극하여 모세포화시킨다. 이 PHA의 성질을 이용하여 T림프구의 기능을 보는 것이 PHA 모세포화반응이다. T림프구의 기능이 저하되어 있으면 PHA 모세포화반응도 저하되어 버린다.

VII

6 치료

치료는 **방사선요법과 화학요법의 2가지**가 중심이 된다. **조혈모세포이식**이 적용되는 경우도 있다. 치료를 선택하는 데 있어서 기본적으로 생각해야 하는 것은 다음과 같다.

- 병변이 한 곳에 국한되어 있는 경우에는 방사선요법
- 병변이 여기저기 산재되어 있는 경우에는 화학요법

이것은 위의 2가지 요법의 특성을 생각하면 바로 알 수 있다. 방사선요법은 방사선을 쏘아 종양을 공격할 수 있지만, 전이된 경우에는 사용할 수가 없다. 화학요법은 항암제가 전신을 돌기 때문에 종양이 어디에 있든지 효과를 볼 수 있지만 국소 종양에 대한 효과는 방사선에 비해 떨어진다.

대략 다음과 같이 기억해 두자.

- Stage I~II → 방사선요법
- Stage III~IV → 화학요법

물론, 방사선+화학요법과 같이 2가지를 함께 실시할 수도 있다.

1. 방사선요법

호지킨림프종은 병변이 연속적으로 진행되기 때문에 방사선요법이 차지하는 비율이 높다. 국한적으로 병변부를 조사할 수 있고, 또한 예방적으로 병변부에 인접한 림프절에 조사할 수 있기 때문이다.

낮은 병기에서 화학요법을 사용하지 않는 이유는 방사선만으로 치료가 되는데, 불임이나 2차 발암의 부작용이 있는 화학요법을 굳이 사용하지 않아도 되기 때문이다. 방사능 조사영역(irradiation field)에는 다음과 같은 명칭이 붙어 있다.

- 맨틀 조사영역
- 역Y자 조사영역
- 대동맥주위 조사영역

다시, 맨틀 조사영역+역Y자 조사영역을 전체 림프절 조사영역이라 하고, 맨틀 조사영역+대동맥주위 조사영역을 부분 림프절 조사영역이라고 한다(그림 7-4).

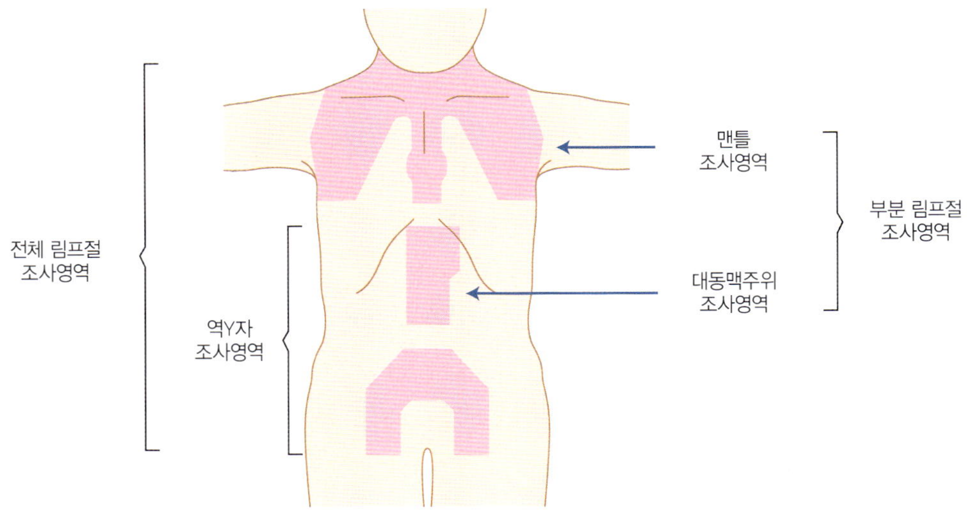

[그림 7-4] 호지킨림프종에서의 방사선 조사영역

2. 화학요법

다제 병용요법이 주류이다. MOPP와 ABVD 등이 있다.

1) MOPP

Nitrogen Mustard(=mechlorethamine), Oncovin (=vincristine), Procarbazine, Prednisone의 4가지 약제를 병용한다.

2) ABVD

Adriamycin, Bleomycin, Vinblastine, Dacarbazine의 4가지 약제를 병용한다. Bleomycin의 부작용인 폐섬유증은 유명하므로 기억해 두자.

3) 화학요법의 결점

MOPP를 6cycle 실시하면, 남성의 100%가 불임증에 걸리고, 여성에서는 무월경증이 다발한다. 또 항암제는 모두 발암제이기도 하기 때문에, 환자가 장기간 생존하면, 그만큼 2차 발암(백혈병)의 가능성이 증가하는 것이다. 2차 발암의 가능성은 약 10%이다.

VII

3. 예후

예후는 비교적 양호하며 5년 생존율은 다음과 같다.

- Stage I~II → 90% 이상
- Stage III~IV → 50~80% 이상이다.

7 조직분류

호지킨림프종에서는 조직분류보다 병기분류가 중요하다(표 7-3).

	호지킨림프종	비호지킨림프종
빈도	10%	90%(많다)
초발부위	림프절	림프절외도 많다(40%)
진행양식	연속성, 규칙적	비연속성, 무작위
세포의 유래	밝혀지지 않음	B-CLL(90%) T-CLL(10%)
조직분류와 병기분류	병기분류가 중요	조직분류가 중요
치료	병기에 따라 정한다. 방사선 요법이 중요한 역할을 한다	화학요법의 비중이 크다
백혈병 전환	어렵다	쉽다
예후	비교적 양호	호지킨림프종보다 나쁘다

[표 7-3] 호지킨림프종과 비호지킨림프종의 비교

플 러 스 코너

1. FDG – PET

FDG-PET에 의한 전신검색은 Hodgkin 림프종을 비롯한 악성 림프종의 병기 결정이나 치료효과 판정에 유용하다.

FDG-PET란 양전자를 방출하는 포도당인 FDG를 이용한 영상진단법이다. FDG는 포도당을 에너지원으로 많이 이용하는 조직에 흡수되기 때문에, 암세포가 존재하는 부위에는 FDG가 집적되어 있는 것을 볼 수 있다.

또한, 뇌는 대부분의 에너지원을 포도당으로 조달하기 때문에, 생리적으로 FDG의 집적이 나타난다. 또 FDG는 요중으로 배설되기 때문에 신장, 방광에도 생리적 집적이 나타난다.

B 비호지킨림프종 Non-Hodgkin Lymphoma : NHL

호지킨림프종이 아닌 림프종 모두가 여기에 포함된다. 호지킨림프종과 비교해 비호지킨림프종 전체를 보는 관점이 필요하다.

1 조직분류

신 WHO 분류(**표 7-4**)에서는 크게 B세포성과 T세포성으로 나누고, 그 다음에 자세하게 분류한다. 조직분류에 따라 치료방침, 예후 등이 대강 정해진다. **비호지킨림프종에서는 병기분류보다도 조직분류 쪽이 치료방침의 결정, 예후의 추정 등에 유용하다.**

2 진행양식

호지킨림프종과 달리, 진행양식이 규칙적이지 않다. 조기부터 전신 전이가 무작위(randomly)로 나타난다. 또 초발병변이 호지킨림프종에서는 대부분 림프절이었던 것에 비해, 비호지킨림프종에서는 **40%가 림프절 이외의 부위**이다. **Waldeyer ring이나 위장관(위가 가장 많음)에서 초발**하는 경우가 **비교적 많다**.

1. B-Cell neoplasms	2. T-cell and NK-cell neoplasms
a. Precursor B-lymphoblastic leukemia/lymphoma b. Mature B-cell neoplasms chronic leukemia/lymphoma chronic lymphocytic leukemia(small lympho-cytic lymphoma) prolymphocytic leukemia lymphoplasmacytic lymphoma splenic marginal zone B-cell lymphoma (+/- villous lymphocytes) hairy cell leukemia Extranodal marginal zone B-cell lymphoma of MALT type Mantle-cell lymphoma Follicular lymphoma Diffuse large B-cell lymphoma Primary effusion lymphoma Burkitt's lymphoma/Burkitt's cell leukemia Plasma cell myeloma/plasmacytoma	a. Precursor T-lymphoblastic lymphoma/leukemia (precursor T-cell acute lymphoblastic leukemia) b. Mature(peripheral) T-cell neoplasms prolymphocytic leukemia granular lymphocytic leukemia aggressive NK-cell leukemia extranodal NK/T-cell lymphoma, nasal type mycosis fungoides/Sézary syndrome angioimmunoblastic T-cell lymphoma peripheral T-cell lymphoma, not otherwise characterized Anaplastic large-cell lymphoma, T/null cell, primary cutaneous type Adult T-cell lymphoma/leukemia(HTLV-I) Subcutaneous panniculitis-like T-cell lymphoma Enteropathy-type T-cell lymphoma Hepatosplenic gamma-delta T-cell lymphoma

[표 7-4] 비호지킨림프종 REAL/신 WHO 분류

3 병기분류

호지킨림프종과 마찬가지로, Ann-Arbor 분류를 사용한다. 단 진행양식이 불규칙하기 때문에, 병기분류의 가치는 호지킨림프종만큼 높지 않다. 또한 시험개복도 별로 의미가 없다.

4 치료

비호지킨림프종에서는 병변이 무작위로 진행된다. 그 때문에 어디로 진행되는지에 상관없이 병변부위를 공격할 수 있도록 화학요법에 의지하는 비율이 커져가고 있다. 화학요법의 비중이 크다는 것은 기억해 두자.

1. 경도 악성군의 치료

일반적으로는 경도이며 증상이 없을 경우 경과를 관찰하며 기다리는 대증요법이 실시되고 있다.

- I~II 병기
  → 국소 방사선조사를 실시하는 경우가 있다.
- III~IV 병기
  → 증상이 없으면 경과관찰, 증상이 있는 경우에는 화학요법(CVP 등)을 실시한다.

플 러 스 코너

2. 종양용해증후군 Tumor lysis syndrome

종양용해증후군이란 Burkitt 림프종/백혈병, 급성림프성백혈병, 또는 다른 고 악성도 림프종 등의 치료에 의해 종양세포가 파괴되어 종양세포 내의 성분이 혈중으로 유입되어 발생하는 중대한 치료 관련 합병증이다.

고K혈증, 저Ca혈증, 고P혈증, 대사성산증, 고요산혈증을 나타내며, 부정맥이나 급성신부전에 이르는 경우도 있다.

치료를 개시할 때는 위험을 인식하고, 예방책을 강구하는 것이 중요하다.

고요산혈증을 예방하기 위해서는 알로퓨리놀을 미리 투여하고, 급성신부전을 예방하기 위해서는 수액 등을 실시해 소변량을 늘리는 것이 중요하다.

또 최근에는 여포성림프종에 대하여 B세포 표면 표지인 CD20에 대한 단클론항체 rituximab의 점적주사가 개발되어 화학요법과 병용되고 있다.

2. 중등도 악성군의 치료

병기에 관계없이 화학요법과 방사선요법의 병용이 권장된다.

- I~II 병기
  → CHOP를 3~4cycle+방사선요법
- III~IV 병기
  → CHOP를 4~6cycle + 방사선요법(보다 강력한 화학요법을 실시한다)

- 가장 흔한 DLBL(diffuse large B cell lymphoma)의 치료는 R-CHOP(CHOP에 Rituximab을 추가)으로 한다.
- CVP = cyclophosphamide + vincristine + prednisone
- CHOP = cyclophosphamide + hydroxydaunomycin + oncovin + prednisone

vincristine = oncovin,
oncovin®은 vincristine의 상품명

3. 고도 악성군의 치료

급성림프모구백혈병의 치료에 준한다. 만일 가능하다면 관해기에 동종조혈모세포이식을 실시해 볼 수 있다.

5 예후

예후 불량인자로서 다음과 같은 것이 있다.

- 부비동/코곁굴, 뼈 원발
- 3, 4 병기
- B 증상(발열, 체중감소, 야간발한)
  (호지킨림프종에 비해 발생 빈도가 낮다)
- T세포성
- 혈청 LDH의 높은 수치
- 치료개시 초기에 치료효과 불량
- 고령자(60세 이상)
- 합병증

호지킨림프종에 비해 일반적으로 예후가 나쁘다.

6 임상효과와 검사소견

호지킨림프종과 거의 같다. B 증상은 호지킨림프종보다 빈도가 낮게 나타난다.

TIP

국제 예후지표 (IPI)

비호지킨 림프종의 예후를 추정하는 지표로 국제예후지표(IPI)가 있다.
IPI의 해당항목이 많을수록 예후가 나쁘다.

IPI의 예후인자
• 연령 > 60세
• 병기 ≧ III기(Ann Arbor 분류)
• Performance status(PS) ≧ 2(ELOG)
• LDH > 정상 상한
• 절외병변 ≧ 2개

※ 비호지킨림프종의 병기분류는 호지킨림프종과 마찬가지로 Ann Arbor 분류를 이용한다.

VII

악성 림프종 핵심정리

병태생리로 보는 악성 림프종

림프계 종양은 조혈계 종양 중에서 림프계 세포(B세포, T세포, NK세포)에 생긴 유전자 변이로 인해 종양성 증식을 초래하여 백혈병이나 악성 림프종 등 다양한 병태가 나타나는 질환이다.

악성 림프종은 림프 조직에 발생한 종양을 포괄하여 부르는 것으로 이를 병리조직학적으로 구분하면 호지킨림프종과 비호지킨림프종으로 나눌 수 있다.

병 인	• 바이러스 감염(EB바이러스 등) • *H. pylori* 감염
병 태	• 림프절에서 병변이 처음 발생(주로 횡격막상에서 발생하며 목부위 림프절이 가장 많다)하여 인접한 림프절 영역으로 진행한다. • WHO 분류 : B세포종양(전구B세포종양, 성숙B세포종양)과 T세포 및 NK 세포종양(전구 T세포종양, 성숙T세포종양)으로 나눈다. • 호지킨림프종, 비호지킨림프종(NHL), 만성림프모구백혈병(CLL), 털세포백혈병(HCL), 성인T세포백혈병/림프종, 피부T세포림프종(CTCL) 등이 있다.
증 상	• 체중감소, 발열(Pel-Ebstein형), 야간발한 : B증상이라 하며 비호지킨 림프종보다 호지킨 림프종에 흔하다. 3가지 중 하나라도 있으면 양성 • 림프절 비대 • 알코올 섭취 후의 림프절통증 : 호지킨 림프종의 증상
진 단 및 검 사	• 말초혈액소견 • 혈청생화학검사 • 림프절 조직검사 • 영상검사 (CT / PET 등) • 골수검사

치 료	**방사선요법** • 병변이 국한되어 있는 경우 • 호지킨 림프종에 적용 **화학요법** • 병변이 산재되어 있는 경우 • 호지킨 림프종 : ABVD • 비호지킨림프종 : R-CHOP **조혈모세포이식**

VII

TIP

호지킨림프종과 비호지킨림프종의 비교

	호지킨림프종	비호지킨림프종
특징	– 20대 초반~50대 이후에 호발 – 일반적으로 B 림프구가 원인 세포 – 치료율이 높다.	– 호지킨 이외의 모든 악성 림프종을 가리킨다. – 50~70세에 호발한다. – B 림프구, T 림프구가 원인 세포
임상증상	– 초기의 무통성 림프절 비대 – 종양부위의 통증 – 체중감소, 발열(Pel-Ebstein형), 야간발한, 피로, 식욕부진, 소양증 ※ 확진 검사 : 림프절 생검을 통해 Reed-Sternberg cell이 있는지 확인	– 초기 증상은 거의 없다. – 무통성 림프절 비대 – 림프절 이외의 조직(피부, 위장관, 뼈 및 골수)에 도 침범 – 체중 감소, 피로, 간·비장 비대 – 예후가 나쁘다.
치료	– 방사선치료 (다른 림프절로 전이가 많이 되었을 경우에는 불가) – 화학요법	– 방사선치료(림프절에 국한된 경우) – 병소 확산된 경우 항암화학요법 병행

ADVANCED STUDY 림프계 종양-만성림프모구백혈병 Chronic lymphocytic leukemia : CLL

CLL의 개념

성숙한 림프구에 의한 림프계 종양으로, 말초혈액 속에서 림프구가 증가하는 것이 특징이다.

1. B-CLL과 T-CLL

만성림프모구백혈병에는 B세포성(B-CLL)과 T세포성(T-CLL)이 있다. 그러나 현재 T-CLL은 대과립림프모구백혈병이라는 명칭으로 바뀌었기 때문에, CLL이라고 하면 B-CLL을 가리키게 되었다.

CLL
- B-CLL=B세포성소세포성림프종
- ~~T-CLL~~ → 대과립림프모구백혈병

T-CLL이라는 용어는 사용하지 않는다.

2. B-CLL과 B세포성소세포성림프종

B-CLL은 백혈병인가 아니면 림프종인가 구별이 확실하지 않았다. 현재는 소세포성 림프종이 백혈병으로 진행된 것이 B-CLL이라고 간주되고 있다.

3. CLL과 CML

CML과 마찬가지로 CLL에서도 백혈병세포단절(hiatus leukemicus)은 존재하지 않는다. CML과 달리, blastic crisis라는 병태는 없다.

지식 넓히기

3. CLL과 SLL(Small lymphocytic lymphoma)

CLL과 소림프구성 림프종(SLL)은 모두 CD5 양성 B세포가 종양성으로 증식하며, 또한 병리조직도 공통된 질환이다. 따라서 WHO 분류에서는 동일 질환으로 간주하여 CLL/SLL이라고 표기한다.

실제로는 대부분이 CLL로서 발병한다.

CLL

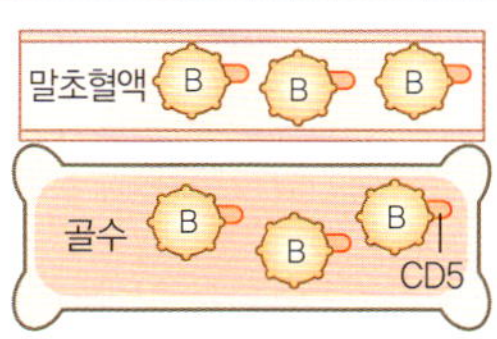

• CLL은 말초혈액이나 골수에서 CD5 양성 B세포가 종양을 만들지 않고 증식하며, 림프성백혈병의 병태를 나타낸다. 병기가 진행하면 림프절에 침윤해, 림프절이 종창한다.

SLL

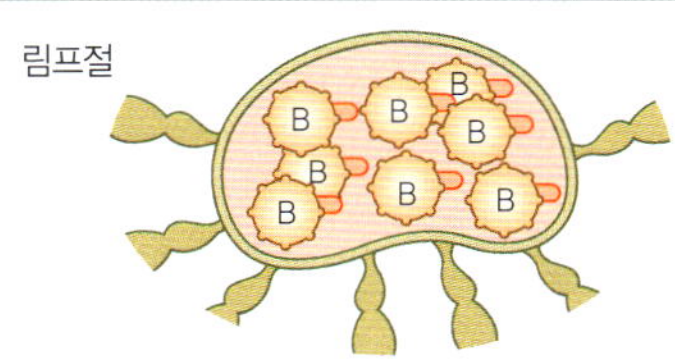

• SLL은 CLL과 같은 세포가 림프절에서 종양을 형성하면서 증식하여, 악성림프종의 병태를 나타낸다.

역학

CLL은 50세가 넘은 노인에게 많은 병이다. 또 서양에서는 발생빈도가 높은 백혈병(모든 백혈병 중 약 25%)이지만, 우리나라에서는 극히 드물게 발생한다.

병태생리

CLL에서는 불량 림프구만 증가하기 때문에, 그에 따른 기능장애가 발생한다.

예를 들면 다음과 같은 현상이 발생한다.

① B림프구가 갖고 있는 항체생산 능력이 이상해진다. 그 때문에

저감마글로불린혈증(hypogammaglobulinemia)

→ 체액면역의 저하

→ 감염성 증가

가 나타난다. 체액면역의 저하에서는 주로 세균에 감염되기 쉽다.

② 또 백혈병세포(물론 B 림프구계)가 자가항체를 갖는다. 그 때문에

적혈구 자가항체나 혈소판 자가항체가 출현

→ Coombs 검사 양성인 자가면역용혈빈혈(AIHA)과 특발성 혈소판감소성자색반병(ITP)이 발생한다.

→ 빈혈, 혈소판 감소

가 나타난다. CLL에서는 빈혈, 혈소판 감소가 일어나지만, 그 원인으로는 자가면역에 의한 기전 외에 백혈병세포의 골수침윤에 의한 생산감소가 추정되고 있다.

③ 이상이 나타나는 것은 B림프구만이 아니다. T림프구의 기능에도 이상이 나타난다.

T림프구의 기능 이상

→ 세포성 면역의 저하

→ 감염성 증가

특히 세포매개면역의 저하에서는 세균보다도 바이러스나 진균에 감염되기 쉬워진다. 또 투베르쿨린 반응 음전화가 나타나는 경우도 있다.

②와 ③을 합하여 'CLL에서는 면역이상을 동반하기 쉽다'고 기억해 두자.

④ CLL에서는 증례의 60% 이상에서 림프절비대가 나타난다. 림프종이기도 하므로 당연하다고 할 수 있다.

정리하면 **그림 7-5**와 같이 된다.

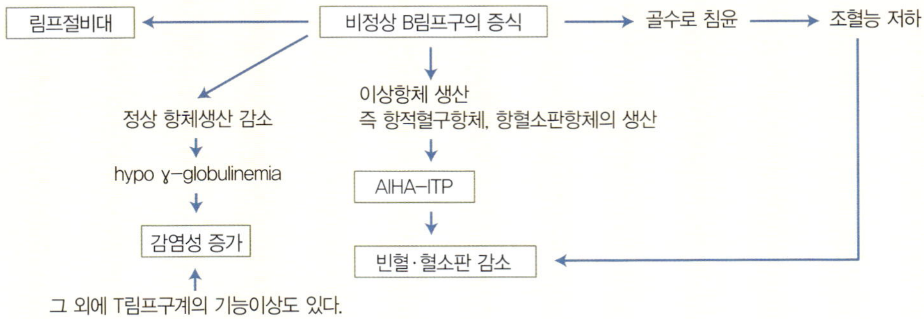

[그림 7-5] CLL의 병태생리

검사소견

1. 말초혈액

① 말초백혈구 수가 현저하게 증가하여 1만~20만/mm3가 된다. 대부분은 B세포이며(**그림 7-6**) 동시에 T세포 항원인 CD5가 양성이다.

② 약 반수에서 중등도의 빈혈이 나타나는데, 혈소판은 감소되어도 가벼운 정도이다.

③ 약 반수에서 면역글로불린 감소, 자가면역용혈빈혈(AIHA)을 동반하기 쉽다.

2. 골수

병의 초기에는 정상이나 진행되면 B세포의 고도 증가

3. 기타

면역이상(투베르쿨린반응 음전화나 Coombs 검사 양성 등)

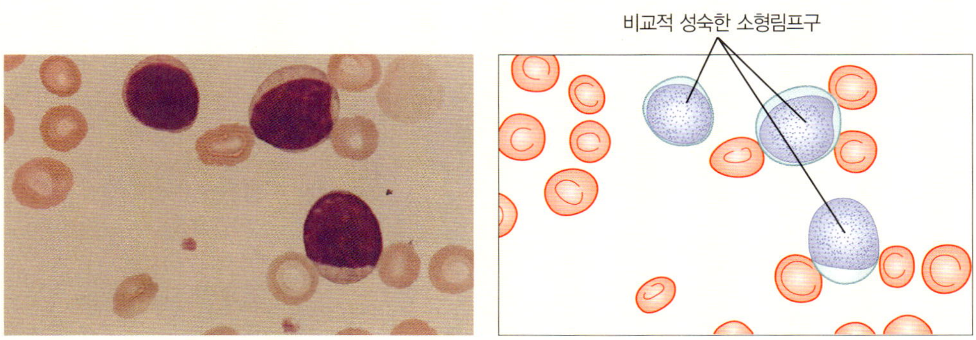

(만성림프모구백혈병, 62세, 남성)

[그림 7-6] 소형림프구

임상증상

자각증상이 거의 없다. 단지 림프절비대는 많은 증례에서 나타난다.

감염성 증가로 인해 유발된 감염증이 사인(cause of death)의 대부분을 차지한다. CML처럼 blastic crisis로 사망하는 일은 없다.

경과와 병기분류

이것도 병태생리와 대응시켜 기억하면 쉽게 이해할 수 있을 것이다.

Rai에 의한 CLL의 병기분류가 자주 이용되고 있다. 이 분류는 병의 진행을 반영하고 있는데, 병기가 낮을수록 평균 생존기간이 길어진다.

Rai의 병기분류

병기 0 : 말초혈액의 림프구증가
병기 I : 림프구증가 + 림프절종창
병기 II : 림프구증가 + 간비장비대
병기 III : 림프구증가 + 빈혈(Hb 11g/dL 이하)
병기 IV : 림프구증가 + 혈소판감소(혈소판 10만/μL 이하)

치료

옛날에는 CLL은 치료하지 않아도 되는 병이라고 생각하였다. 그러나 오늘날에는 빈혈, 혈소판감소, 현저한 비장비대, 림프구증가의 진행, 발열, 식은땀, 체중감소 등의 증상이 나타나는 경우에는 치료를 한다. 단순히 백혈구 증가를 보인다든가 경도의 림프절비대를 보이는 정도는 치료의 대상이 되지 않는다. 즉 자각증상의 개선을 주된 목적으로 하여 치료하는 것이다.

구체적인 치료제(화학요법에 있어서)를 기억할 필요는 없다.

VII

ADVANCED STUDY

림프계 종양 – 털세포백혈병 Hairy cell leukemia : HCL

털세포백혈병이란?

매우 드문 질환으로, HCL은 B-CLL과 밀접한 관련이 있는 질환이다. B세포 기원인 털세포(hairy cell)의 증명을 진단의 근거로 한다. 도말표본상에서 세포질이 넓고 세포에 털이 자라고 있는 것처럼 보인다고 해서 hairy cell이라고 한다(그림 7-7). 전자현미경을 이용하면 세포돌기가 더욱 확실하게 보인다. 털세포의 증식은 비장과 골수에서 일어난다. 그 때문에 거대비장과 범혈구 감소가 나타난다. 또 골수에서 세포증식이 격렬하게 일어나기 때문에, 골수천자에서 dry tap이 된다.

진행과정이 완만하기 때문에 치료가 필요없는 경우도 많은데, 경우에 따라 클라드리빈(cladribine)을 사용하기도 한다.

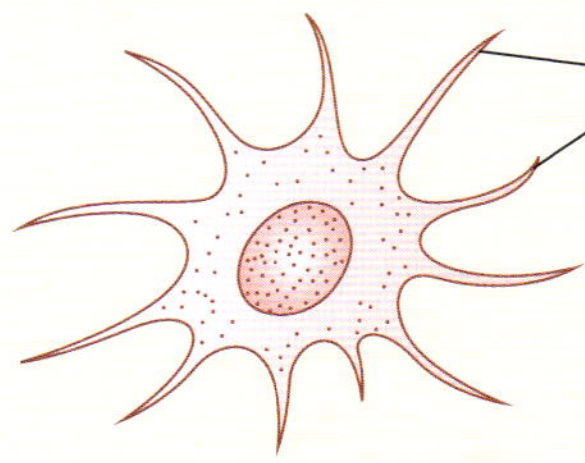

[그림 7-7] 털세포(hairy cell)

ADVANCED STUDY

림프계 종양 – 버킷림프종 Burkitt lymphoma

버킷림프종이란?

버킷림프종에는 다음과 같은 것이 있다.

- 아프리카 등의 유행지역에서 발생하는 것
- 유행지역이 아닌 곳에서 발생하는 것
- 면역결핍과 관련되어 발생하는 것

병의 원인으로는 Epstein-Barr virus(EBV)가 거론되고 있다. 또 염색체 검사에 있어서 t(8;14)를 비롯한 전위가 많이 나타난다. 버킷림프종은 B세포가 증가하는 B세포성 림프계 종양이며, 이것이 백혈병으로 진행된 것이 버킷세포백혈병이다.

소아에게서 많이 나타나는 질환이다. 화학요법에 반응성이 좋은 림프종이기 때문에 예후는 양호하다.

ADVANCED STUDY

림프계 종양 – 림프형질세포성림프종 Lymphoplasmacytic lymphoma

림프형질세포성림프종이란?

귀에 익숙하지 않은 질환명이지만, 마크로글로불린혈증(macroglobulinemia)은 들어본 적이 있을 것이다. 림프형질세포성림프종이 면역글로불린을 유전적으로 동일하게 생산하는 경우가 있다.

IgM 증가 → 마크로글로불린혈증

중쇄 증가 → 중쇄병(heavy chain disease)

이처럼 생산하는 물질의 특징에 따라 각각 다른 명칭이 붙는다.

VII

ADVANCED STUDY

림프계 종양 – 성인T세포백혈병/림프종 Adult T cell leukemia/lymphoma : ATLL

성인에게 발병하며, T세포가 증식하는 백혈병/림프종이다. 원인과 증상을 중심으로 공부해 보자.

성인T세포백혈병의 원인

Retrovirus의 하나인 human T cell leukemia virus type I(HTLV–I) 감염에 의해 유발되는 백혈병이다. 참고로 말하면 AIDS의 원인인 human immunodeficiency virus(HIV)도 retrovirus이다.

HTLV–I는 CD4 양성세포(주로 helper T cell)만 감염시킨다. 감염시킨 바이러스는 바이러스 자신이 갖 고 있는 유전자인 RNA를 역전사효소(reverse transcriptase)에 의해 DNA로 바꾼다. RNA에서 DNA로 변화된 바이러스의 유전자는 감염 세포의 염색체 DNA에 편입된다. 감염 세포의 DNA에 흡수되어서야 비로소, 바이러스 유전자는 mRNA로 전사되어, 바이러스 유전자로서의 활동을 개시한다(그림 7–8).

HTLV – I에 감염된 세포가 왜 암으로 진행되는지 정확하게 밝혀지지는 않았지만, 암으로 진행되는 기전을 설명하는 한 가지 유력한 사실이 있다.

바이러스 유전자가 갖고 있는 tax유전자가 interleukin – 2(IL – 2)와 IL–2수용체의 발현을 유도한다는 사실이다. IL – 2는 T 림프구의 증식에 필수인 사이토카인(cytokine)이다.

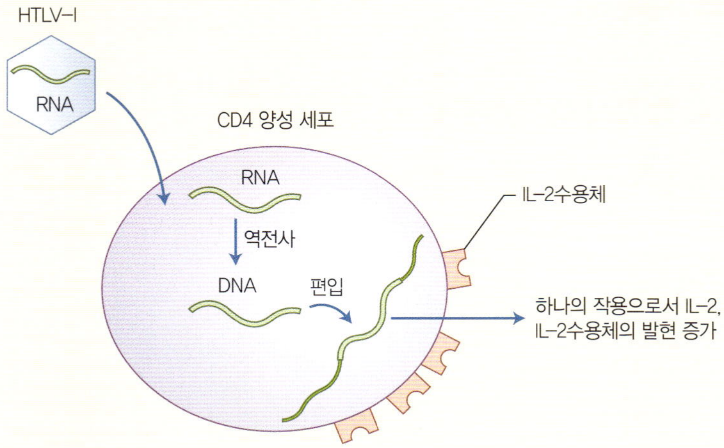

[그림 7-8] HTLV-I 감염

따라서 다음과 같이 생각된다.

CD4 양성세포에 HTLV-I이 감염
→ 감염세포인 IL-2수용체가 증가
→ IL-2에 의한 T림프구 증식자극
→ 감염세포가 증식

실제로 ATLL세포는 IL-2수용체의 α사슬을 비정상적으로 발현하고 있다. IL-2수용체의 αchain은 CD 분류에서 CD25에 해당된다. ATLL세포에 CD25가 비정상적으로 발현되고 있다는 것은 기억해 두자. 그러나 이것만으로 암 발생을 설명하기에는 부족하다.

역학

HTLV-I 보균자는 세계적으로 남서 일본, 카리브해 연안, 서아프리카 등의 3개의 지역에 편재되어 있다.

주된 감염 양식은 다음의 3가지이다.

a. 모자간의 수직감염(모유를 매개로 한다)
b. 부부간의 수평감염(정액을 매개로 하여 주로 남편→아내)
c. 수혈에 의한 감염

특히 문제가 되는 것은 a이다. ATLL의 명칭처럼 발병하는 것은 성인이 된 후이기 때문이다.

병형분류

ATLL은 여러 가지 병태, 경과를 취한다고 알려져 있다. 급성형, 만성형, 상주형, 림프종형의 4가지 병형과 blastic crisis의 한 가지 병태로 분류된다.

1. 급성형

림프절비대, 발진, 간비장비대를 동반하고, 말초혈액에서는 핵 균열이 현저한 종양세포가 나타난다. 예후가 나빠 대부분 발병으로부터 1년 이내에 사망한다.

2. 만성형

이전의 T세포성 만성림프모구백혈병 중, HTLV-I이 관여하는 것이다. 백혈구 수는 1만~수만/μL이다.

3. 상주형

백혈구 수는 정상이지만, 말초혈액에는 소수이긴 해도 확실히 비정상 세포가 존재하는 형태이다. 임상적으로는 악성도가 낮으나 경과가 장기간에 걸쳐 이루어지므로 다른 질환 검색과정에서 발견되는 일이 많아지고 있다.

4. 림프종형

급성형 다음으로 예후가 나쁘다. 급성형에 특징적인 종양세포는 보이지 않는다.

5. Blastic crisis

상주형과 만성형을 관찰하는 중에 급성형으로 악화되어 가는 것을 blastic crisis라고 한다.

임상증상과 병태생리

ATLL의 초기 증상은 발진, 림프절비대, 기침, 가래, 두통, 설사, 흉막삼출액, 복수 등 여러 가지이며, 우연히 건강진단에서 혈액검사를 받고 알게 되는 경우도 적지 않다. 다른 백혈병과 비교해, 빈혈, 출혈 경향에 동반되는 증상은 거의 보이지 않는다.

림프절비대, 간비장비대는 HTLV-I 감염세포가 림프절, 간, 비장에서 증식한 결과 발생한 것으로 볼 수 있다.

피부증상에는 발진, 결절, 홍반, 홍피증이 있다. 모두 ATLL세포가 피부에 침윤한 결과 발생한 것이다.

ATLL의 2대 합병증은 고칼슘혈증과 감염증이다(그림 7-9). 고칼슘혈증은 주된 사망원인 중 하나이다. 고칼슘혈증은 ATLL세포가 생산하는 부갑상샘호르몬 관련 단백(PTHrP)이 원인이라고 알려져 있다.

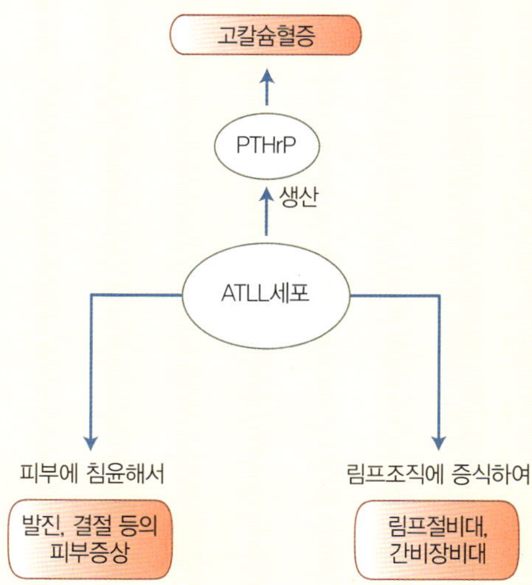

[그림 7-9] ATLL의 병태생리

검사소견

1. 말초혈액

말초백혈구 수는 정상~수십만까지 존재한다. 가장 중요한 것은 도말표본상에서 ATLL세포라고 불리는, 핵에 특징적인 균열이 있는 세포가 나타나는 것이다(그림 7-10). 그 형태 때문에 꽃세포(flower cell)라고도 불리는데, CD3, CD4, CD25가 양성이 된다.

2. 골수

종양세포는 골수보다는 말초혈액에 많이 존재한다.

3. 기타

1) 고LDH혈증

고LDH혈증은 급성기의 병세와 일치한다.

2) 고칼슘혈증 (hypercalcemia)

ATLL에 특징적인 소견이다. ATLL 환자의 약 반수에서 나타난다.

3) 혈청 anti-HTLV-I Ab 양성

ATLL을 진단하기 위해서는 우선 임상증상부터 의심하여 말초혈액상에서 ATLL 세포를 검출하여 혈청 속의 anti-HTLV-I Ab를 증명한다. 그 다음에 DNA 진단을 하여 환자 DNA 속에서 HTLV-I의 provirus를 증명해야 한다. DNA 진단에서 HTLV-I을 발견하면 확진한다.

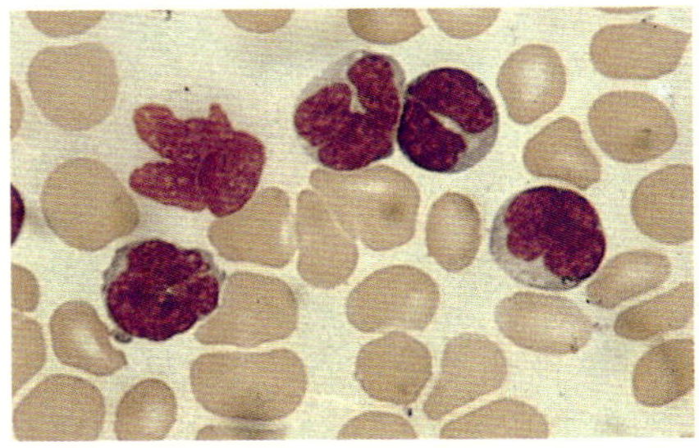

(성인T세포백혈병, 43세, 여성)

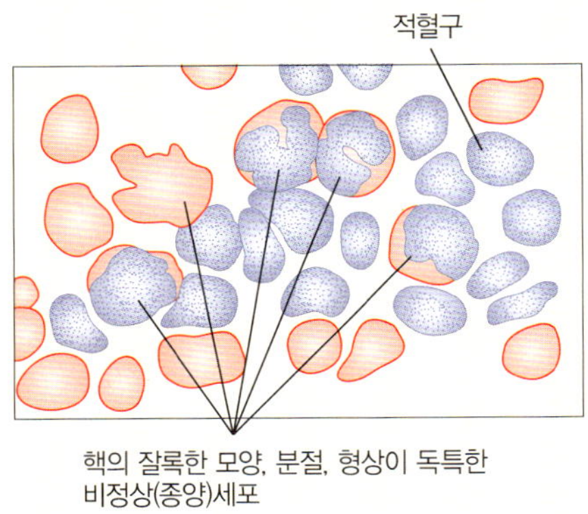

[그림 7-10] ATLL세포

치료

만성형, 상주형에는 원칙적으로 강력한 화학요법은 실시하지 않는다.

급성형과 림프종형에는 VEPA(vincristine, endoxan=cyclophosphamide, prednisolone, adriamycin)요법을 실시한다.

플 러 스 코너

4. CD25와 가용성 IL-2 수용체

IL-2 수용체는 활성화 T세포에서 분비되어 B세포, T세포, NK세포 등의 세포 표면의 IL-2 수용체에 결합해, 이들을 활성화한다. IL-2 수용체에는 α, β, γ의 3개의 사슬이 있는데**(그림 A)**, 세포증식에 필수적인 것은 α사슬로, IL-2 수용체 α사슬은 세포표면 표지자의 CD25에 해당한다. IL-2 수용체 α사슬은 막형의 단백질이며, 일부가 절단되어 혈중에 나타나 가용화된 것을 가용성 IL-2 수용체라고 한다.

가용성 IL-2 수용체는 림프계 종양 환자의 말초혈액에서 높은 수치를 나타내기 때문에, 비호지킨림프종이나 ATLL 등의 종양 표지자로서 이용되고 있다.

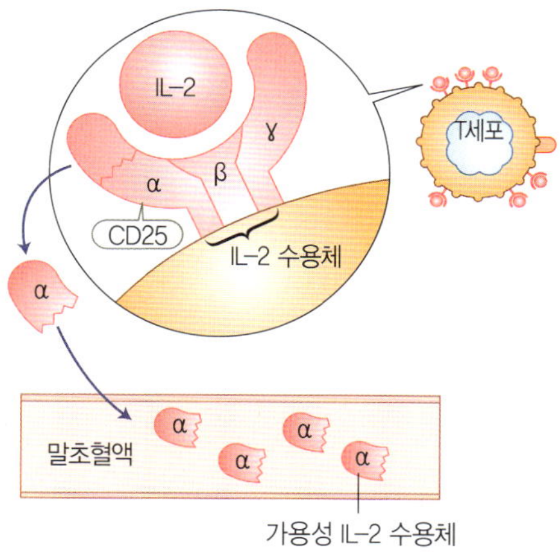

[그림 A] 가용성 IL-2 수용체의 발생

VII

ADVANCED STUDY

림프계 종양－혈관면역모세포성 T세포림프종

Angioimmunoblastic T cell lymphoma : AILD

혈관면역모세포성 T세포림프종이란?

1975년에 제창된 새로운 질환개념이다. 림프절에는 혈관의 증가가 뚜렷하고 면역모세포, 형질세포가 증식한다.

연령으로 보면 50세 이상의 고령자에게 많다. 발열, 림프절비대(모든 예에서), 다클론성고감마글로불린혈증(50%), 발진(30～50%)이 주된 증상이다. 약물과민증, 자가면역질환(Coombs 검사 양성) 등과의 관련으로 주목받았으며, 예후가 나쁘다.

여러 가지 명칭이 있는데, 면역모세포성 림프절병증(immunoblastic lymphadenopathy : IBL)도 그 중 하나이다. 현재는 혈관면역모세포성 T세포림프종이라는 명칭으로 통일되어 있다.

ADVANCED STUDY

림프계 종양－피부T세포림프종 Cutaneous T cell lymphoma : CTCL

피부T세포림프종이란?

종양세포는 T세포이며, 피부에 초기 발병증상이 나타난다. 피부T세포림프종의 대표적 질환은 균상식육종(mycosis fungoides)과 Sézary증후군의 2가지이다.

Mycosis fungoides란 피부에 발생하여 주로 피부를 침입하는 피부악성림프종의 대표적인 질환이다. T세포가 악성화하여 피부증상이 나타난다. 발생원인은 분명하지 않지만 일반적으로 발병 연령은 성인기의 20대～중고령층이다.

Sézary증후군이란 마찬가지로 T세포에서 유래된 악성림프종이며, 근육식육종이 백혈병으로 진행된 병태라고 할 수 있다.

Sézary증후군 = T세포성림프종 + 홍피증이라고 생각하면 된다. 따라서 종양세포와 함께 CD4 양성 T세포이며, 두 질환은 많은 점에서 유사하다.

ADVANCED STUDY

림프계 종양 – 기타 림프종

1. 여포성림프종 Follicular lymphoma

2차 여포의 종자중심/배중심을 구성하는 세포가 종양성으로 증식한 것이다.

종자중심은 B세포가 증식하는 장소이므로, 여포성림프종은 B세포성 림프계 종양이다. 미국에서는 비호지킨림프종의 40%가 여포성림프종이다.

2. 외투세포림프종 Mantle cell lymphoma

2차 여포의 외투층(1차 여포가 밀려난 것) 또는 1차 여포에서 존재하는 B세포유래의 종양이다.

3. 광범위B형대세포림프종

Diffuse large B-cell lymphoma : DLBL

비 호지킨림프종의 약 반수를 차지하는 질환이다. DLBL이라고 줄여서 표현하는 경우도 있다.

4. 림프모구림프종 Lymphoblastic lymphoma

진단 시에 백혈병으로 진행된 증거가 나타나지 않는 것을 림프모구림프종이라고 하는데, ALL과 같은 의미이다. T세포성과 B세포성이 있다.

5. 점막관련림프조직림프종

Mucosa associated lymphoid tissue : MALT

변연대에 존재하는 B세포 유래의 종양을 변연대B세포림프종(Marginal zone B – cell lymphoma)이라고 한다. 「IV. 백혈구 총론」에서는 비장의 변연대를 살펴보았는데 기억하고 있는가?(p.87) 비장의 변연대에서 발생한 것은 비장변연대B세포림프종(splenic marginal zone B – cell lymphoma), 림프절의 변연대에서 발생한 것은 결절성변연대B세포림프종(nodal marginal zone B – cell lymphoma), MALT 변연대에서 발생한 것을 MALT변연대B세포림프종(extranodal marginal zone B – cell lymphoma of MALT type)이라고 한다. 이것을 줄여 점막관련림프조직림프종이라고 한다. 점막관련림프조직림프종에서 알아두어야 할 것은,

- B세포에서 유래

했다는 것이다.

6. 대과립림프모구백혈병

Large granular lymphocyte leukemia : LGLL

T – CLL의 동의어가 T세포성 대과립림프모구백혈병(LGLL)이다.

ADVANCED STUDY

림프계 종양 – 다발성골수종(형질세포골수종/형질세포종양)

Multiple myeloma(Plasma cell myeloma/Plasmacytoma)

다발성골수종이란?

골수에서 형질세포가 단클론성으로 증식하는 림프계 종양으로, 증식된 형질세포(골수종세포)나 거기에서 생산되는 단클론성 면역글로불린(M단백)이 뼈병변, 신장기능장애, M단백혈증 등 다양한 병태나 증상을 유발한다.

그러나 이 림프계 종양을 호지킨림프종, 비호지킨림프종으로 분류하면, 어느 쪽에 넣어야 할지 애매해진다.

형질세포는 B세포가 분화한 것이기 때문에 그 종양을 림프계 종양이라고 부를 수 있지만, 림프종이라고 부르기에는 무리가 있다. 형질세포골수종의 임상증상이 림프종과 너무나도 다르기 때문이다.

WHO 분류에서는 형질세포종양에 포함되어, 형질세포골수종이라고 한다. 여기에서는 형질세포골수종을 '면역글로불린을 생산하는 종양'으로서 독립시켜 취급하겠다.

1. 면역글로불린을 생산하는 종양

면역글로불린을 생산하는 종양은 형질세포골수종만이 아니다. 앞에서 설명한 림프형질세포성림프종도 면역글로불린을 생산한다. B-CLL도 면역글로불린을 생산할 수 있다.

2. ○○globulin이 증가하면 △△병

종래에는 ○○globulin이 증가하면 △△병이라는 식으로 증상학 측면에서 병명을 붙여왔다(**표 7-5의 질환명 1**). 최근에는 이들 질환을 조직학적으로 검증하여 종양세포의 성질을 규명하려고 시도하고 있다. 종양세포의 기원을 생각하거나 세포의 성숙도와 방출되는 면역글로불린의 관계를 생각하는 데 있어서는 생산되는 면역글로불린의 이름이 들어간 '**질환명 2**'가 유용할지도 모르지만, 환자를 직접 보고 진단하기에는, 조직이 무엇인지 알 수 있는 '**질환명 1**'이 유용하다.

	질환명1	생산되는 것	질환명2
골수종	IgG형 골수종 IgA형 골수종 IgD형 골수종 IgE형 골수종 Bence Jones형 골수종	IgG IgA IgD IgE 경쇄	형질세포골수종 형질세포골수종 형질세포골수종 형질세포골수종 형질세포골수종
원발성 마크로글로불린혈증		IgM	림프형질세포성 림프종
중쇄병	γ중쇄병 α중쇄병 μ중쇄병	γ α μ	림프형질세포성 림프종 림프절외(작은 창자) 변연부 B세포 림프종 B-CLL

※ 흉강천자로 채취한 흉막삼출액이 육안으로 볼 때 농성인 경우, 농흉(가슴고름집)이라고 진단되는 경우가 많다.

[표 7-5] 질환명 및 분비되는 면역글로불린

다발성 골수종 핵심정리

병태생리로 보는 다발성 골수종

다발성 골수종이란 골수에서 형질세포가 단클론성으로 증식하는 림프계 종양으로, 악성 형질세포의 광범위한 골수 침투로 인해 뼈의 파괴가 일어나는 질환이다. 증식된 형질세포나 거기에서 생산되는 단클론성 면역글로불린이 뼈병변, 콩팥기능장애, M단백혈증 등 다양한 병태나 증상을 유발한다.

병 인	• 증식된 형질세포(골수증세포)나 거기에서 생산되는 단클론성 면역글로블린(M단백)이 뼈병변, 콩팥기능장애, M단백혈증 등 다양한 병태나 증상을 유발한다.
병 태	• WHO 분류에서는 형질세포종양에 포함되어 형질세포골수종이라고 한다. • 면역글로불린을 생산한다. • 뼈를 파괴하며 면역글로불린이 침착한다. • 신장장애 : Bence Jones Protein(BJP)가 원인이며 요세관으로 나온 BJP가 요세관에 침착되어 그곳을 폐쇄함으로써 장애가 발생한다. • 과다점도증후군 : M단백질의 증가로 혈장단백이 증가하여 혈액이 끈끈해진다. • 적혈구 염주형성 : M단백질이 접착제와 같은 작용을 하여 적혈구가 서로 연결된다.
증 상	• Interleukin-6(IL-6) 사이토카인이 증가 • 뼈병변 : 골수종 90% 이상의 환자에게서 뼈 X-ray 상의 이상이 나타난다. • 뼈통증 : 가장 흔한 증상. 뼈의 융해로 병적 압박골절이 나타나며 허리 및 등 통증의 원인이 되고 혈중 칼슘이 증가한다(고칼슘혈증). • 신장장애 : Bence Jones protein(BJP)이 원인 • M단백질의 증가로 나타나는 증상 – 두통, 현기증, 의식장애(중추신경증상) – 심부전/심장기능상실(점성이 있는 혈액이 원인) – 출혈경향(혈소판, 응고인자의 주위에 M-단백질이 들러붙어 혈소판의 기능이 저하됨) – 망막정맥의 팽창(순환장애로 인한 시력장애) – 빈혈: 골수종세포가 골수에서 증식되는 결과 정상조혈이 억제된다.

진단 및 검사	• 말초혈액검사(빈혈, 적혈구염주 형성) • 골수검사(형질세포의 종양성 증식 확인) • 뼈X-선 검사(뼈 융해) • 생화학 검사(혈청칼슘 증가, 요단백, ESR 항진) • 소변검사(Bence jones protein)

치료	• 항암화학요법 - MP(Melphalan + Prednisone), VAD (Vincristine + Adriamycin) - Thalidomide, Lenalidomide, Velcade, Bendamustine 등을 이용한 화학요법 • 조혈모세포이식 • 방사선치료 : 척수 압박 등의 증상을 완화시키는 목적

| 다발성 골수종의 대표적인 합병증(CRAB) |

- Ca 수치의 상승(Calcium elevation)
- 신장기능장애(Renal dysfunction)
- 빈혈(Anemia)
- 골병변(Bone lesion)

지혈기전

VIII. 지혈기전 총론
IX. 지혈기전 각론

길잡이

■ 시작에 앞서

혈소판 · 응고 · 섬유소용해 부분은 검사항목이 많은 것이 특징이다. 검사는 모두 생리 · 병태생리에 기초한 것이기 때문에, 그만큼 기초의학의 정확한 지식이 요구된다고 할 수 있다.

총론, 각론에서의 목표를 살펴보자.

■ 총론의 달성목표

① 지혈에는 1차지혈과 2차지혈이 있다는 것을 알자.
② 지혈시간과 응고시간을 혼동하지 말자.
③ 섬유소용해에 대해서 개략적으로 살펴보자.

■ 각론의 달성목표

① 혈소판기능이상증을 병태생리로 파악할 수 있도록 하자.
② DIC의 검사소견(증가하는 것과 감소하는 것)을 잘 살펴보자.
③ 출혈증상을 나타내는 질환을 감별할 수 있도록 하자.

Ⅷ 지혈기전 총론

1 혈전형성 작용과 항혈전형성 작용

혈액은 혈전형성 작용과 항혈전형성 작용이라는 2가지 상반된 작용으로 균형을 유지한다.

정상 혈관 내에서는 원활한 혈류를 유지하기 위해 혈관내피세포가 혈소판기능이나 응고계 등의 혈전형성 작용을 억제하여, 혈전이 생기지 않도록 유지하고 있다.

그러나 혈관에 손상을 입은 혈관 내피세포는 혈소판 기능이나 응고계 등의 혈전형성 작용을 촉진한다. 또 섬유소용해계 등의 항혈전형성 작용은 억제되어 혈액은 혈전형성 작용으로 기운다(그림 8-1).

혈관 내피세포가 생산하는 혈전형성 억제 · 촉진물질에는 **표 8-1**과 같은 것이 있다. 이 밖에도 활성화한 혈소판으로부터 분비되는 ADP나 간에서 생산되는 AT 등 많은 물질이 혈전형성에 관여한다.

Ⅷ

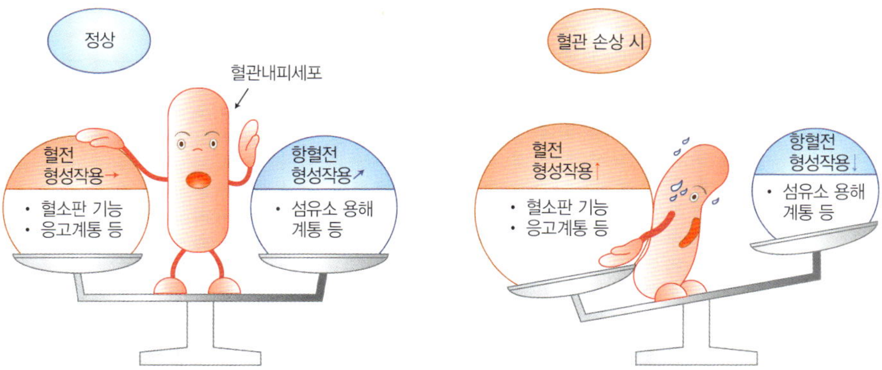

[그림 8-1] 혈전형성 작용과 항혈전형성 작용

기구	혈전억제	혈전촉진
혈소판계	• PGI_2(prostaglandin I_2) • NO(nitric oxide)	• vWF(von Willebrand factor) • PAF(platelet activating factor)
응고계	• 헤파린 모양 물질 • 트롬보모듈린	• 조직인자
섬유소용해계	• PA(plasminogen activator)	• PAI(plasminogen activator inhibitor)

[표 8-1] 혈전 억제 · 촉진물질

2 지혈의 흐름

혈관이 손상되어 출혈이 일어나면 손상부위에 혈전이 형성되어 지혈되는데 이러한 구조를 지혈기전이라고 한다.

지혈은 혈소판이 관여하는 1차 지혈과, 응고인자가 관여하는 2차 지혈로 나뉜다.

혈전에 의한 지혈 후, 혈관벽 세포가 증식해 혈관이 회복된다. 혈관 회복 후에 혈전을 녹이는 작용을 섬유소용해라고 하는데 섬유소용해계에는 플라스민(plasmin)이 관여한다.

실제로는 1차 지혈과 2차 지혈은 거의 동시에 일어난다. 혈소판과 응고인자 모두 혈관손상부위를 인식하는 기능을 가지고 있다. 또 정상적인 부위에서는 응고저해인자의 작용에 의해 혈전형성이 억제된다. 따라서 혈전은 손상부위에 한해 국소적으로 형성된다.

TIP

지혈의 과정

① 혈관 손상(출혈) : 콜라겐이 노출된다.
② 1차 지혈 : 혈소판응집이 일어나고, 1차 혈전이 형성된다.
③ 2차 지혈 : 응고 cascade에 의해 피브린이 형성되어 2차 혈전이 형성된다.
④ 섬유소용해계 : 혈관이 회복되면, 플라스민에 의해 혈전이 용해된다.

A 혈소판 Platelet

1 혈소판의 개념

혈소판은 혈액 속에 있는 원판 모양의 작은 세포이다.
구체적으로는 다음과 같이 말할 수 있다.

- 혈액 속에 있다
  정상일 때에는 혈액 1μL 중 약 15~40만 개가 존재한다.
- 원판 모양
  형태를 자유롭게 변화시킬 수 있지만, 보통은 원판 모양이다.
- 작은 세포
  핵을 갖고 있지 않은 직경 2~5μm 정도의 세포이다. 적혈구의 직경이 약 8μm이므로 적혈구보다 작은 세포이다.

이 항목에서는 혈소판의 기능을 중심으로 공부하기로 한다.

VIII

2 혈소판의 생리

1. 혈소판의 성장과 죽음

적혈구, 백혈구는 모두 분화증식에 있어서, 줄기세포(stem cell) → 전구세포(progenitor cell) → 모세포(blast)의 과정을 거치는데, 혈소판도 예외는 아니다. 구체적으로는 다음과 같은 명칭이 붙어 있다.

- 줄기세포 …… 조혈모세포
- 전구세포 …… 적혈모구 거대핵세포계 전구세포
  (megakaryocyte/erythrocyte progenitor : MEP)
- 모세포 …… 거대핵모세포(megakaryoblast)

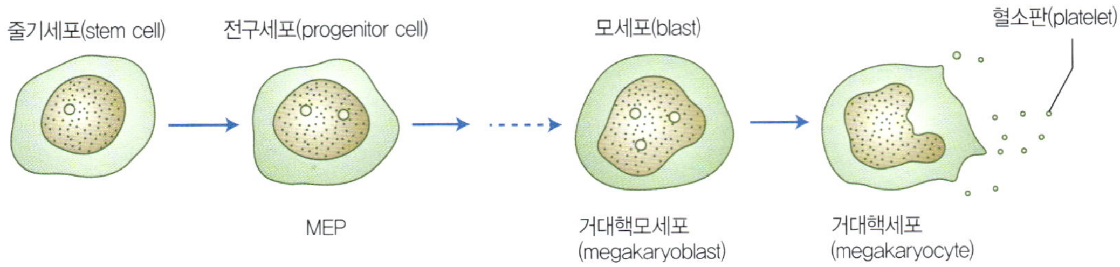

[그림 8-2] 줄기세포에서 혈소판까지

거대핵모세포가 더 분화된 것이 거대핵세포(megakaryocyte)이고, 이 거대핵세포로부터 떨어져 나온 것이 혈소판이다(**그림 8-2**). 거대핵세포는 골수 속에 있는 세포이므로 혈소판이 생산되는 장소는 골수이다.

최근에는, 혈소판의 분화증식에 관여하는 사이토카인(cytokine)으로서 thrombopoietin(TPO)이 유전자의 클로닝(cloning)에 의해 발견되었다. 적혈구의 분화증식에 관여하는 EPO(erythro-poietin)와 함께 기억해 두자.

골수에서 생산된 혈소판은 체내를 순환하는데, 그 체내 분포를 보면 약 2/3는 순환혈액에 있고 나머지 약 1/3은 비장에 있다. 그러므로 특발성문맥압항진증처럼 비장비대를 일으키는 질환에서는 체내분포 이상으로 인해 혈소판 수가 감소한다는 것을 기억해 두자.

혈소판의 수명은 8~10일로, 노화되면 비장과 간에서 처리된다고 알려져 있지만 정확한 것은 밝혀지지 않았다.

2. 혈소판의 구조

혈소판은 핵이 없는 세포이다. 적혈구처럼 탈핵되었기 때문에 핵이 없는 것이 아니라, 거대핵세포의 일부로서 떨어져 나왔기 때문에 핵이 없는 것이다.

또한 혈소판은 과립을 갖는데, 바로 치밀소체(dense body)와 α과립이다. 과립의 내용물은 다음과 같다.

- 치밀소체 → 세로토닌(serotonin), ADP, ATP, Ca
- α과립 → 혈소판기원성장인자(platelet derived growth factor : PDGF), 혈소판인자IV, 응고인자V, VIII 등(**그림 8-3**)

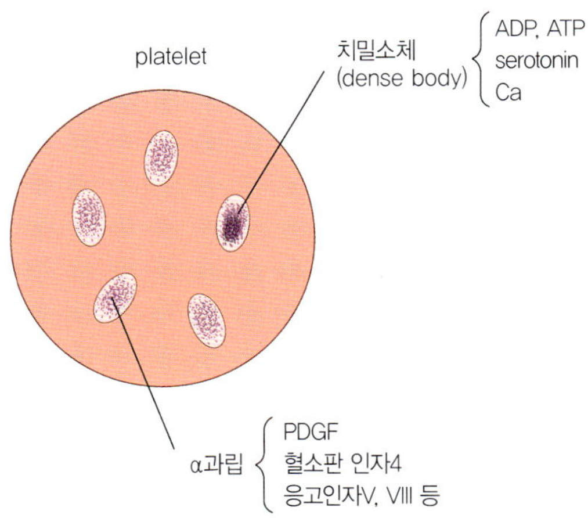

[그림 8-3] 혈소판(platelet)의 과립

치밀소체라는 명칭은 혈소판을 전자현미경으로 보았을 때, 과립이 진하게 염색되는(=검게 염색되는) 모양에서 유래된 말이다.

저장풀질환(storage pool disease)에서는 이 치밀소체에 과립 내용물이 충분히 저장되어 있지 않고, 또한 치밀소체의 수도 감소되어 있다.

3 혈소판의 기능

1. 지혈의 개념

넘어져서 무릎이 까지거나 바늘에 손가락을 찔려서 피가 나는 경우가 있다. 출혈이란 혈관이 파괴되어 그곳으로 혈액이 흘러나오는 것이다. 우리는 그러한 정도의 출혈을 멎게 하려고 약을 먹거나 특별한 조치를 취하지는 않는다. 기껏해야 반창고를 붙이는 정도이다.

이렇게 작은 혈관 상처로 출혈을 하는 경우에는 거의 아무런 조치 없이도 피가 멎는데, 이것은 지혈체계가 작용하기 때문이다.

지혈에는 1차지혈(primary hemostasis)과 2차지혈(secondary hemostasis)이 있다. 1차지혈이란 혈관의 상처 부위에 혈소판이 모여 그 상처를 덮음으로써 일단 출혈을 막는 것을 말한다. 그러므로 1차지혈의 주역은 혈소판이다. 우선 혈소판으로 상처의 덮개를 만들고 나서 다음 단계로 넘어간다. 2차지혈에서는 그 혈소판으로 된 덮개를 견고하게 하여 완전히 지혈한다. 이때의 주역은 응고인자(coagulation factor)와 피브린(fibrin)이다. 실제로는 1차지혈과 2차지혈이 거의 동시에 일어난다.

2. 1차지혈

1차지혈의 주역인 혈소판이 구체적으로 어떻게 지혈에 관여하는지 살펴보자.

우선 지혈에 관여하는 혈소판의 2가지 기능에 대해서 알아두자.

그 2가지 기능이란 부착능과 응집능으로서 양쪽 모두 혈소판이 어떤 것에 달라붙는 것을 의미한다. 부착(adhesion)이란 혈소판이 혈소판 이외의 다른 것과 결합하는 것이고, 응집(aggregation)이란 혈소판끼리 서로 결합하는 것을 말한다. 1차지혈에서는 이 2가지 과정이 중요하다.

혈관이 파괴되면 혈액이 밖으로 흐르게 되는데, 이때 혈관내피(endothelium)가 박리되어 혈관내피하조직(subendothelial tissue)이 노출된 상태가 된다. 혈관내피하조직 중 대표적인 것이 콜라겐(collagen)인데, 이 노출된 혈관내 피하조직에 혈소판이 부착된다. 혈소판이 콜라겐(collagen)에 부착될 때에는 아무 것도 없는 상태에서 결합되는 것이 아니라 접착제와 같은 작용을 하는 물질이 필요한데 그 역할을 하는 물질이 von Willebrand's factor(vWF)이다. 이 vWF는 콜라겐(collagen)과 결합하는 동시에 혈소판의 세포 표면상에 존재하는 막당단백인 GPIb/IX 복합체와 결합한다. 이렇게 혈소판은 vWF를 사이에 끼워 넣음으로써 콜라겐에 부착될 수 있는 것이다**(그림 8-4)**.

Bernard-Soulier증후군에서는 GPIb/IX 복합체가 결핍되어 있기 때문에 혈소판의 부착능도 저하되어 있다.

- 1차지혈 … 혈소판에 의한 지혈
- 2차지혈 … 응고인자에 의한 지혈

다음으로 내피하 조직에 부착된 혈소판 속에서는 inositol-1, 4, 5-triphosphate(IP3)와 G 단백질 등 2차 전령(second messenger)의 증가가 일어나는데, 그 결과 세포내 단백이 인산화되고 세포내 칼슘농도가 증가되어 혈소판이 활성화된다. 활성화된 혈소판은 세포내 과립에 포함되어 있는 내용물을 세포 밖으로 방출하는데, 방출된 물질 중 ADP가 다음 단계인 혈소판응집에 중요한 역할을 한다. 방출된 ADP에 의해 혈소판의 세포 표면상에 있는 또 다른 막당단백인 GPIIb/ IIIa 복합체에 구조변화가 일어난다. 즉 GPIIb/IIIa 복합체는 혈소판응집에 필요한 피브리노겐(fibrinogen) 수용체로 변화하는 것이다.

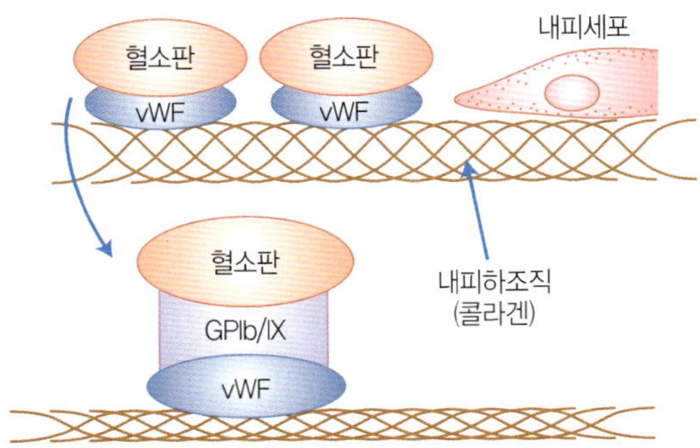

[그림 8-4] **혈소판과 콜라겐의 부착**

활성화된 GPIIb/IIIa 복합체에 피브리노겐이 결합하면 혈소판이 차례로 응집되어 간다(그림 8-5).

Glanzmann병에서는 GPIIb/IIIa복합체가 결핍되어 있기 때문에, 혈소판의 응집능도 저하되어 있다.

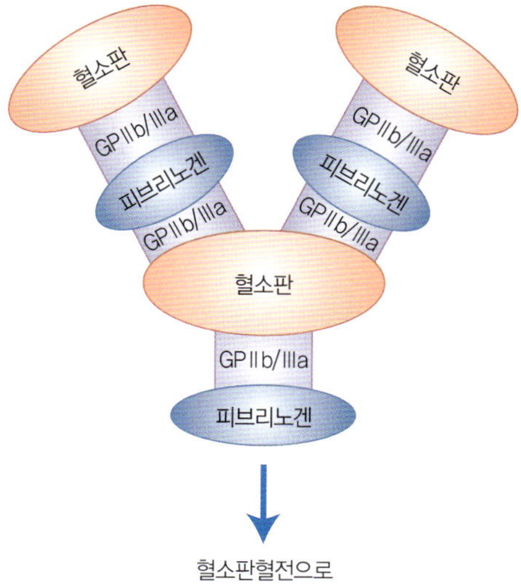

[그림 8-5] 혈소판응집

이처럼 ADP가 방출과 응집을 반복하여 응집 덩어리가 성장해서 혈소판혈전을 형성하는데, 여기까지를 1차지혈이라고 한다.

정리하면, 1차지혈은 혈소판의 부착과 응집의 2가지 단계를 거쳐 이루어지며, 그 두 단계 사이에 과립의 방출이라는 단계까지 더해지면 1차지혈은 3단계를 거쳐 완성된다고 할 수 있다. 1차지혈에서 중요한 것으로는 다음의 3가지 사항을 들 수 있다.

VIII

1) 혈소판 수

→ 혈소판 수가 적으면, 혈소판혈전을 만들 수가 없다.

2) vWF와 피브리노겐의 양

→ 부착과 응집에 관여하는 이들 혈장단백은 1차지혈에 반드시 필요하다.

3) 혈관내 피하조직(특히 콜라겐)의 이상

→ 실제로 결합조직 이상증인 Ehlers-Danlos증후군, Marfan증후군, 골형성부전증에서는 혈소판부착이상에 의한 출혈경향이 나타난다.

3. 2차지혈

2차 지혈의 주역은 응고인자이다.

4. 혈소판응집…TXA_2

혈소판응집을 유발하는 물질에는 아래와 같은 것들이 있다.

- ADP
- 에피네프린(epinephrine : adrenaline)
- Thromboxane A2(TXA_2)
- 콜라겐
- Thrombin
- Ristocetin

위에 나온 것들 중에서 ADP, 에피네프린, 콜라겐, ristocetin에 대해서는 응집능의 검사 부분에서 자세히 설명하기로 하고, 여기에서는 TXA_2에 대해서 설명하겠다. TXA_2는 혈소판이 만드는 물질이다.

혈소판이 활성화되면 막의 인지질로부터 arachidonic acid가 유리되고, cyclooxygenase 등 prostaglandin 합성효소작용에 의해 TXA_2가 만들어진다**(그림 8-6)**.

이 TXA_2는 혈소판응집 촉진, 방출 유발, 혈관수축 등의 작용을 한다. 혈관수축과 지혈을 연관시켜 생각하지 않을 수도 있지만, 혈관수축으로 인해 혈관을 흐르는 혈액량이 감소하므로 출혈량도 감소하게 되어 지혈이 쉬워지는 것이다.

한편 혈관내피에서는 같은 arachidonic acid 대사물인 prostacyclin(PGI2)이 생산된다.

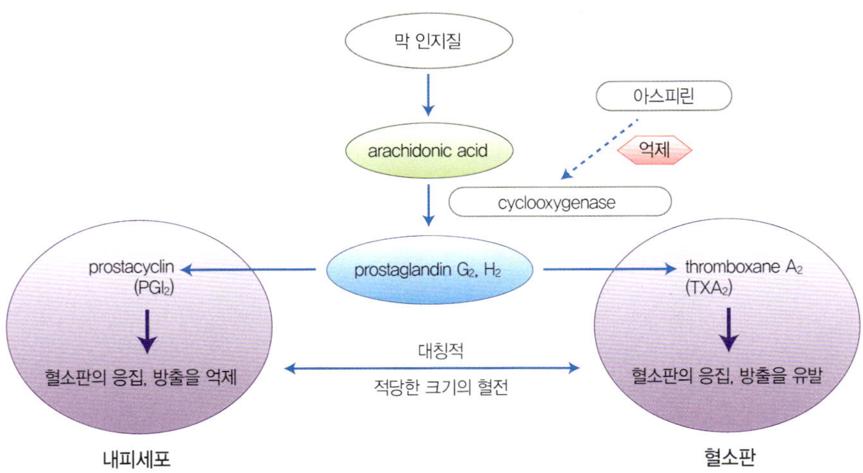

[그림 8-6] TXA_2와 PGI_2의 생성과 역할

PGI₂는 혈소판의 응집과 방출을 억제하고 혈관을 확장시킨다. TXA_2와 PGI_2는 구조가 매우 유사함에도 불구하고, 정반대의 작용을 하는 물질이다. 혈소판에서 만들어지는 TXA_2와 혈관내피에서 만들어지는 PGI_2가 서로 길항함으로써 지혈의 균형을 유지할 수 있는 것이다. 만약 PGI_2가 없다면 혈관의 상처가 아주 작을 때에도 커다란 혈소판혈전을 만들어 혈관을 폐쇄시킬 것이다. 혈관이 폐쇄되어 버릴 정도의 혈전을 만드는 것은 생체에는 불리한 일이다. 혈전의 크기는 상처를 막을 정도만 되면 충분한 것이다. 잘 맞는 크기의 혈전을 만드는 데 PGI_2는 이렇게 중요한 역할을 하고 있다**(그림 8-7)**.

TXA_2와 PGI_2의 불균형과 관계가 있는 2가지 사항이 있다. 아스피린(aspirin)과 임신중독증(toxemia of pregnancy)이다.

아스피린은 해열 · 진통에 사용되는 약이다. 아스피린을 복용하면 출혈시간이 연장된다는 말이 있는데 과연 그럴까?

아스피린에는 cyclooxygenase를 억제하는 작용이 있다. 따라서 TXA_2와 PGI_2, 양쪽 모두의 생산을 억제한다. 그럼 왜 출혈시간이 연장되는 것일까? 혈관내피세포에서는 혈소판보다 빨리 cyclooxygenase가 재생된다. 즉 혈소판에서 TXA_2의 생산이 억제된 상태일 때에는, 이미 혈관내피세포에서는 PGI_2의 생산이 회복되어 있는 것이다. 따라서 결과적으로 PGI_2 쪽이 우세하게 되고, 그것이 혈소판응집 억제라는 형태로 나타난다.

다음으로, 임신중독증에서 나타나는 고혈압은 혈관내피세포의 장애와 그에 따른 TXA_2와 PGI_2의 불균형 때문에 나타난다고 생각된다. 즉 혈관내피세포 장애로 인한 PGI_2의 감소에 의해 TXA_2와 PGI_2의 균형이 파괴됨으로써 혈관이 수축되고 고혈압이 생기는 것이다.

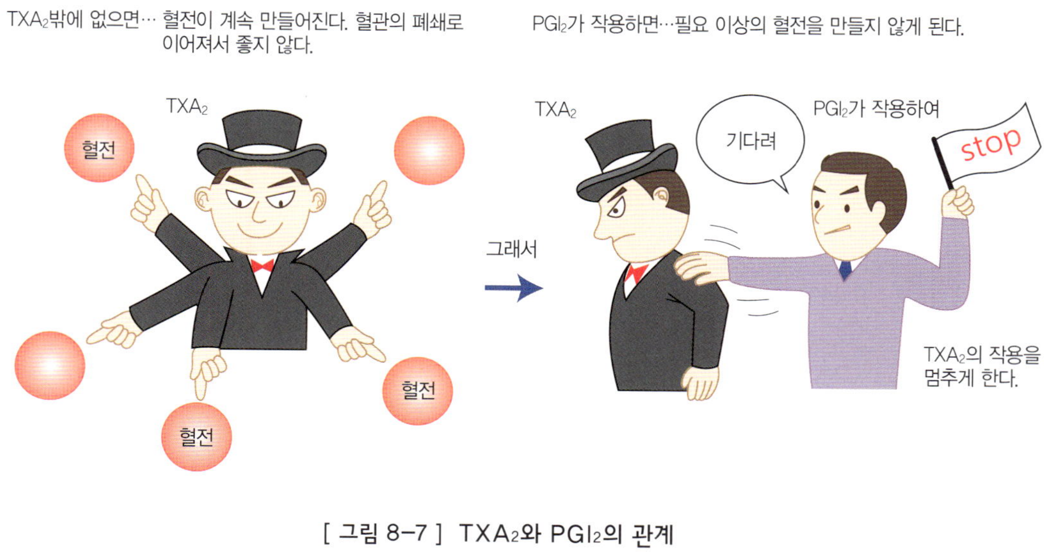

[그림 8-7] TXA_2와 PGI_2의 관계

B 응고 Coagulation

1 지혈과 응고의 차이

앞에서 혈소판을 중심으로 지혈에 대해서 설명하였고, 지혈에는 1차지혈과 2차지혈이 있다는 것도 간단히 설명하였다.

지혈에는 혈소판이 주역이 되는 1차지혈과 피브린이 주역이 되는 2차지혈이 있다.

이 2차지혈을 응고라고 한다. 응고인자라 불리는 혈중의 단백질이 활성화되어 그 결과 피브린이 생긴다. 이렇게 생긴 혈전을 피브린혈전이라고 하는데, 1차지혈로 생긴 혈소판혈전과 구별된다. 혈소판혈전이 응고반응에 의해 피브린혈전이라는 견고한 혈전으로 성장했다고 할 수 있다.

응고반응은 혈소판과 더불어 지혈에 중요한 역할을 하고 있다.

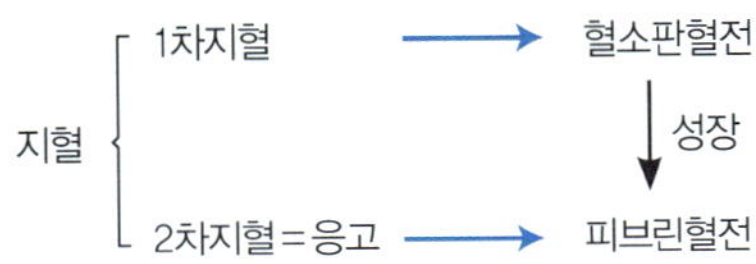

C 섬유소용해 Fibrinolysis

혈소판, 혈액응고의 지혈체계와 정면으로 대립되는 섬유소용해 체계에 대해 살펴보기로 하자.

1 섬유소용해의 개념

혈액응고의 결과, 피브린이 형성되면 이 피브린을 처리하려는 생리적 반응이 일어난다. 피브린을 섬유소라고 하기 때문에, 피브린을 용해(=처리)하는 것을 섬유소용해라고 한다. 1차지혈의 주역은 혈소판이고 2차지혈(응고)의 주역은 피브린이다. 섬유소용해의 주역은 피브린을 분해하는 플라스민(plasmin)이다.

2 섬유소용해의 기전

섬유소용해는 결국 플라스민이 피브린을 분해하는 것이다. 플라스민은 플라스미노겐으로부터 만들어지는 단백분해 효소이다. 물론 분해하는 단백질은 피브린이다. 플라스미노겐은 순환혈장 속에 있는 단백질로, 플라스미노겐 활성화효소(plasminogen activator)에 의해 활성화되어 플라스민이 된다.

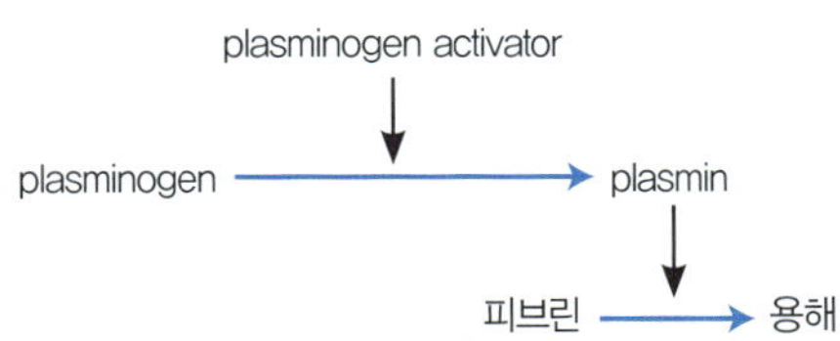

보통 순환혈액 속에서는 플라스미노겐 활성화가 일어나지 않고, 피브린이 형성된 경우에만 그 국소부분에서 활성화가 일어난다.

IX 지혈기전 각론

혈소판 · 응고 · 섬유소용해와 관련된 병은 '출혈이 멈추지 않거나', '혈전이 생기는' 2가지 종류밖에 없다. 전자를 출혈성 질환, 후자를 혈전성 질환이라고 한다.

출혈성 질환이 되는 이유는 지혈체계가 잘 이루어지지 않기 때문이다. 지혈에는 1차지혈과 2차 지혈이 있는데, 1차지혈의 이상을 초래하는 질환에는 혈소판기능에 이상이 있는 질환과 혈소판 수가 감소하는 질환이 있다. 2차지혈의 이상을 초래하는 질환에는 혈액응고의 이상을 초래하는 질환이 있다. 또한 von Willebrand 인자나 혈관벽의 결합조직에 이상이 있어도 지혈장애가 일어난다.

혈전성 질환에서는 응고와 섬유소용해의 균형이 깨져 혈전을 형성하기 쉬워진다. 어떠한 질환이 어떠한 기전으로 지혈이상을 일으키는지 살펴보자.

IX

A 출혈성 질환

출혈성 질환을 아래와 같이 분류하여 설명하겠다.

- 1차지혈의 이상
  1. 혈소판기능이상증
  2. 혈소판 수 감소

- 2차지혈의 이상
  3. 응고인자이상

- 기타
  4. von Willebrand 인자의 이상
  5. 혈관이상에 의한 출혈성 질환

1 혈소판기능이상증

혈소판의 3가지 중요한 기능은 부착(adhesion), 방출(release), 응집(aggregation)이다. 이들 기능 중 어떤 기능에 이상이 생기면 1차지혈에 장애가 생기는지 알아두자.

1. Glanzmann병(혈소판무력증)

선천적으로 혈소판응집에 관여하는 막당단백이 결핍되어 있어 출혈경향이 나타나는 질환이다. 유전형식은 상염색체 열성유전이다. 매우 드문 질환이지만, 선천성 혈소판기능이상증 중에서는 반수 이상(가장 많다)을 차지한다.

1) 병태생리

Glanzmann병은 응집(aggregation)에 이상이 있는 질환이다. 이 병의 실제 원인은 혈소판막당단백 GPIIb/IIIa의 결핍이다. 정상일 경우에는 ADP에 의해 활성화된 GPIIb/IIIa가 피브리노겐(fibrinogen)의 수용체가 되어 혈소판응집을 일으킨다.

Glanzmann병에서는 GPIIb/IIIa가 결핍되어 있기 때문에 혈소판응집이 일어나지 않는다(그림 9-1).

증상은 신생아기 혹은 소아기부터 나타나는 점막 · 피부출혈이나 코출혈, 잇몸출혈이다.

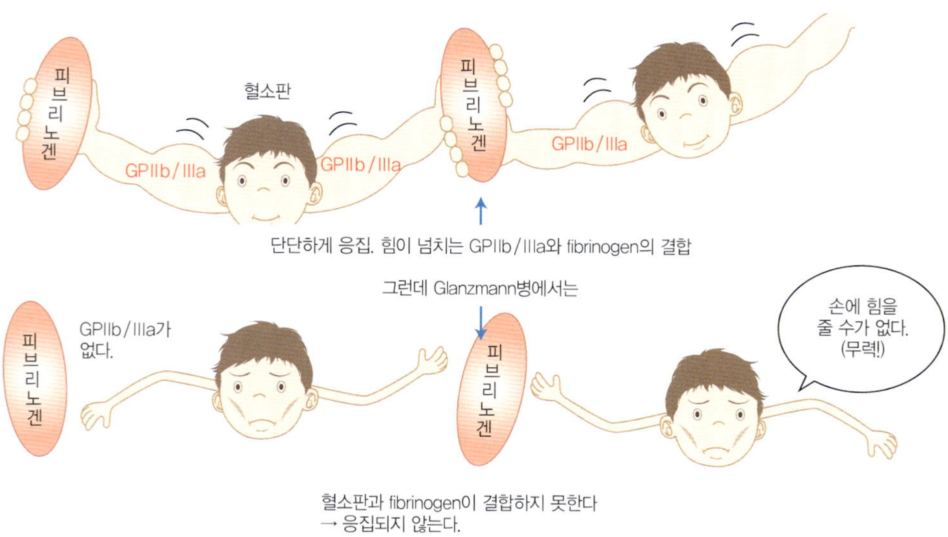

[그림 9-1] Glanzmann병은 「무력」하다

플 러 스 코너

1. 지혈기전 이상에 의한 질환

DIC, TTP, HUS 등은 출혈성 질환과 혈전성 질환을 동시에 일으킨다.

	혈전성 질환	출혈성 질환
혈소판 이상	• 혈전저혈소판혈증자색반병(TTP) • 용혈요독증후군(HUS) • 본태성혈소판혈증 • 진성적혈구증가증 • 헤파린기인성혈소판감소증(HIT)	• 혈전저혈소판혈증자색반병(TTP) • 용혈요독증후군(HUS) • 본태성혈소판혈증 • von Willebrand병 • Bernard–Soulier증후군 • Glanzmann병(혈소판무력증) • 특발성혈소판감소성자색반병(ITP) • 속발성혈소판감소성자색반병 (급성백혈병, 재생불량빈혈)
응고계 이상	• DIC(파종혈관내응고) • AT이상증 • proteinC이상증 • proteinS이상증 • 항인지질항체증후군	• DIC(파종혈관내응고) • 혈우병 • von Willebrand병 • 비타민K결핍 • 무피브리노겐혈증
섬유소용해계 이상	• DIC(파종혈관내응고) • plasminogen이상증 • PA결핍증	• DIC(파종혈관내응고) • α_2–PI 이상증 • PAI 이상증 • t–PA 투여
혈관 이상	• 혈전저혈소판혈증자색반병(TTP) • 용혈요독증후군(HUS) • 대동맥염 증후군 • 폐쇄동맥경화증(ASO) • 폐쇄혈전혈관염(TAO) • 혈관종	• 혈전저혈소판혈증자색반병증(TTP) • 용혈요독증후군(HUS) • 알레르기자색반병 • 유전성출혈모세혈관확장증 • Ehlers–Danlos증후군 • 괴혈병(비타민C결핍증) • 혈관종
혈류 이상	• 심방세동(심방잔떨림) • 일반석증후군(long flight 증후군) • 폐혈전색전증 • 수술 후	

DIC : Disseminated intravascular coagulation
TTP : Thrombotic thrombocytopenic purpura
HUS : Hemolytic uremic syndrome
HIT : Heparin–induced thrombocytopenia
ITP : Idiopathic thrombocytopenic purpura
ASO : Arteriosclerosis obliterans
TAO : Thromboangitis obliterans

2) 검사소견

① 혈소판 수 : 정상

② 혈소판 형태 : 정상

③ 출혈 시간(bleeding time) : 현저하게 연장

④ 응집능 검사

ADP : 1차응집, 2차응집 모두 결여

collagen, epinephrine 응집 : 결여

ristocetin 응집 : 정상

3) 치료

혈소판 수혈을 실시한다.

2. Bernard-Soulier증후군

선천적으로 혈소판의 부착에 관여하는 막당단백이 결핍되어 있기 때문에 출혈경향이 유발되는 질환이다. 상염색체 열성유전이다.

1) 병태생리

Bernard-Soulier증후군은 부착(adhesion)기능에 이상이 있는 질환이다.

이 병의 실제 원인은 혈소판 막당단백 GPIb/IX의 결핍이다. 정상인 경우 혈소판의 부착에는 내피하조직과 GPIb/IX, von Willebrand 인자가 필요하다. von Willebrand 인자를 풀에 비유하면 GPIb/IX는 혈소판 위의 풀을 붙이는 부분에 해당된다**(그림 9-2)**.

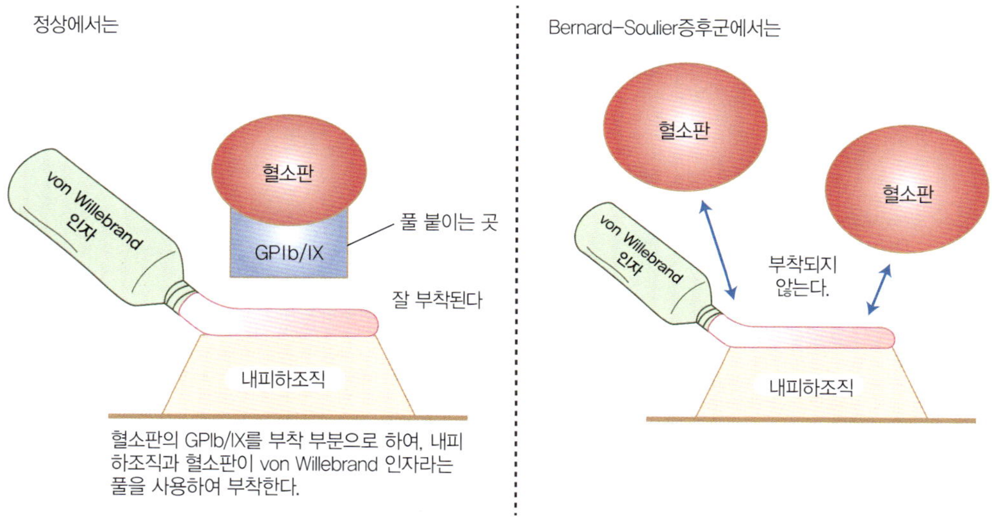

[그림 9-2] Bernard-Soulier 증후군

Bernard-Soulier 증후군에서는 이 GPIb/IX가 선천적으로 결핍되어 있기 때문에, **혈소판부착기능 감소**로 1차 지혈이 감소되고 따라서 **출혈경향**이 일어난다.

증상은 Glanzmann병과 같은데, 유아기 또는 소아기 때부터 나타나는 점막 · 피부출혈과 코출혈, 잇몸출혈 등이다.

2) 검사소견

① 혈소판 수 : 정상 또는 감소(원인은 알 수 없다)

② 혈소판 형태 : 거대혈소판이 나타난다(원인은 알 수 없다)

③ 출혈시간 : 현저하게 연장

④ 응집기능 검사

ADP, collagen, epinephrine 응집 : 정상

ristocetin 응집 : 저하

3) 치료

혈소판 수혈을 실시한다.

3. 저장풀질환 Storage pool disease

혈소판 과립이 없는 것을 저장풀질환이라고 하는데 이것은 선천적인 질환이다. 특히 치밀소체가 없는 것을 δ-저장풀질환이라고 한다(δ는 dense의 d). 치밀소체(dense body)에는 ADP, ATP가 저장되어 있어, 혈소판이 활성화됨에 따라 내용물을 방출한다. **저장풀질환에서는 이들 치밀소체가 없기 때문에 방출되지 않는다. 검사소견에서는 ADP 응집에서 1차응집은 정상적으로 일어나지만, 방출장애 때문에 2차응집이 일어나지 않는다**는 점이 중요하다. 출혈시간은 연장된다.

4. 아스피린 복용

아스피린을 복용하는 사람은 출혈경향을 보이는 경우가 자주 있는데, 이 출혈경향은 아스피린이 cyclooxygenase의 작용을 억제하기 때문에 발생한다. cyclooxygenase의 작용이 억제될 경우, 출혈경향이 나타나는 이유는 다음과 같이 설명할 수 있다.

cyclooxygenase의 작용억제

→ TXA_2와 PGI_2의 생산장애

→ 혈관내피세포에서 cyclooxygenase의 재생이 빠르다.

→ 상대적으로 TXA_2 부족

→ 혈소판활성화의 억제

→ ADP방출장애
→ 2차응집장애
→ 출혈경향

검사소견에는 저장풀질환에서와 마찬가지로, ADP응집에서 2차응집이 일어나지 않는 점이 중요하다.

ADVANCED STUDY

출혈성 질환—혈소판 수 감소

혈소판 수 감소

혈소판기능에 이상이 있으면 1차지혈이 잘 안 되는데, 혈소판 자체의 수가 감소되어도 1차지혈은 잘 되지 않는다.

혈소판 수가 감소하면 상처의 덮개가 되는 혈소판 혈전을 만들기 어려워지므로 당연하다고 할 수 있다. 여기에서 중요한 것은 특발성혈소판감소성자색반병(ITP)과 파종혈관내응고(증후군)(DIC)의 2가지이다.

1. 특발성혈소판감소성자색반병

Idiopathic thrombocytopenic purpura : ITP

혈소판에서의 자가면역용혈빈혈(AIHA)이라고 할 수 있다. 즉 어떤 기전에 의해 **혈중에 혈소판 자가항체가 만들어지고, 그로 인해 혈소판이 파괴되는** 것이다(그림 9-3).

ITP라는 약어에서 I는 보통 idiopathic(특발성)을 나타낸다. 그러나 ITP에서는 면역반응에 의해 혈소판이 감소하기 때문에 immunological (또는 immune) thrombocytopenic purpura라고 부르는 경우도 있다. 이처럼 'I'에는 '특발'과 '면역'이라는 2가지 의미가 있다.

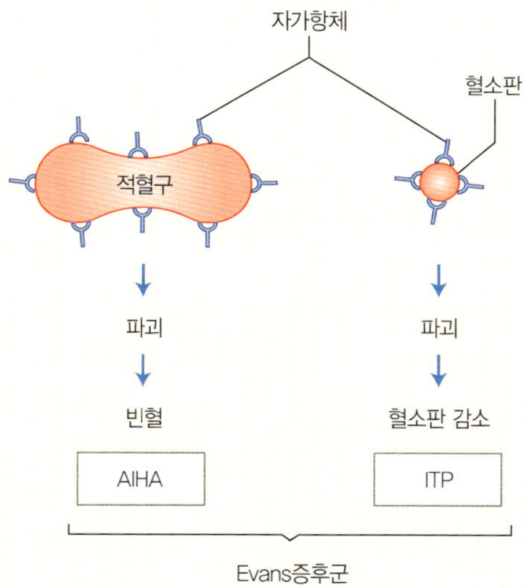

[그림 9-3] ITP와 AIHA

ITP에는 급성형과 만성형이 있는데, 추정 발병, 또는 진단으로부터 6개월 이내에 치유되는 경우를 급성형이라고 하고, 경과가 6개월 이상 지연되는 경우를 만성형이라고 한다.

급성 ITP와 만성 ITP의 차이점을 표로 정리해 두었는데(**표 9-1**), 특히 급성 ITP에 바이러스감염증이 선행한다는 점은 중요하다.

1) 증상

피하출혈, 잇몸출혈, 코출혈, 성기출혈의 4대 출혈증상이 나타날 수 있다. 이중에서 피하출혈은 거의 모든 증례에서 나타난다.

피하출혈에 의해 자반(purpura)이 생기므로, 여기에서 병명이 유래되었다. 비장비대는 거의 나타나지 않는다. 이 ITP에 AIHA가 동반된 질환을 Evans 증후군이라고 한다.

2) 검사소견

① 말초혈액

a. 혈소판 수 : 10만/μL 이하

평균치는 대개 2.5만/μL이다.

	급성 ITP	만성 ITP
발병연령	10세 이하의 소아에게 많다.	20~40대의 성인에게 많다.
성별차이	없다.	여성에게 많다.
발병요인	갑자기 발병한다. 바이러스 등의 상기도 감염 후에 발병하는 경우가 많다.	완만하게 발병하며, 특별한 발병 요인이 없다.
경과	수주~3개월 정도로 대부분 치유된다. 자연치유되기도 하지만 만성형으로 이행되는 경우도 있다.	자연치유는 없고 6개월 이상 혈소판 감소가 계속된다. 악화와 완화가 반복된다.

[표 9-1] AIHA의 분류

b. 적혈구수 : 정상

적혈구수는 정상이라는 것을 기억해 두자. 그러나 출혈에 의해 대량의 혈액이 체외로 빠져나가면 빈혈이 되며, 철 결핍을 동반하는 경우도 있다.

c. 백혈구수 : 정상

② 골수천자 소견 : 거대핵세포 증가

혈소판의 감소를 보충하기 위해 거대핵세포(mega-karyocyte)가 증가한다.

보통 골수천자도말표본의 현미경 검사에서 1시야에 보이는 거대핵세포의 수는 전혀 없거나 또는 1개 정도이다. 그러나 1시야에 여러 개의 거대핵세포가 보이면 비정상적으로 증가하고 있다고 할 수 있다(**그림 9-4**).

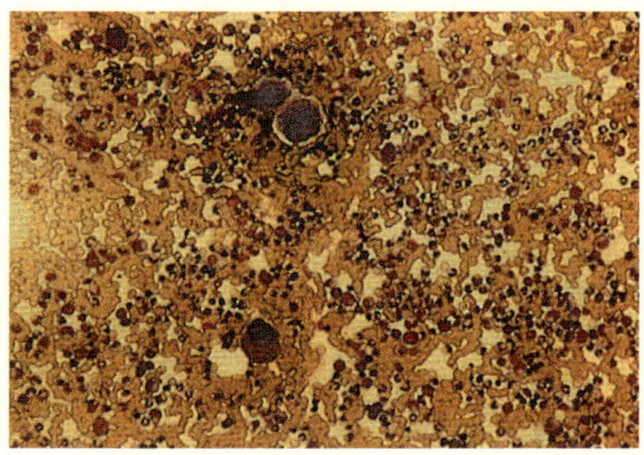

(특발성혈소판감소성자색반병, 21세, 여성)

↑ : 증가한 거대핵세포

[그림 9-4] 증가된 거대핵세포

③ 출혈시간 : 연장

이것은 1차지혈의 장애를 의미한다.

④ 응고시간 : 정상

PTT, PT 모두 정상이다.

⑤ Rumpel-Leede 검사 : 양성

이 시험은 혈관의 취약성을 조사하는 시험인데 ITP에서도 양성이 된다.

⑥ 항혈소판항체 : IgG 증가

ITP에서는 혈소판 관련 IgG(platelet associated IgG : PAIgG)가 증가하는데, 이 PAIgG가 면역반응에 의한 혈소판 파괴에 중요한 역할을 한다.

ITP에서는 PAIgG가 높은 수치를 보이지만, PAIgG가 증가한다고 해서 바로 ITP라고 진단할 수는 없으므로 주의하자.

⑦ 혈소판의 수명 : 단축

정상적인 혈소판의 수명은 대개 1주일 정도인데, 혈소판의 파괴가 항진되어 있는 ITP에서는 수명이 하루도 안 된다.

혈소판의 수명이 단축되고 있다는 사실을 증명하는 것은 매우 중요하다.

TIP

출혈시간 Bleeding time

출혈시간이란 출혈경향의 스크리닝(screening)에서는 빠뜨릴 수 없는 검사 중의 하나이다. 간단히 말하면 피검사자의 몸에 상처를 내서 출혈을 하게 만든 다음, 피가 멈출 때까지 걸리는 시간을 재는 검사이다. 귓불에 상처를 내는 것을 Duke법이라고 하고, 혈압을 일정하게 한 다음 위팔에 상처를 내는 것을 Ivy법이라고 한다. 출혈을 일으켜 피가 멈출 때까지의 시간을 재는 매우 원시적인 방법이지만 그 검사 결과는 많은 정보를 제공해 준다.

출혈시간으로 1차지혈의 이상을 알아낼 수 있다.

1차지혈의 주역은 혈소판이다. 그러므로 다음과 같이 생각할 수가 있다.

출혈시간의 연장
= 1차지혈의 이상
= 혈소판에 문제가 있다
= 혈소판 수가 부족하거나 또는 혈소판의 기능(부착, 응집, 방출)에 이상이 있다.

요컨대 출혈시간을 재는 것은 우선 혈관의 상처를 혈소판으로 막을 수 있는지를 보는 것이다. 주의해야 할 것은 2차지혈의 이상은 출혈시간과 관계가 없다는 것이다. 즉 2차지혈에 이상이 있어도 출혈시간은 정상이다. 피브린이 생기지 않는다고 해도 혈소판이 상처를 확실하게 막아 준다면 일단 출혈은 멎는다. 바꿔 말하면, 혈소판이 우선 상처를 막아주지 않으면 응고계의 정상·이상에 관계없이 출혈이 계속된다.

정리해 보면 다음과 같다.

- **1차지혈의 이상 → 출혈시간의 연장**
  (예) 혈소판감소증
  Glanzmann병
  혈소판 기능이상증
  von Willebrand병 등
- **2차지혈의 이상 → 출혈시간은 연장되지 않는다.**
  (예) 혈우병
  비타민 K 결핍증 등

그러나 검사에서 동종원소(isotope)를 사용하기 때문에 병동에서는 손쉽게 할 수 없는 어려운 점이 있다.

3) 치료

① 급성형

급성ITP는 대부분 자연치유되므로 대증요법으로 치료하면서 경과를 관찰한다.

② 만성형

만성형의 치료는 출혈경향의 개선을 목적으로 한다. 즉 혈소판감소가 분명하거나 출혈상태가 있는 경우에 치료를 행한다.

혈소판 수를 정상치까지 되돌릴 필요는 없고 출혈증상이 나타나지 않을 정도까지만 되돌리면 충분하다.

치료는 제1선택이 부신피질스테로이드제, 제2선택이 비장적출, 제3선택이 면역억제제이다(그림 9-5).

제1선택약인 부신피질스테로이드로 효과가 불충분한 경우에는 비장 적출을 한다. 비장 적출로도 불충분한 경우에는 면역억제제를 사용한다. 발병으로부터 6개월 동안은 만성인지 급성인지 진단할 수가 없기 때문에 부신피질스테로이드를 사용한다.

비장적출은 발병 추정일 후 6개월 이내에는 실시하지 않는다. 급성ITP인 경우에는 대부분 자연치유되기 때문이다. 증상이 6개월 이상 계속되고 또 만성이라고 진단한 후에야 비로소 비장적출을 고려한다.

수술이나 분만 전에는 γ-글로불린 대량요법(IVIG)을, 긴급 시에는 혈소판 수혈을 행한다.

4) 예후

ITP는 난치병이지만 결코 예후가 나쁜 병은 아니다. 그러나 면역억제제로도 혈소판 수가 회복되지 않는 사람이 5~10% 정도 되는데, 그런 사람은 출혈증상으로 고통받는다.

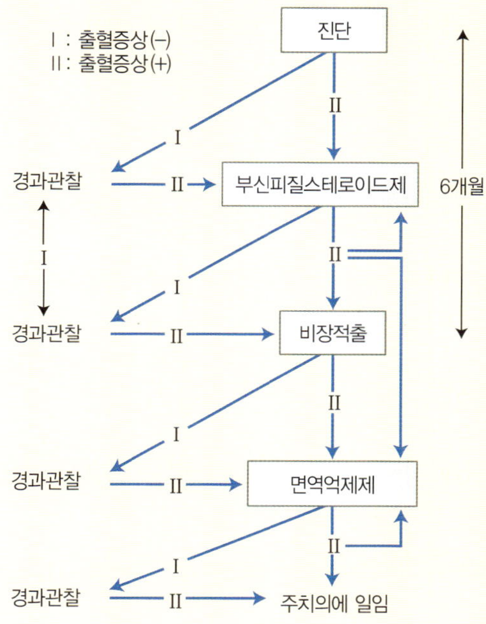

[그림 9-5] ITP 치료 흐름도

2. Wiskott-Aldrich증후군

반성열성유전(X-linked recessive inherited)으로, 남자아이에게만 증상이 나타난다. 혈소판감소증으로 인한 출혈경향과 아토피성습진을 동반하는 특징이 있는 선천성면역결핍증이다.

3. 파종혈관내응고

Disseminated intravascular coagulation : DIC

DIC에는 장기증상(장기에 나타나는 증상)과 출혈증상이라는 2대 증상이 있다.

DIC에 대한 핵심 내용은 다음과 같다.

- DIC에는 반드시 기저질환이 있다(표 9-2).
- DIC는 질환이 아니고 병태이다.
- DIC는 응고와 섬유소용해가 항진된 상태이다.
- 응고의 항진 → 혈전 → 장기증상
- 소모성 응고장애와 섬유소용해 항진 → 출혈경향

'DIC의 2대 증상은 장기증상과 출혈증상'이라는 것을 다시 한 번 강조해 둔다.

A. 감염증	1. Gram음성균감염증 2. 중증Gram양성균감염증 3. 중증바이러스감염증
B. 쇼크	
C. 악성종양	1. 백혈병(특히 APL) 2. 암·육종의 침윤 및 파종성 전이
D. 산과적 질환	태반조기박리(premature separation of placenta), 양수색전(amniotic embolism), 자궁내사망태아잔류, 포상기태, 임신중독증
E. 혈관내용혈	
F. 조직손상	1. 대수술 후(폐, 전립선, 췌장, 부신의 수술, 장시간에 걸친 체외순환) 2. 광범위한 외상 3. 광범위한 화상
G. 혈관병변	1. Kasabach-Merritt증후군 2. 심장류(심장삐짐), 대동맥류 3. 혈전저혈소판혈증자색반병(TTP), 용혈요독증후군(HUS) 4. 결합조직질환
H. 기타	중증호흡곤란증후군(ARDS), 이식장기의 거부반응, 독사의 교상, 전격자색반병 등

[표 9-2] DIC의 주요 기저질환

2 응고인자 이상

응고인자에 이상이 생기면 2차지혈장애가 발생한다. 출혈시간(bleeding time)은 정상이지만 피브린이 생산되지 않아 혈소판혈전을 견고하게 만들 수가 없으며, 따라서 혈관 상처의 덮개가 견고하지 않아 그곳으로부터 출혈이 일어나는 것이다.

출혈경향의 기전이 달라지면 출혈 부위도 달라진다.

1차지혈에 이상이 있으면 몸의 표면에서 출혈이 일어나지만, 2차지혈에 이상이 있으면 몸 속 깊은 곳에서 출혈이 일어난다.

정리하면 다음과 같다.

- 1차지혈의 이상
  → 피부점막출혈, 코출혈, 잇몸출혈
- 2차지혈의 이상
  → 관절내출혈, 피하출혈, 근육내출혈

출혈부위를 보면 환자의 출혈증상이 1차지혈의 이상 때문인지, 2차지혈의 이상(응고인자의 이상) 때문인지 대략 짐작할 수 있다. 응고인자의 이상에 의해 다음과 같은 질환이 나타난다.

- 혈우병
- 비타민 K 결핍증
- 간질환

1. 혈우병 Hemophilia

반성열성(X-linked recessive)유전을 하는 선천성 응고이상 질환이다. 혈우병은 A형과 B형으로 분류된다. 혈우병 A는 응고인자 중 제VIII인자가 결핍된 질환을 가리키고, 혈우병 B는 제IX인자가 결핍된 질환을 가리킨다. 이 두 가지의 임상증상과 예후에는 거의 차이가 없다. 또한 빈도는 혈우병 A:혈우병 B=5:1이다.

1) 임상증상

혈우병의 임상증상에는 여러 가지 소견이 있지만 가장 기본적인 증상은 출혈이다(그림 9-6).

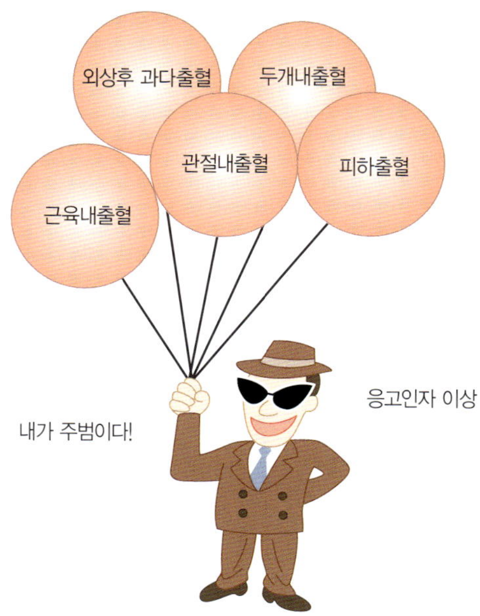

[그림 9-6] 혈우병의 증상

① **관절내출혈**

가장 빈도가 높고 혈우병에 특징적인 출혈이다. 가벼운 타박상이나 외상으로 인해 일단 관절내 출혈이 시작되면 국소열감, 종창을 수반하는 심한 통증이 생기고, 관절의 가동범위가 현저하게 제한되어 근육의 위축을 초래한다.

이렇게 관절이 진행성으로 침범되어 관절강직, 운동기능장애를 보인다.

② **피하출혈, 근육내출혈**

관절내출혈에 이어 두 번째로 많이 나타나는 출혈증상으로, 출혈로 인해 피하혈종, 근육내혈종이 나타난다. 혈종으로 인해 주위의 혈관과 신경이 압박을 받아 그에 따른 증상(통증, 마비)이 나타나는 경우도 있다.

③ **기타**

외상후 과다출혈이나 두개내출혈이 나타나는 경우가 있다. 특히 치아발치 후 지혈곤란으로 혈우병임을 알게 되는 경우도 적지 않다.

2) 검사소견

응고시간(coagulation time)을 제외한 모든 검사소견은 정상이다. 따라서 출혈시간도 정상이고 혈소판 기능도 정상이며 또한 혈소판 수도 정상이다. 유일하게 이상 수치를 보이는 것이 aPTT이다. 혈우병에서는 aPTT가 연장된다. 즉 내인성경로의 응고시간을 반영하는 검사에서만 이상 수치를 나타내는 것이다.

3) 치료

부족한 것을 보충하는 보충요법을 실시한다. 혈우병 A에는 제VIII인자, 혈우병 B에는 제IX인자 제제를 사용해서 보충요법을 실시한다.

플 러 스 코너

2. 혈우병 A와 von Willebrand 병의 비교

혈우병 A와 von Willebrand 병은 모두 제VIII 인자 활성이 저하하므로, APTT 연장, PT 정상 등의 공통된 검사 결과가 나타나지만, 제VIII 인자의 활성저하의 원인이나 출혈시간 연장의 유무 등에서 차이가 난다.

질환명		혈우병A	von Willebrand 병
원인		제VIII 인자의 양적·질적이상	vWF의 양적·질적이상
검사항목	혈소판 수	정상	정상
	출혈 시간	정상	연장
	활성저하의 응고인자	제VIII 인자	제VIII 인자
	vWF (von Willebrand factor)	정상	저하
	APTT (activated partial thromboplastin time)	연장	연장
	PT(prothrombin time)	정상	정상
유전형식		반성 열성유전	상염색체 우성유전
출혈의 특징		심부 출혈이 반복된다	자반, 코출혈 등 표층 출혈이 많다

혈우병 핵심정리

병태생리로 보는 혈우병

응고인자에 이상이 생기면 2차지혈장애가 발생한다. 출혈시간은 정상이지만 피브린이 생산되지 않아 혈소판 혈전을 견고하게 만들 수가 없으며, 따라서 혈관 상처의 덮개가 견고하지 않아 그곳으로부터 출혈이 일어난다. 이러한 응고인자의 이상에 의해 나타나는 질환 중 하나가 혈우병으로, 혈우병은 반성열성 유전을 하는 선천성 응고이상 질환이다. 즉 혈액응고인자가 결핍되어 출혈경향이 증가하는 유전성 응고장애를 혈우병이라 한다.

병 인	• 성염색체(X)로 유전되는 열성 유전질환 • 혈우병 A : 제Ⅷ응고인자 결핍 • 혈우병 B : 제Ⅸ응고인자 결핍(빈도는 혈우병 A : 혈우병 B = 5 : 1) • 혈우병 C : 제Ⅺ응고인자 결핍
병 태	• 반복되는 관절내 출혈: 가벼운 타박상이나 외상이 원인이 됨. • 피하출혈 및 근육내 출혈: 관절내 출혈 다음으로 많음. • 출혈은 신체 모든 곳에서 가능함. * 점상출혈, 자반증은 나타나지 않음
증 상	• 혈관절증, 혈종 • 출혈 – 외상 후 과다출혈 – 두개내 출혈 – 근육내 출혈 – 관절내 출혈 – 피하 출혈 * **합병증 : 두개내출혈, 표재성 출혈, 관절손상 및 장애, 근육 및 신경마비 등**

진 단 및 검 사	**검사소견** • 응고시간을 제외한 모든 검사소견은 정상 : 출혈시간, 혈소판 기능, 혈소판 수 모두 정상 • 응고시간(aPTT) 연장(혈우병 A) : 내인성경로의 응고시간을 반영하는 검사에서만 이상 수치를 보인다.

치 료	• 주요 출혈부위를 빨리 지혈시키고 출혈을 예방하는 것이 우선이다. • 혈장내 항혈우병인자(AHF)를 보충하여 급성 출혈을 예방한다. - 혈우병 A : 제Ⅷ인자 제제 - 혈 혈우병 B : 제Ⅸ인자 제제 • 섬유소 용해효소 억제제, 진통제, 부신피질호르몬제제 사용

응고인자 이상

1. 비타민 K 결핍증

비타민 K 의존성이라는 말이 나오면 II, VII, IX, X 인자를 생각하자.

비타민 K 의존성으로 생산되는 단백질
- 응고인자 : II, VII, IX, X
- 응고저지인자 : protein C, protein S

비타민 K 의존성 단백질에는 응고인자(제II, VII, IX, X인자)와 응고저지인자(protein C, protein S)가 있다.

비타민 K가 결핍되면 이들 의존성 단백질이 감소되고, 그 결과 응고인자결핍에 의해 심한 출혈증상이 나타난다.

비타민 K 결핍 → 출혈경향이라고 기억하자.

1) 비타민 K 결핍의 원인과 분류

신생아, 유아, 성인에 따라 비타민 K가 결핍되는 원인이 다르다.

① 신생아 melena(신생아 일차성 출혈증)

생후 1주일 이내에 나타나는 혈변, 토혈을 말한다. 이것은 출생시 비타민 K의 비축 부족, 모유의 비타민 K 부족, 신생아 간의 미숙 등의 원인으로 발생한다(그림 9-7).

이것은 일시적인 것으로, 방치해 두어도 호전된다.

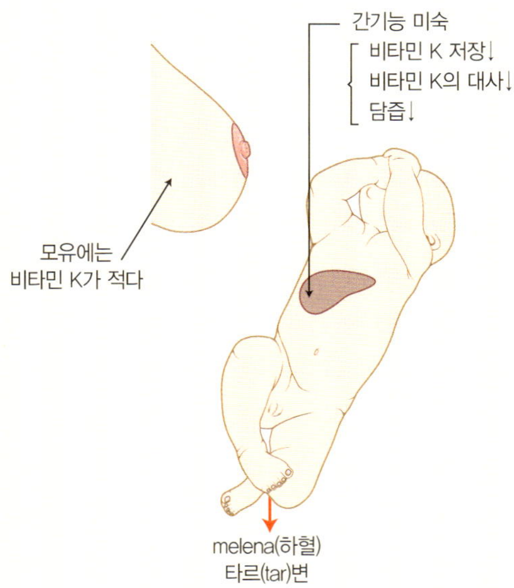

[그림 9-7] 신생아 melena

② 유아 비타민 K 결핍성 출혈증

원인이 전혀 밝혀지지 않은 특발성과 원인이 비교적 명확한 속발성이 있다. 양쪽 다 여러 가지 악조건이 겹쳐 발병하는 것이다. 악조건이란 모유 중의 비타민 K 함량이 낮은 경우(이 질환은 모유를 먹는 아이에게 많다), 유아의 비타민 K 흡수가 나쁜 경우, 간 · 담도계통의 이상을 동반하고 있는 경우 등을 말한다. 생후 1~2개월에 집중적으로 나타나고 두개내 출혈이 많은 것이 특징이다. 소아과 영역에서는 매우 중요한 질환이다.

③ 성인형 비타민 K 결핍증

비타민 K 섭취부족, 흡수장애, wafarin의 과다투여 때문에 발생한다. 비타민 K는 담즙의 존재하에서만 소장으로부터 흡수되기 때문에 담즙이 분비되지 않는 질환, 예를 들어 폐쇄황달에서는 비타민 K 결핍이 나타난다.

Warfarin은 비타민 K 대사길항제이다. 비타민 K의 대사를 억제하여 비타민 K 결핍을 일으킨다. warfarin은 항응고제로서, 심장판막치환술후 혈전형성예방 등을 목적으로 투여한다. 그 때문에 과잉으로 트여하면 출혈증상이 발생한다.

2) 검사소견

응고인자 중 제II, VII, IX, X인자가 결핍되어 있기 때문에 내인성경로, 외인성경로 양쪽의 응고반응이 모두 지연된다. 따라서 aPTT, PT가 모두 연장된다.

또한 비타민 K 결핍 시 증가하는 PIVKA에 대해서도 알아두자.

2. 간질환

제VIII인자 이외의 응고인자는 간에서 만들어지기 때문에, 간에 장애가 생기면 이들 응고인자가 결핍되어 출혈증상이 나타나는 경우가 있다.

제VIII인자를 제외한 모든 응고인자의 활성이 저하되기 때문에, 내인성경로, 외인성경로 모두 응고시간이 연장된다. 다시 말해 aPTT, PT가 모두 연장되는 것이다.

ADVANCED STUDY

출혈성 질환–von Willebrand 인자의 이상

von Willebrand 인자의 이상

'기타'로서 von Willebrand 인자의 이상을 다루는 데는 이유가 있다. von Willebrand 인자는 혈소판의 부착에 관여하는 인자인 동시에, 제VIII인자를 안정화시키는 운반단백(carrier protein)이기도 하다. von Willebrand 인자에 이상이 있으면 1차지혈장애와 2차지혈장애가 모두 발생하기 때문에 '기타'로 다루었다.

von Willebrand 인자의 이상

① 혈소판과 내피하조직의 부착↓
→ 1차지혈장애

② 제VIII인자의 carrier protein ↓
→ 혈장 중의 제 VIII 인자 활성 ↓
→ 2차지혈장애

von Willebrand 인자에 이상이 있는 질환으로서 von Willebrand병에 대해 살펴보기로 하자.

1. von Willebrand병 vWD

vWD는 von Willebrand 인자(von Willebrand's factor : vWF)의 양적, 질적 이상이 원인으로 발생하는 질환이다. 선천성 질환으로 상염색체 유전을 하며, 선천성 출혈성 질환 중에서는 혈우병 A 다음으로 많은 질환이다.

vWF는 분자량이 25만인 소단위(subunit) 중합체이다. 그 때문에 혈장 중에는 다양한 분자량의 vWF가 존재한다. vWD는 vWF 중합체의 분포(분자량이 큰 vWF가 감소하고 있다거나 모든 분자량의 vWF가 감소하고 있다는 정보)나 유전형식(우성유전인지 열성유전인지) 등에 따라 몇 가지 병형으로 분류된다.

1) 병태생리와 임상증상

vWF의 이상으로 인해 1차지혈장애와 2차지혈장애가 일어난다. 그러나 1차지혈장애 때문에 나타나는 임상증상과 2차지혈장애 때문에 나타나는 임상증상이 동시에 발생하는 것은 아니다. 제VIII인자의 활성저하를 혈우병 A와 같다고 생각하여 vWD는 혈우병 A와 증상이 같을 것이라고 생각한다면 큰 잘못이다. 혈우병 A에서 특징적으로 나타났던 관절내출혈 등의 심부출혈은 거의 발생하지 않으며, 혈소판 점착능력의 저하에 의한 코출혈, 잇몸출혈, 소화관출혈(하혈, 혈변) 및 자반이 나타난다.

2) 검사소견

① 말초혈액

혈소판 수는 정상이다.

② 혈소판기능검사

혈소판 자체에는 이상이 없지만(있다면 혈소판기능이상증), 기능검사에서 이상 수치가 나온다. 그것은 혈소판부착능(=혈소판정체율)과 ristocetin응집이다. 1차지혈장애 때문에 출혈시간은 연장된다.

③ 응고시간

제VIII인자의 활성 저하에 의해, 내인성 경로의 응고를 반영하는 aPTT가 연장된다. 외인성 경로의 응고를 반영하는 PT는 정상이다.

④ 정리

정상인 것

- 혈소판 수
- ADP응집
- PT

이상이 있는 것

- 혈소판부착률
- ristocetin응집
- aPTT

3) 치료

출혈 시 지혈하기 곤란할 때 이외에는 치료하지 않는다. 치료의 목적은 vWF를 증가시키고 제VIII인자를 보정하는 것이다. 혈소판 수혈은 적응되지 않는다.

① 농축 제VIII인자 제제(factor VIII concentrate)

농축 제VIII인자 제제 중, 특히 vWF를 함유하고 있는 것을 사용한다.

② DDAVP

1-desamino-VIII-D-arginine vasopressin

DDAVP는 요붕증 치료에 사용된다. DDAVP를 정맥주사하면 혈중의 제VIII인자 및 vWF가 증가한다. 단 DDAVP가 유효한 증례는 한정되어 있다.

4) 감별질환(표 9-3 참고)

질환명		von Willebrand병	Bernard–Soulier 증후군	저장풀질환	혈소판무력증 (Glanzmann병)
원인		• vWF의 양적 또는 질적 이상	• 혈소판막당단백 GPⅠb/Ⅸ의 결손	• 혈소판과립의 감소, 결손	• 혈소판막당단백 GPⅡb/Ⅲa의 결손
혈소판	출혈시간	연장	연장	연장	연장
	점착능	저하	저하	정상	정상
	응집능	리스토세틴 응집저하	리스토세틴 응집저하	ADP·에피네프린 2차응집저하, 콜라겐 응집저하	ADP·에피네프린·콜라겐 응집저하
	형태	정상	거대 혈소판	정상	정상
	수	정상	감소*	정상	정상
	혈병퇴축능	정상	정상	정상	저하
응고	APTT	연장	정상	정상	정상
	PT	정상	정상	정상	정상
유전 형식		상염색체우성유전	상염색체열성유전	상염색체열성유전	상염색체열성유전
치료		• 제Ⅷ인자 의약품 • 데스모프레신	• 혈소판 수혈	• 혈소판 수혈	• 혈소판 수혈

* Bernarc–Soulier 증후군의 혈소판감소는 자동혈구분석기가 거대 혈소판을 적혈구로 오인함으로써 일어난다.

[표 9–3] von Willebrand 병과 감별을 요하는 질환(참고)

ADVANCED STUDY 출혈성 질환–혈관이상에 의한 출혈성 질환

혈관이상에 의한 출혈성 질환

혈소판이나 혈장성분(응고인자, vWF)에 이상이 있으면 출혈경향을 나타내지만, 혈관에 이상이 있어도 출혈경향을 일으킨다.

중요한 것은 알레르기자색반병(Henoch Schönlein purpura)이다.

1. 알레르기자색반병

Henoch-Schönlein purpura : HSP

특징적 자반, 관절증상, 복부증상 등 3가지 주요 징후를 가진 질환으로, 이들의 배경에는 알레르기 자색반병이 있다고 추정된다. 출혈경향이 있기 때문에 혈액 부분에서 다루어지지만, 병태는 혈관병이기 때문에 혈액과는 무관하다.

또한 HSP는 IgA nephropathy와의 감별이 필요한 질환인데, 신장에서 증상을 나타내는 경우가 약 30% 된다. 주로 소아에게서 나타나는 질환이다.

1) 임상증상

HSP가 생기는 원인은 불명확한 경우가 많은데, 상기도염 등의 선행감염을 수반하는 경우도 있다. 이 질환의 다양한 증상은 알레르기자색반병에서 기인한다고 생각된다. 구체적인 증상은 다음과 같다(**그림 9-8**).

① 특징적 자반

1~5mm 정도의 약간 융기된 점모양 출혈반이다. 자반은 좌우대칭성으로 나타나고, 호발부위는 종아리 아래쪽의 앞면이다(**그림 9-9**).

② 관절증상

관절증상은 발목, 무릎 등의 관절에서 나타나며, 주로 관절통이 나타난다.

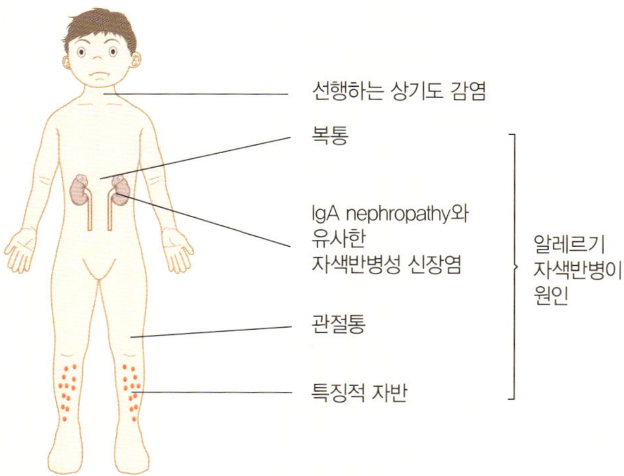

[그림 9-8] Henoch-Schönlein purpura의 임상증상

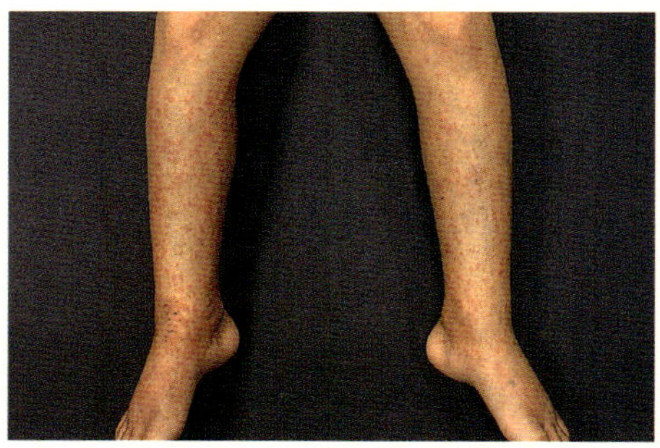

(7세, 남아)

[그림 9-9] HSP의 특징적 자반

③ 복부증상

주로 복통이 나타나는데, 장중첩증(intussusception)을 수반하는 경우가 있다.

④ 신장증상

신장증상으로는 대부분 현미경적 혈뇨가 일과성으로 나타나는데, 이를 자반병성 신장염이라고 한다.

대부분의 증상은 자연 치유되지만 드물게 신장장애가 장기화되는 경우가 있고, 또한 그 일부는 신부전에 이르기도 한다.

2) 검사소견

① 지혈응고에 관한 검사

본질적으로 혈관의 염증성질환이므로, 혈액에 관한 검사소견은 거의 정상이다. 제XIII인자가 저하되는 증례도 있다. 알레르기성혈관염으로 인해 혈관벽이 약해지기 때문에 혈관의 취약성을 조사하는 Rumpel-Leede 검사에서 양성으로 나타난다.

② IgA신장병증(nephropathy)과의 관계

약 반수의 증례에서 IgA가 상승한다. 신장의 병리소견은 IgA신장병증(nephropathy)과 완전히 동일해서, mesangial proliferative glomerulonephritis의 병리소견을 나타낸다. 따라서 신장소견으로부터 자색반병성 신장염과 IgA신장병증(nephropathy)을 감별할 수는 없다.

그러나 IgA신장병증(nephropathy)은 신장병증의 증상만 있기 때문에, 임상증상의 차이(관절증상, 복부증상의 유무 등)를 보고 양쪽을 감별할 수 있다.

3) 치료

대증요법이 중심이다. 대부분 자연치유되는 질환이다.

4) 정리

- 선행감염
- 좌우 대칭성, 종아리 아래쪽 앞면의 자반
- 관절통, 복통
- 자색반병성 신장염
- IgA 상승
- 지혈응고 검사는 대부분 정상
- 제XIII인자가 저하되는 경우도 있다

IX

2. 기타 혈관성자색반병

1) 선천성 질환

선천성 질환으로서 중요한 것은 오슬러병(Osler-Weber-Rendu disease, 유전성출혈성모세혈관확장증)이다. 그 밖에 collagen에 이상이 있는 유전성 결합조직이상증인, Ehlers-Danlos증후군, Marfan증후군, osteogenesis imperfecta 등이 있다.

이 3가지 질환은 collagen에 이상이 있기 때문에 혈소판과 잘 부착되지 않아 출혈증상이 나타난다고 생각하면 이해하기 쉬울 것이다. 참고 정도로 알아두자.

① 오슬러병 (Osler's disease)

상염색체 우성유전으로, 다발성모세혈관확장증과 피부 · 점막으로부터의 출혈증상이 주로 나타난다. 20~30대가 되어 처음으로 출혈증상이 시작되는 경우가 많은데 아직 원인이 밝혀지지 않았다.

② Ehlers-Danlos증후군

유전형식이 다양하다.

③ Marfan증후군

상염색체 우성유전이다.

④ 골형성부전증 (osteogenesis imperfecta)

상염색체 우성유전이고, 출혈증상을 보이는 경우는 드물다.

2) 후천성 질환

① 괴혈병 (scurvy)

괴혈병은 비타민 C가 결핍되어 생기는 질환이다. 비타민 C는 콜라겐(collagen)의 매개 역할에 필요하다.

따라서

비타민 C가 결핍되면,

→ 콜라겐(collagen)의 양적·질적 이상

→ 혈관벽의 취약화, 혈소판 부착기능 저하

가 일어나 출혈증상이 나타난다.

② 부신피질스테로이드제의 대량 장기투여, Cushing 증후군

부신피질스테로이드제의 이화작용에 의해 콜라겐이 저하된다. 혈액유출성(extravasation) 자반이 생기기 쉽다.

③ 노인성자색반병

고령자에게서 나타나는 질환으로 예후가 좋다.

B 혈전성 질환

1 혈전성 질환의 개념

지혈, 응고체계가 정상적으로 작용하는 상태에서 출혈이 일어나면 우리의 몸은 혈관의 상처를 혈전으로 막아 더 이상 출혈하지 않도록 한다. 이처럼 혈전을 형성하는 것은 생리적인 것으로 중요하다. 그러나 필요 이상으로 큰 혈전은 순환기능상실을 일으키므로 조직에 있어서는 마이너스가 된다. 또 혈관이 파괴되지 않았는데도 갑자기 혈관내에서 혈전이 형성되면 순환기능상실을 일으키기도 한다.

그러나 실제로 이와 같은 일은 일어나지 않는데, 그것은 필요할 때만 혈전을 만들며, 또한 크기를 알맞게 조절하는 조절체계가 있기 때문이다. 그 조절체계에 관여하는 것이 섬유소용해와 응고저지인자이다.

응고와 섬유소용해 · 응고저지인자가 힘의 균형을 유지하고 있을 때에는 앞에서 말한 것과 같은 상태는 일어나지 않지만(**그림 9-10**), 응고쪽의 힘이 강해졌을 때는 전신의 여러 부위에서 혈전이 다발하여 이 혈전이나 색전에 의한 증상이 발생한다(**그림 9-11**).

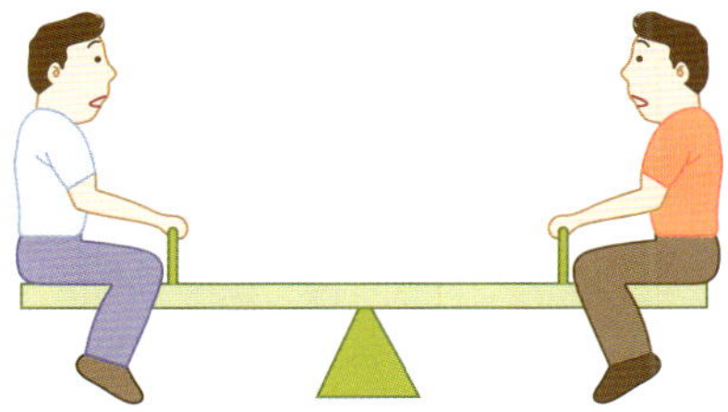

[그림 9-10] 정상

이와 같은 병태를 혈전증이라 하고, 혈전증을 일으키는 질환을 혈전성 질환이라고 한다.

혈전증은 혈전이 동맥에서 만들어지는지, 정맥에서 만들어지는지에 따라 증상이 다르다. 동맥에서 만들어지면 혈전이 있는 곳에서부터 혈액이 하류로 흐르지 않게 되기 때문에 그 동맥이 지배하는 영역에서는 허혈, 괴사가 일어난다. 동맥혈전 중 대표적인 것이 관상동맥혈전에 의한 심근경색과 뇌동맥혈전에 의한 뇌경색이다.

[그림 9-11] 혈전 발생 시

한편 정맥에 혈전이 생기면, 혈액이 심장으로 돌아오지 못하고 그곳에 머무르게 되는데, 그 결과 부종이 생긴다.

정맥혈전 중 대표적인 것은 다리의 심부정맥혈전(deep vein thrombosis)이다. 이 정맥혈전의 일부가 종종 떨어져서 심장을 경유해 폐로 유입되는 경우가 있는데, 이것을 폐색전증(pulmonary embolism)이라고 한다.

다리의 심부정맥혈전은 폐색전증의 원인 중 가장 많기 때문에 꼭 기억하기 바란다.

- **혈전성 질환의 분류**

혈전성 질환은 선천성과 후천성으로 분류된다(표 9-4). 선천성 혈전성 질환은 모두 ㅇㅇ결핍증이라는 유형이다. 후천성 혈전성 질환에는 혈전저혈소판혈증자색반병(thrombotic thrombocytopenic purpura), 용혈요독증후군(hemolytic uremic syndrome), 항인지질항체증후군(anti-phospholipid antibody syndrome)이 있다.

선천성	• antithrombin III 결핍증 • protein C 결핍증 • protein S 결핍증 • plasminogen 결핍증
후천성	• 혈전저혈소판혈증자색반병(TTP) • 용혈요독증후군(HUS) • 항인지질항체증후군

[표 9-4] 혈전성 질환의 분류

2 선천성 혈전성 질환

1. Antithrombin III 결핍증

ATIII가 결핍되면 응고반응을 억제할 수 없게 되어 혈전증이 발생한다는 흐름을 이해하면 충분하다. 선천성 ATIII 결핍증은 상염색체 우성유전으로, 2,000~5,000명 중 한 명의 비율로 나타난다. 혈전증의 발병은 젊은층에서 많고, 정맥혈전, 특히 다리 심부정맥혈전이 가장 많이 나타난다. 간경변으로 인해 후천성 ATIII 결핍이 발생하는 경우가 있다.

2. 선천성 protein C 결핍증

정맥혈전으로 인해 혈전증이 생긴다. 상염색체우성과 열성유전의 2가지 유형이 있다.

3. 선천성 protein S 결핍증

혈전증을 일으킨다는 것만 기억해 두자.

4. 선천성 플라스미노겐 결핍증

플라스미노겐이 결핍되었기 때문에 플라스민을 만들 수가 없다.
따라서 '플라스민 감소 → 피브린을 녹일 수 없다 → 혈전증가'라는 도식이 성립되는 것이다.

3 후천성 혈전성 질환

선천성 혈전성 질환에 포함되지 않는 질환은 모두 이 범주에 속하는데, 그 중에서도 혈전저혈소판혈증자색반병(thrombotic thrombocytopenic purpura)은 특히 중요하다.

1. 혈전저혈소판혈증자색반병 TTP

TTP가 어떤 것인지를 이해하고, ITP와의 차이와 용혈요독증후군과의 차이, DIC와의 차이를 파악하자.

TTP는 20~40대에 가장 많이 발병하는데, 여성 발병률이 약간 더 높다.

1) 병태생리

TTP에는 불명확한 점이 많지만, TTP 발병의 배경에 미세혈관의 혈관내피세포장애가 있다는 것은 일반적으로 인정되고 있는 사실이다.

혈관내피세포가 장애를 받는 원인은 확실히 밝혀지지 않았지만, 바이러스감염, 세균감염, 약제, 임신 등을 생각할 수 있다.

내피세포장애로 인해 혈소판응집이 일어난다. 구체적으로, 내피세포장애 → 혈소판응집 과정을 풀어보면 다음과 같다(**그림 9-12**).

① 내피세포가 장애를 받으면 내피세포 아래에 있는 콜라겐이 노출되는데, 이 콜라겐이 혈소판응집의 원인이 된다.

② 정상적인 내피세포는 강력한 혈소판응집 억제작용을 갖고 있는 prostacyclin(PGI_2)을 생산 · 방출하지만, 내피세포가 장애를 받으면 PGI_2 저하 → 혈소판응집 억제저하 → 혈소판응집 항진이 일어난다.

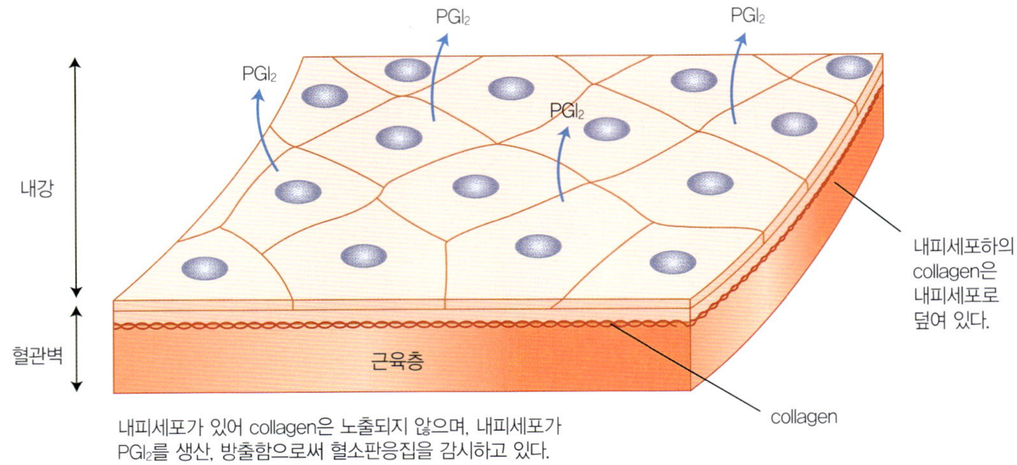

[그림 9-12] 내피세포

이러한 반응은 정상 지혈에서도 일어나므로 TTP에 특이적으로 일어나는 반응이 아니라고 생각할 수도 있다. 혈관에 상처가 나서 파괴되었을 때에는 확실히 위와 같은 반응이 나타난다. 그러나 이와 같은 생리적인 지혈반응은 어디까지나 혈관벽의 파괴와 내피세포의 장애가 일치했을 때 나타나며, 또 국소에 한정된 것이다. 그러나 TTP에서는 출혈이 없는 곳에서 지혈체계가 작용하여 혈소판응집이 일어나는 것이다. 필요치 않은 곳에 혈전이 생기고 그 혈전 때문에 혈류가 중단되어, 결과적으로 순환기능상실을 초래하는 것이다.

TTP에서는 혈소판응집이 항진되지만, 응고 · 섬유소용해계에서의 이상은 적다고 알려져 있다. 이런 차이가 TTP와 DIC의 커다란 감별점이 된다. 혈소판응집에 의해 발생한 혈소판혈전은 점차 피브린(fibrin)으로 바뀌어 초자양(hyaloid) 혈전이 된다. 혈소판은 소모성으로 감소하지만 피브린의 재료인 피브리노겐(fibrinogen)은 그다지 감소하지 않는다.

이 초자양 혈전이 미세혈관내에서 만들어지면서 TTP 환자는 여러 가지 증상을 보이는데, 대부분 미세혈관내의 초자양 혈전으로 인한 협착, 폐쇄 때문에 나타나는 증상이다.

정리하면 다음과 같다(**그림 9-13**).

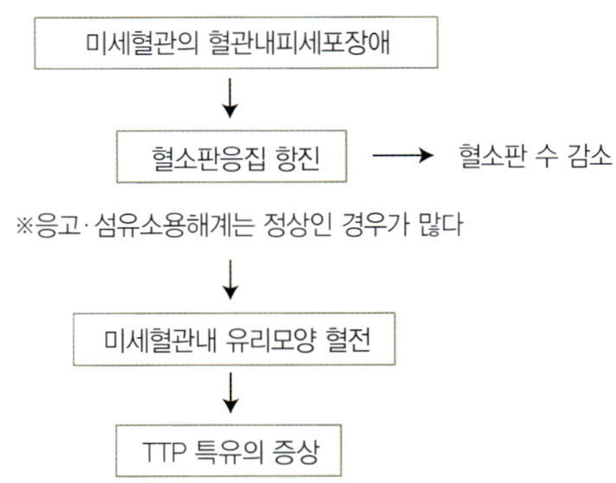

[그림 9-13] TTP의 병태생리

- 배경에 미세혈관의 혈관내피세포장애가 있다.
- 내피세포의 장애 → 혈소판응집 항진 → 미세혈관내 유리모양 혈전 → TTP 특유의 증상
- 혈소판응집은 항진되지만 응고 · 섬유소용해계의 항진은 적다.
- 그 결과 혈소판 수는 소모성으로 감소하지만, 피브리노겐 등의 응고인자가 감소하는 경우는 드물다.

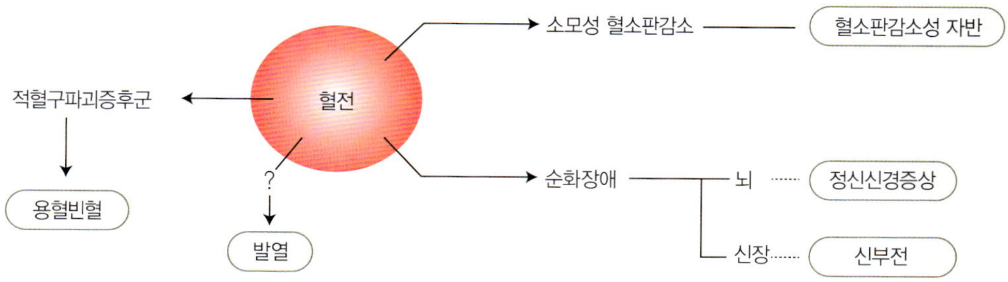

[그림 9-14] 임상증상

2) 임상증상

혈전이 미세혈관내에서 발생함으로써 다양한 증상을 나타낸다. TTP에는 5가지 특징이 있는데 이것은 모두 기억해 두자(그림 9-14).

① 혈소판감소성 자반

혈소판혈전이 다발하기 때문에 혈소판이 소모되어 감소한다. 2만/μL 이하가 되는 경우가 많고, 이 때문에 피하출혈(자반), 점막하출혈이 일어난다. 이 점만이 ITP와 비슷하다. ITP에는 아래 ②~⑤의 증상은 나타나지 않는다.

② 용혈빈혈 (hemolytic anemia)

적혈구파괴증후군에 의한 혈관내용혈이 일어난다.

③ 정신신경증상

뇌에 혈전이 생겨 미세한 뇌경색이 발생한 것이라고 설명할 수 있다. 일반적으로 두통으로 시작되어, 동요성으로 의식장애, 섬망, 발어곤란, 감각장애, 운동장애 등 다양한 증상을 보인다.

④ 발열

매우 잘 알려진 증상이지만 원인은 밝혀지지 않고 있다.

⑤ 신부전

신장에 미세혈전이 생기기 때문에 발생한다. 혈뇨, 단백뇨 등의 증상이 나타난다.

이처럼 TTP는 다양한 증상을 나타낸다. TTP와 마찬가지로 ITP에서도 혈소판이 감소하고 자반이 나타난다. 그러나 ITP는 출혈증상이 중심인 것에 비해, TTP는 출혈증상은 물론이고 혈전증, 빈혈과 같은 증상이 다양하게 나타난다는 점이 다르다.

3) 검사소견

병태생리, 임상증상을 기억하고 있으면 충분하다.

① 혈소판 감소

소모성 혈소판이 감소하고, 이를 보상하기 위해 골수의 거대핵세포(megakaryocyte)가 증가한다(그림 9-15).

② 용혈빈혈

TTP에서는 적혈구파괴증후군으로 인한 혈관내용혈이 일어난다.

따라서

- LDH 증가
- indirect bilirubin 증가
- haptoglobin 감소
- reticulocyte 증가

가 일어난다. 그리고 이 질환에 특징적으로 나타나는 분열적혈구(Schistocyte)가 말초혈액에서 나타난다. 골수에서는 그 보상으로 적혈모구(erythroblast)가 증가한다(그림 9-15).

③ 응고 · 섬유소용해계는 정상인 경우가 많다

PT, aPTT는 정상인 경우가 많다. FDP 증가는 DIC에서와 같이 전형적으로 나타나지는 않는다.

④ 신부전에 의한 소견

혈뇨, 단백뇨, 혈중 BUN 증가, 혈중 creatinine 증가가 나타난다.

4) 치료

혈장분리반출술(plasmapheresis)을 실시한다. 이 혈장분리반출술을 실시하면 왜 치료가 되는지 명확하게 알려져 있지 않지만, TTP에 대한 효과는 단연 뛰어나다. 혈장분리반출술을 실시하기 이전에는 발병 후 3개월 안에 사망하는 무서운 질환이었지만, 혈장분리반출술의 도입으로 70~80%의 환자가 좋아진다.

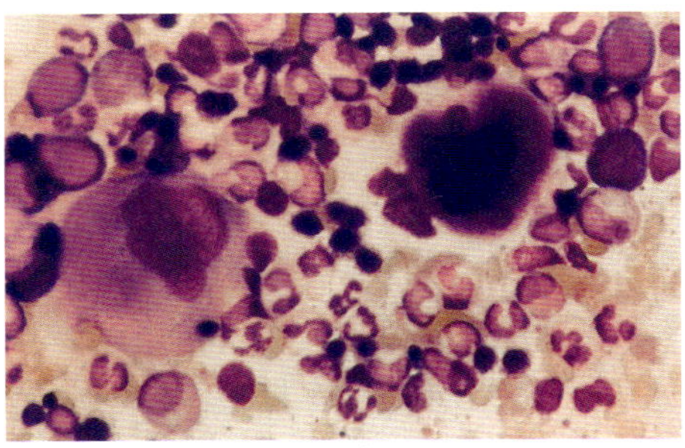

(40세, 여성)

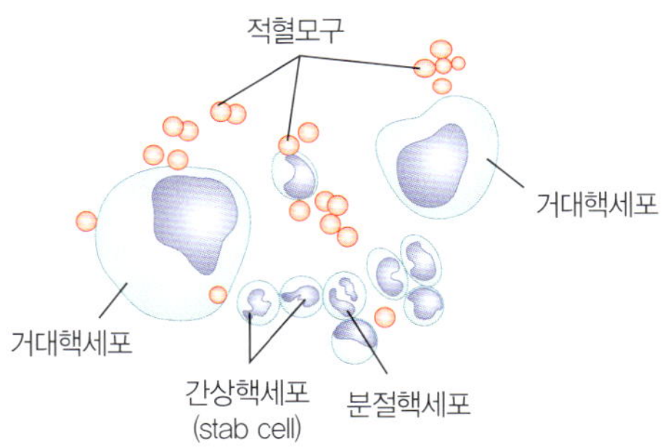

[그림 9-15] 혈전저혈소판혈증자색반병(TTP)

용혈요독증후군 Hemolytic uremic syndrome : HUS

영유아(0~4세)에서 많이 발병하며, 병명 그대로 용혈이 일어나 신장이 나빠지는 병이다. 왜 용혈이 일어나며, 왜 신장이 나빠지는가를 이해하는 것이 핵심이다. 또 한 가지 중요한 점은 TTP와의 차이이다.

1) 병태생리

HUS를 일으키는 중요한 이유 중 하나는 verotoxin을 생산하는 대장균(verotoxin producing E.coli : VTEC)의 감염이다. 대장균중 하나인 O157이 verotoxin을 생산함으로써 HUS를 일으킨다는 것은 너무도 유명하다. verotoxin은 혈관내피세포에 장애를 일으키고, 장관에도 장애를 일으킨다. Verotoxin이 방출되면 우선 설사를 비롯한 소화기증상이 나타난다. 그와 동시에 신장의 혈관내피세포(=토리와 미세동맥의 내피세포)가 장애를 받는다. 그리고 미세혈전이 다발하여 신장허혈, 신부전으로 진행된다(그림 9-16).

미세혈관내피세포장애→혈전형성→장기증상이라는 일련의 흐름은 TTP와 같다. 따라서 HUS는 TTP의 유사질환이라고 할 수 있다.

HUS에서는 혈관내피세포의 장애부위가 신장에 국한된다는 점이 TTP와 다르다. 신장에 혈전이 다발하기 때문에 소모성의 혈소판감소가 나타난다.

HUS의 Hemolytic은 용혈을 가리키지만, 구체적으로는 혈관내용혈을 말한다. HUS에서 혈관내용혈이 일어나는 기전은 TTP와 같다.

verotoxin이 원인인 HUS가 많지만, 그 밖에 상기도감염, 위장염, 항암제, 오염된 육류 등에 의해서도 HUS가 발병한다.

2) 임상증상과 검사소견

HUS에서는 대부분의 증례에서 설사를 동반한다. 설사를 중심으로 한 전구증상이 나타난 후에 빈혈, 혈소판감소증, 급성 신부전이 발생한다.

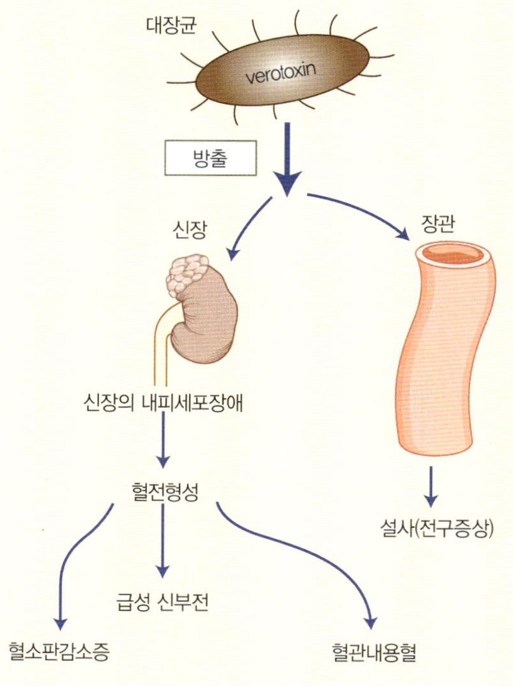

[그림 9-16] HUS의 병태생리

① 빈혈

TTP와 같은 기전으로 나타나는 혈관내용혈빈혈이다.

그 때문에

- schistocyte(+)(그림 9–17)
- reticulocyte 증가
- LDH 증가

등 혈관내용혈에 준한 소견을 보인다.

② 혈소판감소증

- 혈소판(platelet) 감소
- 골수의 거대핵세포 증가

③ 급성 신부전증상

HUS에 있어서 가장 중요한 증상이다. HUS는 소아 신부전의 원인질환으로 가장 중요하다.

사구체(토리)가 혈전으로 막히면 혈액을 여과할 수 없어 핍뇨, 무뇨가 된다. 소변으로 배설되지 않은 물은 세포외액으로 이행하여, 부종이나 고혈압을 일으킨다.

또한 물 외에도 각종 대사물을 배설할 수 없기 때문에 혈청 BUN과 creatinine이 상승한다. 설령 소변이 나왔다 하더라도 단백뇨나 혈뇨가 높은 빈도로 나타난다. 왜냐하면 사구체의 내피세포가 장애를 받기 때문이다.

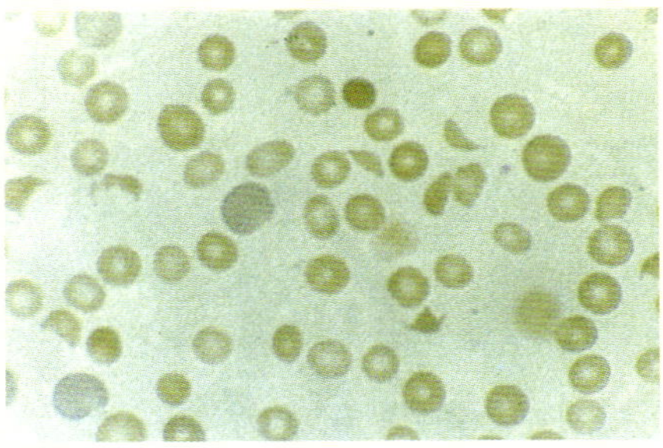

(3세, 여아)

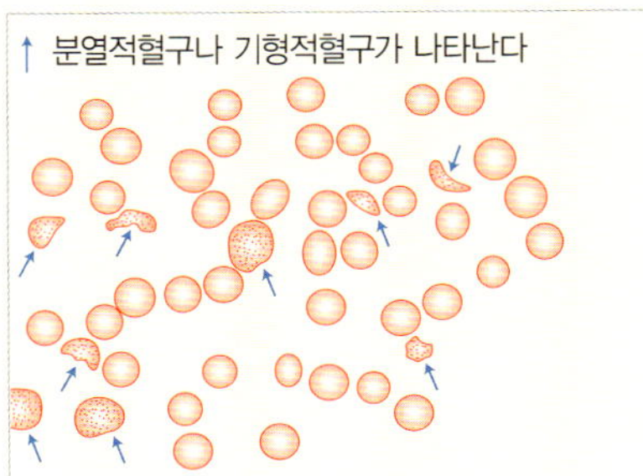

[그림 9–17] 용혈성 요독증후군(HUS)

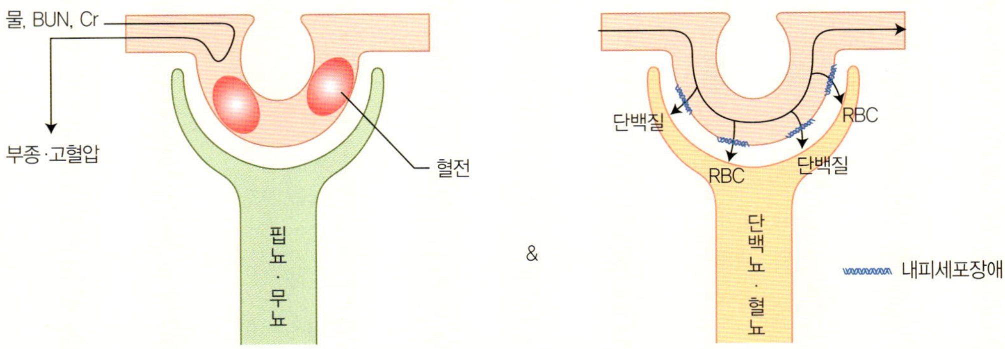

[그림 9–18] HUS에서의 급성 신부전 증상

내피세포는 기저막, 상피세포와 함께 filter를 형성하여, 여과 시 단백질과 적혈구 등이 체외로 빠져나가지 않도록 한다. HUS에서는 내피세포장애로 인해 filter가 파괴되어, 요중으로 단백질과 적혈구가 빠져나간다(그림 9-18).

HUS의 전형적인 예를 들면 다음과 같다.

'설사중인 영유아의 혈압을 재어 보았더니 높게 나왔다. 소변을 조사해 보니 단백이 양성이고, 잠혈(occult blood)이 양성이었다. 경과를 지켜보았는데, 소변은 나오지 않고 빵빵하게 부어올랐다….'

3) 치료

대증요법을 실시하여 자연관해를 기다린다. 이와 동시에 급성 신부전에 대한 신속한 대응이 중요하기 때문에 조기부터 투석을 실시한다. 빈혈과 혈소판감소에 대해서는 수혈을 하는데, heparin과 steroid 투여는 의미가 없다.

또한 TTP와 마찬가지로 혈장분리반출술을 실시하는데, 그 목적은 혈중의 verotoxin을 제거하는 것이다.

4) 감별질환

TTP, HUS, DIG, ITP는 출혈경향 등 유사한 증상이나 검사 소견이 많다.

감별에서는 각 질환의 특징을 파악하는 것이 유용하다(표 9-5).

	TTP	HUS	DIC	ITP
호발	• 여성에 약간 많다	• 영유아(0~5세)	• 악성종양, 기저질환이 있는 환자	• 여성에 많다 • 20대, 40대에 최고치
원인	• vWF 절단효소의 활성 저하	• 장관출혈성 대장균의 vero 독소	• 조직인자의 혈관 내 유입 등	• 혈소판에 대한 자기항체
증상 및 검사소견	• 혈소판 감소 • 용혈성 빈혈 • 정신신경증상 • 신장기능 장애 • 발열	• 혈소판 감소 • 용혈빈혈 • 급성신부전	• 혈소판 감소 • 장기 증상 (호흡곤란, 빈뇨, 쇼크 등)	• 혈소판 감소
혈소판 수	감소	감소	감소	감소
응고계·섬유소용해계	정상	정상	• APTT, PT 연장 • FDP↑, D-dimer↑	정상
말초혈억상·골수 상	• 말초혈액에 파쇄 적혈구 출현	• 말초혈액에 파쇄 적혈구 출현	• 말초혈액에 파쇄 적혈구 출현(약10%)	• 골수에서의 거대핵구 증가
치료	혈장 교환 요법	급성신부전에 대한 보완요법	헤파린, AT보충	부신피질스테로이드, 비장 적출

TTP : Thrombotic thrombocytopenic purpura
HUS : Hemolytic uremic syndrome
DIC : Disseminated intravascular coagulation
ITP : Idiopathic thrombocytopenic purpura

[표 9-5] TTP와의 감별에 필요한 질환

플 러 스 코너

3. 전구증상, 선행감염에 대하여

혈소판계의 질환에서는 전구증상을 보이거나 선행감염을 수반하는 것이 몇 가지 있는데, 간단히 정리해 보면 다음과 같다.

HUS

Verotoxin 생산 대장균의 감염에 의해 설사가 선행한다.

급성 ITP

홍역, 수두, 풍진 등 바이러스감염증이 선행되는 경우가 많다.

Henoch–Schönlein purpura

상기도염이 선행되는 경우가 많다.

4. 혈액질환과 신장장애

다음은 신장기능장애를 수반하는 혈액질환이다.

신장기능장애를 수반하는 혈액질환

- 다발성골수종(MM) → Bence Jones protein이 요세관을 폐쇄
- Henoch–Schönlein purpura(HSP) → 자색반병성 신장염
- DIC
- TTP
- HUS

항인지질항체증후군 Antiphospholipid antibody syndrome : APS

핵심포인트는 루푸스항응고물질과 혈전증이다.

1) 항인지질항체 Antiphospholipid antibody

SLE 환자에게 나타난 항인지질항체를 루푸스항응고물질(lupus anticoagulant : LAC)이라고 한다. Lupus는 SLE의 L, anticoagulant는 항응고라는 의미이다. SLE의 약 반수가 LAC 양성이다.

인지질은 응고반응이 시작되는 데 있어 중요한 역할을 하지만, 이 인지질에 대한 항체가 있으면 응고가 억제된다. In vitro에서는 LAC로 인해 혈액응고가 억제된다. 실제로 LAC보인자는 PT, aPTT가 연장된다. 그러나 LAC보인자는 출혈경향이 없고 혈전경향이 있다. 이것은 체내에서는 LAC가 응고를 억제하는 protein C 등의 억제인자를 방해하기 때문에, 오히려 혈전경향이 일어나는 것이다. 간단히 말하면 LAC의 작용이 in vitro와 in vitro에서 다르기 때문에 이러한 모순이 생기는 것이다.

2) 항인지질항체증후군
Antiphospholipid antibody syndrome : APS

항인지질항체의 존재와 반복되는 동정맥혈전증이나 습관성 유산 사이에 밀접한 관계가 있는 경우 항인지질항체증후군이라고 한다. 이유는 알 수 없지만 항인지질항체 때문에 혈전증이 생기는 것이다.

항인지질항체증후군의 임상증상으로서는 다음과 같은 것이 중요하다.

- 동맥, 정맥을 불문하고 빈발하는 혈전증
- 반복되는 유산과 태아사망(혈전에 의한 태반경색이 원인), 임신고혈압증후군

수혈·
조혈모
세포이식

X. 수혈
XI. 조혈모세포이식

길잡이

■ 시작에 앞서

수혈 · 조혈모세포이식에서는 혈액세포나 혈장단백을 타인의 몸 속에 넣는 것에 대하여, 그 생리를 중심으로 설명하겠다.

■ 수혈의 달성목표

① anti-A, B Ab와 Rh(D)Ab의 차이를 이해하자.
② ABO식 혈액형 부적합 수혈은 혈관내용혈이라는 것을 알자.
③ Rh식 혈액형 부적합 임신은 혈관외용혈이라는 것을 알자.
④ 각 혈액제제의 특징을 이해하자.
⑤ 왜 성분수혈이 필요한지 이해하자.

■ 조혈모세포이식의 달성목표

① 자가 조혈모세포이식과 동종 조혈모세포이식의 차이를 이해하자.
② GVHD와 GVL 효과에 대해서 이해하자.

X 수혈

수혈(transfusion)이란 혈액을 몸속에 넣는 것을 말한다. 혈액에는 여러 가지 성분이 있다.

- 혈액
  - 혈구
    - 적혈구 — 일반적으로 수혈이라고 하면 이것을 보충하는 것이다.
    - 백혈구
    - 혈소판 — 혈소판 수혈도 있다.
  - 혈장
    - 단백질
      - 응고인자
      - γ-globulin
      - albumin 등
    - 당
    - 전해질 (Na, K, Cl, Ca 등)
    - 물
    - 기타
    - (당, 전해질, 물, 기타:) 수혈이라 하지 않고 수액보충이라고 한다.

안전성과 효율을 생각하여 요즘은 혈액(전혈) 투여를 거의 하지 않기 때문에, 수혈이라는 말을 사용할 때에는 혈액성분 중의 무엇을 투여하는지 알아야 한다.

일반적으로 아무런 설명 없이 수혈이라는 말을 사용하는 경우에는 적혈구제제를 투여하는 것을 말하고, 혈소판제제를 투여하는 경우에는 혈소판 수혈이라고 한다. 혈장제제를 투여할 때는 수혈이라는 말을 별로 사용하지 않지만, 수혈의 연장선상에서 이루어지기 때문에 수혈학에서 공부하도록 한다. 물이나 전해질의 투여는 수혈이라고 하지 않고 수액보충이라고 한다.

수혈에서는 우선 적혈구제제의 투여에 대해서 중요한 점을 설명한 다음에 각 혈액제제에 대해서 설명하겠다.

A 혈액형

1 혈액형 검사의 이유

혈액형을 검사하는 이유는 부적합 수혈이 치명적이기 때문이다. 부적합 수혈을 하면 수혈 후, 몇 분 안에 불쾌감, 흉부압박감, 가슴등통증, 호흡곤란, 복통, 오심, 구토, 전율, 청색증(cyan-osis), 발열, 이상 혈압상승이 나타나고 이어서 혈압저하가 나타난다. 심한 신장장애로 발전하여 요독증(uremia)으로 사망하는 경우도 있다. 부적합 수혈은 혈액형을 검사하면 대부분 예방할 수 있다.

2 수혈은 안전한가?

여기서 말하는 혈액형이란 무엇인가? 교과서를 보면 ABO식, Rh식 외에도 Lewis식 등의 여러 가지 혈액형이 나온다. 혈액형을 분류하는 기준은 여러 가지가 있지만 일단 '적혈구에는 특이적인 항원이 있는데 이 항원을 각각의 형식으로 분류한 것이 혈액형이다'라고 기억해 두자. ABO식, Rh식의 2가지만 기억해도 충분하다.

그렇다면 혈액형만 검사해서 수혈하면 항상 안전한가? 답은 '100% 안전하지는 않다'이다. 부적합 수혈의 관점에서 보면 교차적합시험(cross-match)을 할 때 의사가 실수할 수도 있고, 매우 희귀한(증례보고 수준의) 혈액형을 접하게 될지도 모른다. 그러나 현재의 의료 수준에서는 부적합 수혈의 확률은 매우 낮다.

또 다른 큰 문제가 몇 가지 있다. 수혈에 의한 감염증의 문제와 수혈 후 GVHD(graft versus host disease)의 문제, 그리고 혈장단백 등에 의한 아나필락시스쇼크(anaphylactic shock) 등이다. 이러한 것들은 혈액형을 검사하는 것만으로는 예측할 수가 없다.

3 ABO식 혈액형

여기서 공부할 것은 다음 2가지이다.

- anti-A Ab, anti-B Ab
- cross match의 외부시험, 내부시험

1. ABO식 혈액형 판정의 기본지식

혈구와 항체를 반응시켜 응집되면 혈구가 그 항원을 가지고 있다는 것을 의미한다. 좀 더 자세히 살펴보자.

1) 항원 Antigen

적혈구막 표면에 당단백이 존재하는데, 그 당단백의 구조의 차이가 ABO 항원의 차이가 된다. **그림 10-1**에서 각각의 미묘한 차이를 확인하자. A항원을 A형 혈구응집소라고 하기도 한다.

2) 항체 Antibody

A항원에 대한 항체는 anti-A Ab이고, B항원에 대한 항체는 anti-B Ab이며, O항원에 대한 항체는 없다.

A항원을 갖고 있는 사람은 anti-A Ab가 없고, B항원을 갖고 있는 사람은 anti-B Ab가 없다.

또한 A항원을 갖고 있는 사람은 동시에 anti-B Ab를 갖고 있고, B항원을 갖고 있는 사람은 anti-A Ab를 갖고 있다. A항원도 B항원도 갖고 있지 않는 사람은 anti-A Ab, anti-B Ab 양쪽 모두 갖고 있다.

3) ABO식 혈액형

A항원을 갖고 있는 사람이 A형, B항원을 갖고 있는 사람이 B형, A · B항원 모두 갖고 있는 사람이 AB형, A항원도 B항원도 갖고 있지 않는 사람은 O형이다.

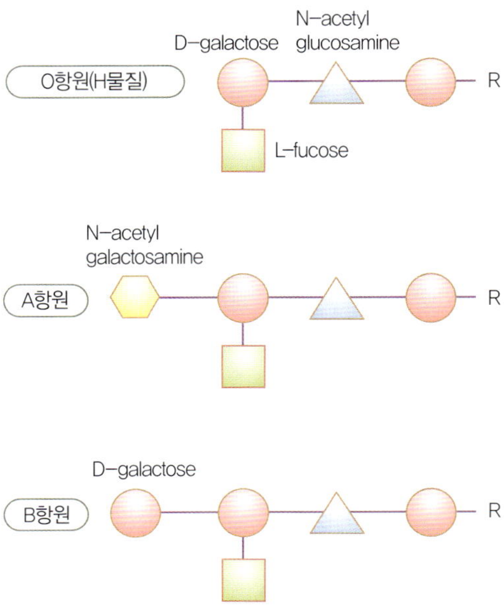

[그림 10-1] ABO 항원

	A항원	B항원	O항원
A형	◎	×	△(AO형)
B형	×	◎	△(BO형)
AB형	◎	◎	×
O형	×	×	◎

	anti-A Ab	anti-B Ab
A형	×	◎
B형	◎	×
AB형	×	×
O형	◎	◎

◎ : 반드시 존재한다.
△ : 존재할 때도 있고 존재하지 않을 때도 있다.
× : 절대 존재하지 않는다.

[표 10-1] ABO식 혈액형

항원, 항체, 혈액형의 관계를 표 10-1에서 확인하자.

4) anti-A Ab, anti-B Ab의 특징

항체가 IgM이라는 것과, 생후 수개월 이후부터 가지게 된다는 것이 가장 큰 특징이다.

IgM은 IgG의 5량체로, 항원결합 부위가 10군데 있다. IgM은 각 적혈구의 항원 사이에 가교 역할을 하여 적혈구를 응집시킬 수 있다(그림 10-2). 그러나 IgG 단독으로는 적혈구에 결합할 수는 있어도 응집시킬 수는 없다.

IgM에는 또 하나 중요한 특징이 있는데, 그것은 보체활성화(complement activation) 기능이다. IgM이 결합한 적혈구는 막에 구멍이 뚫려 혈관내용혈을 일으키는데, 이것은 한랭응집소병에서 혈관내용혈을 일으키는 기전과 같다.

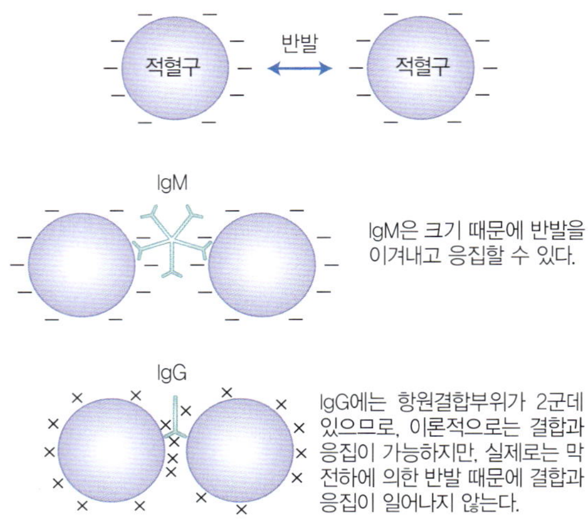

[그림 10-2] IgM에 의한 응집

'생후 수개월 이후부터 갖게 된다'는 것에 대하여 생각해 보자. 일반적으로 어떤 이물질에 면역되면 먼저 IgM이 생성되고, 다음으로 IgG가 생성된다. 여러분의 머릿속에는,

IgM = 최근에 항원 노출이 있었다는 증거

라는 도식이 들어 있을 것이다. 하지만, anti-A Ab, anti-B Ab는 조금 다르다.

A형인 사람은 anti-B Ab를 가지고 있지만, 이것은 B형 적혈구로 한 번 면역되었다는 의미는 아니다. 식사, 장내세균 등에 의해 anti-B Ab가 저절로 생긴 것이라고 생각되는데, 이와 같은 항체를 자연항체라고 한다. 지금 설명한 것은 Rh(D)Ab와의 비교에서 중요한 것이므로 기억해 두어야 한다.

2. ABO식 혈액형의 판정방법

교차적합 시험(cross match test)의 외부 시험과 내부 시험의 순서를 설명한다.

1) 외부 시험(주시험〈major〉이라고도 한다)

① 목적

환자의 혈청과 수혈팩의 혈구가 반응하는지를 본다.

② 준비할 것

환자의 혈청과 수혈팩의 혈구

③ 방법

섞어서 방치해 둔다.

④ 판정

응집되면 그 수혈팩은 사용할 수 없다.

2) 내부 시험(부시험〈minor〉이라고도 한다)

① 목적

환자의 혈구와 수혈팩의 혈청이 반응하는지를 본다.

② 준비할 것

환자의 혈구와 수혈팩의 혈청

③ 방법

섞어서 방치해 둔다(외부 시험과 동일).

④ 판정

응집되면 그 수혈팩은 사용할 수 없다(외부 시험과 동일).

수혈 전에는 반드시 cross match test를 해야 하며, 긴급 시에도 이 시험은 절대로 빠뜨려서는 안 된다. 왜냐하면 환자의 혈액형이 환자 자신이 알고 있는 것과 다를 수도 있고, 환자가 특수한 항적혈구항체의 소유자인 경우도 있다. 또 요구한 것과 다른 수혈팩이 오는 경우도 있기 때문이다.

TIP

각 인종의 ABO형 빈도(%)

	A	B	AB	O
한국인	34	27	11	28
일본인	40	20	10	30
중국인	27	32	13	28
인도인	42	11	4	43
영국인	42	9	3	47
미국인	40	11	3	46
오스트레일리아인	56	0	0	44

4 Rh식 혈액형

ABO식 혈액형은 1901년에 발견되었다. 생리 식염수 중의 혈구에 혈청을 섞어 응집을 보는 방법으로 혈액형을 분류하였다. 이 방법은 물론 현재에도 사용되지만(cross match test도 이 방법을 사용한다), **그림 10-2**에서 기술한 것처럼 IgM 밖에 검출되지 않는다.

ABO식 혈액형은 IgM이 관여하는 혈액형이기 때문에 이 방법이 적합했지만, IgG가 관여하는 혈액형은 이 방법으로는 검사할 수가 없었다. IgG가 관여하는 혈액형에서 최초로 발견된 것이 Rh식 혈액형인데, 이것은 ABO식 혈액형이 발견되고 40년이 경과한 후에야 밝혀졌다.

IgG가 관여하는 혈액형을 발견하는 데는 자가면역용혈빈혈에서 공부한 Coombs 검사를 개발한 Coombs가 큰 공헌을 했다. Coombs는 적혈구에 결합하는 자가항체(IgG)를 검출하는 시험을 개발하였는데, **그림 10-3**에 있는 것처럼 anti-human IgG Ab를 사용함으로써 응집시킬 수가 있었던 것이다. anti-human IgG Ab를 포함하는 혈청을 Coombs 혈청이라고도 한다.

이상으로 Rh식 혈액형에 관여하는 항체는 IgG라는 것을 기억하자.

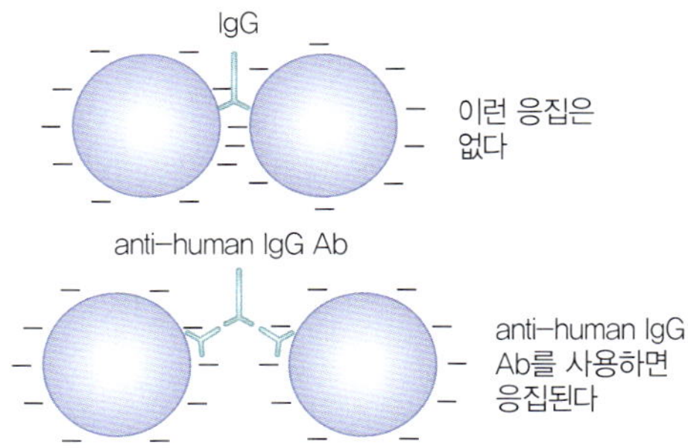

[그림 10-3] IgG에 의한 응집

1) Rh식 항원의 종류

C, c, D, E, e가 있는데 수혈할 때 문제가 되는 것은 D항원이다. D항원이 있는 경우를 Rh+ 또는 Rh 양성이라고 하고, D항원이 없는 경우를 Rh- 또는 Rh 음성이라고 한다. 동양인은 약 99%가 Rh+이고, 서양인은 약 85%가 Rh+이다.

2) Rh-인 사람과 Rh(D) 항체

A항원이 없는 사람은 anti-A Ab를 반드시 가지고 있지만, Rh-인 사람은 보통 Rh(D)Ab를 가지고 있지 않다. Rh-인 사람이 Rh(D)Ab를 획득하기 위해서는, Rh+인 적혈구에 노출되어야 한다. 이것이 ABO식 혈액형과 다른 점이다.

3) Rh식 혈액형이 문제가 되는 경우

Rh-인 사람에게 Rh+인 적혈구를 수혈했다고 해도 몸에 들어간 Rh(D) 양성 적혈구가 곧바로 배제되지는 않는다. 그것은 Rh(D)Ab가 존재하지 않기 때문이다. 그러나 시간이 지나면서 Rh(D)Ab가 생산되면 이것이 수혈 적혈구에 결합한다. 이 상태가 바로 자가면역용혈빈혈과 같은 상태이다. 수혈에 의해 들어간 적혈구는 비장 등의 대식세포에 탐식당한다(혈관외용혈).

5 수혈 부작용

1) 수혈 부작용과 합병증

수혈의 부작용과 합병증으로 용혈성 부작용, 비용혈성 부작용, 감염증이 있다.

용혈성 부작용에서는 주로 ABO형 부적합 수혈에 의한 혈관내용혈이 급성으로 발생하며 Rh형 부적합 수혈(혈관외용혈) 등이 지연성으로 나타나기도 한다.

비용혈성 부작용은 주로 혈장성분이나 백혈구에 의한 면역학적 반응으로, 발열, 두드러기, 아나필락시스 쇼크 등이 있다. 드물게, 수혈후 이식편대숙주병(수혈후 GVHD), 수혈관련 급성 폐장애(TRALI) 등의 심각한 부작용이 일어날 수 있다.

발생하는 감염증으로는 세균감염, B형 · C형 간염바이러스, HIV, HTLV-1, CMV, EBV 등이 있다.

2) ABO식 혈액형 부적합 수혈

ABO식 혈액형 부적합 수혈을 한 경우, 혈액 속의 IgM(anti-A Ab 또는 anti-B Ab)은 수혈 적혈구에 바로 결합하여, 모두 혈관내용혈 현상을 일으킨다. 따라서 수혈 후 몇 분만에 위험한 증상(의식장애, 발열, 쇼크, DIC 등)이 나타나, 대응이 늦으면 사망에 이른다.

3) Rh식 혈액형 부적합 수혈

Rh식 혈액형 부적합 수혈을 한 경우(Rh−인 사람에게 Rh(D) 양성인 적혈구를 수혈한 경우) 처음에는 아무 일도 일어나지 않지만, Rh(D)Ab가 생산되면 수혈 적혈구는 혈관외용혈을 일으킨다. 이로 인해 황달이나 가벼운 신장장애가 일어나기도 하지만 사망하는 경우는 거의 없다. 자가면역용혈빈혈이 치명적인 질환이 아니라는 것을 보아도 이해할 수 있을 것이다.

4) Rh식혈액형 부적합임신 (그림 10-4)

산모가 Rh−이고 태아가 Rh+일 때 발생하는데, 첫아이 때는 증상이 나타나지 않는다. Rh+ 첫아이 출산시에 태반이 자궁으로부터 떨어져 나갈 때 극히 미량의 태아 혈액이 산모의

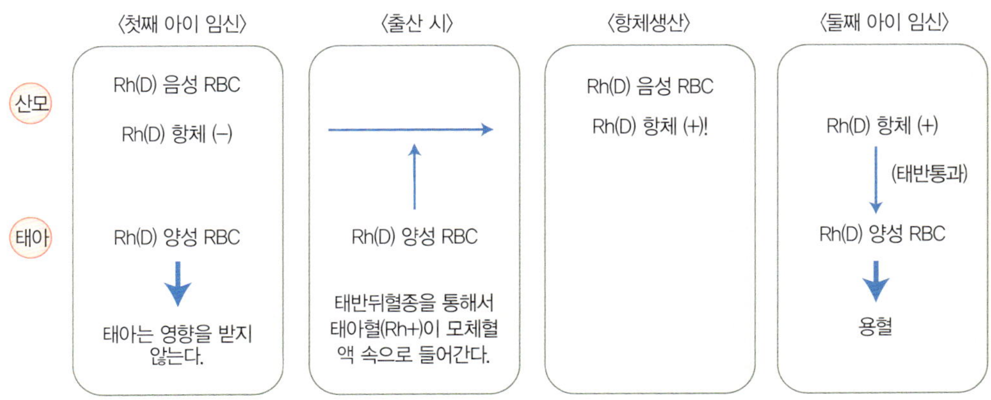

[그림 10-4] Rh식혈액형 부적합임신

혈류로 혼입된다. 이것이 계기가 되어 산모는 Rh(D)Ab를 생산하게 된다. 둘째 아이까지 Rh+인 경우에는 산모의 혈액중에 있는 Rh(D)Ab가 태반을 통해 태아의 적혈구와 결합한다. 태아 적혈구는 비장에서 파괴되어(혈관외용혈, 신생아용혈빈혈〈hemolytic anemia〉), 빈혈이 심한 경우에는 태아사망으로 이어진다. 또한 태어났다 하더라도 중증 황달에서 핵황달(kernicterus)로 진행되어 결국 사망하게 된다.

ABO식혈액형 부적합임신도 있는데, IgM인 anti－A Ab나 anti－B Ab는 태반을 통과하지 못하기 때문에 태아에게는 영향이 없다. 태반 박리시 산모의 항체가 신생아에게 섞여 들어가는 경우가 있지만 임상증상은 가볍다. 그러나 증례 수는 부적합임신 중에서 가장 많다.

7) 요점

부적합수혈로 위험한 것은 ABO식 혈액형(항체는 IgM)
　이유 … IgM의 보체활성화 기능

부적합임신으로 위험한 것은 Rh식 혈액형(항체는 IgG)
　이유 … IgG가 태반을 통과할 수 있기 때문

TIP

HLA(사람 백혈구 항원)

HLA(human leukocyte antigen)란 사람의 거의 모든 유핵세포나 혈소판에서 발현하고 있으며, 비자기를 인식하는 매우 중요한 항원이다.

B 혈액제제 총론

「X. 수혈」 장 서두에서 요즘은 안정성과 효율면을 생각하여 전혈(whole blood)을 투여하는 경우는 거의 없다고 하였다. 전혈을 투여하면 왜 위험하며, 왜 효율이 나쁜지 그 이유를 이해해야 한다. 먼저 그 이유의 큰 흐름을 파악한 다음 그것을 전제로 해서 각 혈액제제에 관해 공부해 나가면 쉽게 이해할 수 있을 것이다.

1 전혈의 위험성

적혈구를 보충할 목적으로 수혈하는 경우에는 백혈구나 혈장단백질을 함께 투여할 필요가 없다. 반대로 림프구를 투여함으로써 치명적인 GVHD가 생기거나, 과립구와 혈장 중에 뒤섞여 있는 바이러스, 세균에 의한 감염이 일어나는 경우도 있다. **최소한의 필요한 것을 보충하는 것이 수혈에 따른 부작용을 최소화하는 방법**이다.

2 전혈의 비효율성

적혈구를 보충하고 싶다면 적혈구를 투여하고, 혈소판을 보충하고 싶다면 혈소판을 투여하며, 제VIII인자를 보충하고 싶다면 제VIII인자를 보충하면 된다.

수혈에 있어서는, 큰 것이 작은 것을 겸한다는 생각은 일부를 제외하고는 의미가 없다. 예를 들어, 혈소판과 제VIII인자를 동시에 보충하려면 어떻게 해야 할까? '혈소판제제와 제VIII인자를 각각 따로 보충한다'가 정답이다. 전혈을 투여하거나, 또는 느리게 원심분리하여 혈소판풍부혈장을 투여하면 혈소판과 제VIII인자 모두를 보충하여 일석이조라고 생각할 수도 있다. 그렇지만 이 두 가지 방법은 모두 실시할 수 없다.

전혈은 4~6℃에서 보존하는데, 이것은 적혈구 보존에 적합한 온도이며 혈소판을 이 온도에서 보존하면 혈소판 기능이 상실된다. 또한 제VIII인자는 열에 불안정한 응고인자 중의 하나로, 4~6℃에서 보존해도 24시간이 지나면 활성이 반감되어 버린다.

혈소판풍부혈장도 마찬가지이다. 20~24℃에서 보존하지 않으면 기능이 상실되는 혈소판과 −20℃에서 보존하지 않으면 활성을 잃어버리는 제VIII인자를 하나의 팩 속에서 보존하는 것은 불가능하다.

혈액을 각각의 성분으로 나누어 보존하면 각각 알맞은 조건에서 보존할 수 있고, 또 필요한 것을 필요한 만큼 효율적으로 보충할 수 있다. 어떤 성분을 정확하게 분리할 수 없는 경우, 예를 들어 특정한 응고인자제제가 존재하지 않는 선천성응고인자결핍증에서는 그 응고인자를 보충하기 위해 신선동결혈장(fresh frozen plasma : FFP)을 사용하는 것이 허용된다.

X

3 혈액제제의 종류

헌혈로 얻은 혈액은 크게 혈구와 혈장으로 분리되는데, 혈구 중에서 제제가 되는 것은 적혈구와 혈소판뿐이다(그림 10-5). 백혈구제제가 없는 이유에 대해서는 나중에 설명하겠다.

혈장은 다시 알부민, 면역글로불린, 응고인자로 분획되어, 각각 알부민제제, 면역글로불린제제, 응고인자제제가 된다.

4 혈액제제 개발

지금은 위와 같은 혈액제제를 사용할 수 있게 되었지만, 이 혈액제제의 개발에는 몇 가지 획기적인 발전이 있었다. 가장 큰 발전은 혈액을 보존해 두는 기술의 개발인데, 무엇보다도 혈액이 굳어버리면 사용할 수 없게 되기 때문에 항응고제를 사용하는 기술을 개발하였다. 즉, 구연산나트륨(sodium citrate)이 칼슘을 킬레이트화(chelating)하여 응고를 방지한다는 것이다. 이것은 1914년의 일이다.

또한 혈액이 굳지 않도록 한다고 해도 그것을 신선하게 보존하지 않으면 의미가 없다. 그래서 보존액이 개발되었는데, 보존액 속에 포도당을 넣어 적혈구를 장기간 신선하게 보존시켰던 것이다. 이것이 1943년의 일로, 이후 근대적 의미의 수혈이 시작되었다.

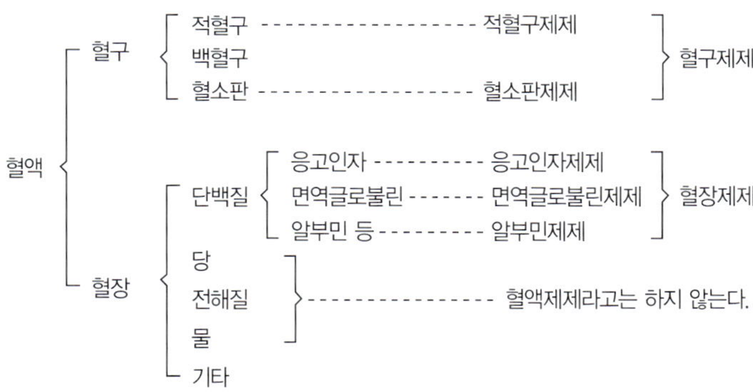

[그림 10-5] 혈액제제

C 수혈감염증

수혈에 의한 감염증 때문에 문제가 되는 병원미생물의 대부분은 바이러스이다.

1 간염바이러스

간염바이러스 5가지(A~E형)중 수혈로 감염되는 것은 B, C, D형 바이러스이다. B, C형 간염바이러스를 스크리닝(screening)하여 제제를 만드는 과정에서 바이러스를 활성화하지 못하게 함으로써, 수혈에 의한 간염바이러스 감염은 현저하게 감소하였다.

미지의 간염바이러스(G형 간염바이러스 등)에 관한 대책도 지금부터 세워나가야 할 것이다.

2 HIV

비가열제제로 인해 다수의 혈우병 환자가 HIV 감염을 일으켰다. 현재는 혈장분획제제로 인한 감염은 거의 없어졌다.

3 HTLV-1

스크리닝을 함으로써 수혈에 의한 감염은 없어졌다.

4 기타 바이러스

단핵구에 감염하는 CMV, EBV도 수혈에 의해 전파될 가능성이 있는데, 이것들은 면역결핍 상태의 환자에게 감염되었을 때 문제가 된다.

5 세균

수혈에 의한 감염증의 대부분은 바이러스 감염이지만, 세균감염도 있다.

예르시니아 엔테로콜리티카(*Yersinia enterocolitica*)는 장관에서 감염되는 세균이지만 혈액 중에도 존재한다. 그러한 사람에게서 헌혈을 받아 적혈구제제를 만들었다고 하면, 예르시니아 엔테로콜리티카(*Yersinia enterocolitica*)는 저온에서 증식할 수 있기 때문에, 보존 중인 수혈팩 속에서 증식하여 독소를 만들어 낸다. 외국에서는 사망한 예가 보고된 적이 있다. 이 때문에 적혈구농축액의 사용기한이 단축되었다.

매독균은 저온에서 사멸되기 때문에 수혈에 의한 감염은 거의 없다.

D 이식편대숙주질환 Graft versus host disease : GVHD

GVHD의 병태생리에 대해서 간단히 설명하겠다.

GVHD의 원인이 되는 혈구는 T림프구이다. 림프구에는 HLA라는 항원이 있다. HLA의 일치, 불일치에 따라 이식편이 생착되거나 거부당하는데, GVHD도 이 개념의 연장선에서 생긴 질환이다.

예를 들어 HLA-DR에 관해 살펴보자. 숙주(Host : 수혈을 받은 사람)의 HLA-DR이 DR2와 DR6의 이형접합체이고, 수혈팩의 림프구(Graft : 이식편)인 HLA-DR이 DR2와 DR2의 동형접합체였다고 하자(**그림 10-6**). 여기에서는 다른 HLA는 모두 일치한다고 설정하고 설명해 나가겠다. 수혈받는 림프구 항원은 DR2 밖에 없으며, 더구나 숙주 자신이 갖고 있는 HLA이기 때문에, 수혈팩의 림프구는 숙주에 의해 거부당하지 않는다. 만약 이 림프구가 분열기능을 갖고 있고 수명이 길다면(이 점이 중요),

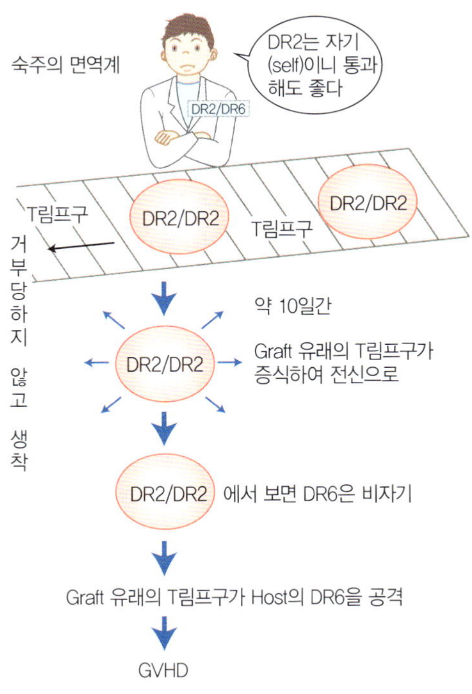

[그림 10-6] 만성 간염의 원인

숙주의 체내에서 증식하며 살아간다. 여기서 관점을 바꾸어 보자. Graft 림프구에서 보면 숙주는 DR6라는 이물질을 가지고 있다. Graft 림프구는 숙주의 세포를 모두 이물질로 간주해서 거부반응을 일으켜 Host가 장애를 받게 되는 것이다.

GVHD에는 조혈모세포이식후 GVHD와, 수혈후 GVHD가 있는데, 후자인 수혈후 GVHD는 발병하면 거의 100% 사망하는 치명적인 질환이다. 수혈후 약 10일 이내에 증상이 나타나기 시작한다.

증상의 Triad는 다음과 같다.

- 피부증상(홍피증)
- 간질환
- 설사

완전히 예방할 수 있는 방법은 없지만, 현재로서는 수혈팩의 방사선조사(irradiation)가 가장 효과적인 방법이다.

E 자가수혈 Autologous transfusion

앞에서 설명한 것은 동종수혈(사람이라는 같은 종에게서 혈액을 받는)에 관한 것인데, 동종수혈에는 감염증, GVHD, 부적합수혈 등의 부작용이 있다. 그래서 부작용이 없는 자가수혈이 등장했다.

자가수혈에는 3종류가 있다.

1 혈액예치식 자가수혈

대기수술이 가능한 환자(예를 들면 넙다리뼈머리 치환술을 받기 위해 대기하고 있는 환자)를 대상으로, 미리 자가혈을 채취하여 보존해 두고 수술 시에 수혈하는 방법이다.

2 희석식 자가수혈

수술 직전 수술실에서 수액을 보충하면서 자가혈을 채취한다. 환자의 혈액은 희석되어 있기 때문에 수술 중에는 묽은 혈액이 출혈된다. 필요하면 자가혈을 수혈한다.

3 회수식 자가수혈

수술 중 출혈된 적혈구를 청결한 곳에 회수하여 세정한 다음 수혈한다.

현재로서는 동종수혈과 자가수혈의 비율이 비슷하고 병원에 따라서는 자가수혈을 많이 실시하는 곳도 있다. 그러나 응급현장에서는 아직 동종수혈에 의존할 수밖에 없다.

XI 조혈모세포이식

A 조혈모세포이식

1 조혈모세포이식의 분류

현재 실시되고 있는 조혈모세포이식에는 3종류가 있다. 먼저 타인의 조혈모세포를 이식하는가 자신의 조혈모세포를 이식하는가에 따라 크게 2가지로 분류한다(동종〈allogeneic〉과 자가〈autologous〉). 다시 조혈모세포를 골수에서 채취하는가 말초혈액에서 채취하는가에 따라 3가지로 분류한다(골수〈bone marrow〉와 말초혈액〈peripheral blood〉과 제대혈〈umbilical cord blood〉). 현재는 **표 11-1**에 나타난 바와 같이 3종류의 조혈모세포이식이 실시되고 있다.

BMT란 bone marrow transplantation(조혈모세포이식)의 약자이고, PBSCT란 peripheral blood stem cell transplantation(말초혈액줄기세포이식)의 약자이다.

	골수혈액	말초혈액	제대혈
타인	동종조혈모세포이식 (allo-BMT)	말초혈액조혈모세포이식 (PBSCT)	동종제대혈이식 allo-UCBT
자기	자가조혈모세포이식 (auto-BMT)	말초혈액조혈모세포이식 (PBSCT)	

[표 11-1] 조혈모세포이식의 분류

TIP

GVL 효과

GVL이란 graft versus leukemia 효과를 말하는 것으로 GVHD와는 정반대의 개념이다. 이식조혈모세포에서 유래한 림프구가 체내에 잔존하는 백혈병세포를 이물질로 인식하고 제거하는 기전을 GVL 효과라고 한다. GVHD를 일으키지 않고 GVL을 일으킬 수 있다면 가장 좋겠지만 인위적으로 이식에 유리한 상황을 만드는 것은 불가능하므로, 이식에 의해 어느 쪽이 강하게 나타나는지는 전혀 예상할 수가 없다.

1. 동종조혈모세포이식(allo-BMT) Allogenic bone marrow transplantation

HLA가 일치하는 기증자의 골수혈에 포함된 조혈모세포를 이식하는 것을 동종조혈모세포이식이라고 한다. HLA가 일치해야 한다는 것이 동종조혈모세포이식을 선택하는 전제가 된다.

Allo-BMT의 최대의 단점은 GVHD(graft versus host disease : 이식편대숙주병)이다. 수혈후 GVHD 처럼 100% 가까운 치사율을 보이는 것은 아니지만 상당히 큰 부작용으로, GVHD의 조절이 이식의 성공을 좌우한다고 해도 과언이 아니다. 장점은 GVL 효과를 기대할 수 있다는 것이다.

2. 자가조혈모세포이식(auto-HSCT)

Autologous hematopoietic stem cell transplantation

조혈기관 · 림프조직 종양을 앓고 있는 환자의 조혈모세포를 채취하여 종양세포를 제거하고 선택적으로 보관해 둔다. 그것을 환자 자신에게 되돌려주는 것을 자가조혈모세포이식이라고 한다.

이식편으로부터 종양세포를 제거하는 전처치를 하는 경우도 있지만 완전히 제거하는 것은 불가능하다. 때문에 자가조혈모세포이식의 최대 단점은 재발이라고 할 수 있다.

자가조혈모세포이식의 장점은 GVHD가 절대 일어나지 않는다는 점이지만 GVL 효과는 전혀 기대할 수 없다. HLA가 일치하는 기증자가 발견되지 않을 경우에는 자가조혈모세포이식을 선택하기도 한다.

3. 말초혈액조혈모세포이식(PBSCT) Peripheral blood stem cell transplantion

일반적으로 골수에는 조혈모세포가 있지만, 말초혈액에는 조혈모세포가 없다고 배웠다. 이 말은 대전제로서 기억해 두어도 상관없지만, 사실 우리의 말초혈액 속에는 아주 적은 수의 조혈모세포가 있다.

관해도입요법이나 유지강화요법에 의해, 골수 속에 있던 백혈병세포도 조혈모세포도 모두 감소하지만 조혈기능이 회복될 때 일과성으로 말초혈액 속의 조혈모세포가 현저하게 증가한다는 사실이 밝혀졌다. 이 PBSC(말초혈액조혈모세포)를 회수해서 보존했다가 골수가 형성되지 않을 때에 PBSC를 이식하는 것이 PBSCT이다.

PBSCT도 자가조혈모세포이식도 자신의 조혈모세포를 이식한다는 점에서는 같다. 조혈모세포의 회수는 PBSCT쪽이 많기 때문에, 이식 후의 생착도 PBSCT가 빠르다.

동종조혈모세포이식, 자가조혈모세포이식, 말초혈액조혈모세포이식의 개념을 간단하게 설명했는데, 각각 장단점이 있으므로 이를 파악하여 적절히 환자에게 적용하는 것이 필요하다.

4. 제대혈이식(UCBT)

Umibilical cord blood transplantation

제대혈(탯줄혈액)이식은 분만 후의 태반 · 탯줄에 남은 태아 유래의 혈액(탯줄혈액)에 함유되어 있는 조혈모세포를 이식하는 방법이다.

이 방법을 이용하면 공여자에 대한 부담이 적고, 이식가능한 HLA형의 범위가 넓으며, GVHD가 중증화하기 어렵다. 또한 제대혈 은행에 냉동 보존되어 있는 제대혈을 필요한 때에 이용할 수 있다는 장점이 있다.

그러나 채취할 수 있는 세포수가 적고, 생착이 늦은 데다가 생착부전되는 경우도 빈번하며, 이식한 뒤의 감염증도 많다는 단점도 있다.

2 조혈모세포이식의 전처치

1) 정상균무리(Normal flora) 제거

이식 전에 강력한 화학요법과 방사선조사로 백혈병세포를 근절한다. 그런데 그와 함께 조혈모세포를 비롯한 정상적인 모세포도 죽기 때문에, 면역기능이 성립되지 않는다. 보통 상재균으로 존재하는 미생물에 의해 감염증이 발생하게 되므로 환자의 체내에 미생물이 전혀 남지 않도록 처치한다.

피부의 상재균은 소독액으로 채워진 욕조에 몸을 담가 잘 씻으면 죽일 수 있다. 입속 · 코속의 상재균은 항미생물제를 이용한 양치질, 흡입을 통해 죽인다. 장내세균은 장관으로 흡수되지 않는 항미생물제를 경구투여해서 죽인다. 미생물 살균은 철저하게 해야 한다. 예를 들면, 충치는 구강내 세균에 의한 감염증이므로, 치아에 부착된 균을 소멸시키기 위해 이를 빼어 버린다(발치).

어떻게 해야 무균상태를 만들 수 있을지, 그리고 어떻게 해야 그것을 잘 유지하는지가 이식 성공의 열쇠가 된다.

2) 강력한 화학요법과 방사선요법

백혈병세포를 근절하기 위해 실시한다. 동시에 이식된 세포가 배제되지 않도록 하기 위해 숙주의 면역담당세포를 충분히 제거해야 한다. 동종조혈모세포이식에서는 숙주의 면역담당세포를 충분히 제거해야 하지만, 자가조혈모세포이식과 PBSCT에서는 그렇게 할 필요가 없다.

3 이상적인 조혈모세포이식

조혈모세포이식이 성공적으로 이루어지기 위해서는 이식전의 처치를 성공적으로 해야 한다.

즉 이식 중의 감염증을 조절할 것, 화학요법과 방사선조사에 의한 후유증을 최소한으로 억제할 것 등을 들 수 있다.

이상적인 조혈모세포이식을 설명하면 다음과 같다.

① 동종조혈모세포이식

GVHD(graft versus host disease, 이식편대숙주병)가 발생했다고 해도 가볍게 끝나고, GVL 효과에 의해 백혈병세포가 근절되는 것이 이상적이다.

② 자가조혈모세포이식과 PBSCT

이식된 조혈모세포에 백혈병세포가 섞여 있지 않고, 이식에 의한 재발이 없는 것이 이상적이다.

4 생착과 거부

동종 이식에서 이식된 공여자의 조혈모세포가 환자의 골수에 정착해, 공여자 유래의 조혈이 3계통 모두 볼 수 있게 된 상태를 생착이라고 한다.

이와 반대로, 이식된 공여자 유래의 조혈모세포가 비자기라고 인식되어 환자 유래의 면역담당세포에게서 배제되어 버리는 것을 거부라고 한다.

공여자 유래의 조혈모세포가 거부되지 않고 생착을 하려면 환자와 공여자의 HLA가 적합할 것, 그리고 전 처치에 의해 환자의 면역담당세포가 근절되어 있을 것 등이 중요하다. 자가이식이나 동계이식에서는 거부가 일어나지 않는다.

5 이식 후의 관리

이식 후에는 여러 가지 이식관련 합병증이 일어나, 그 예방이나 치료 등의 관리가 중요하다 **(그림 11-1)**.

감염증에 대해서는 항균제 등의 투여나 무균실에 입실하는 등의 감염관리, GVHD에 대해서는 부신피질스테로이드나 면역 억제제의 투여를 실시한다.

이식관련 합병증은 이식 후 뿐만이 아니라 전 처치에 의한 부작용 등도 포함된다. 이들에 대해서도 적당히 대응한다.

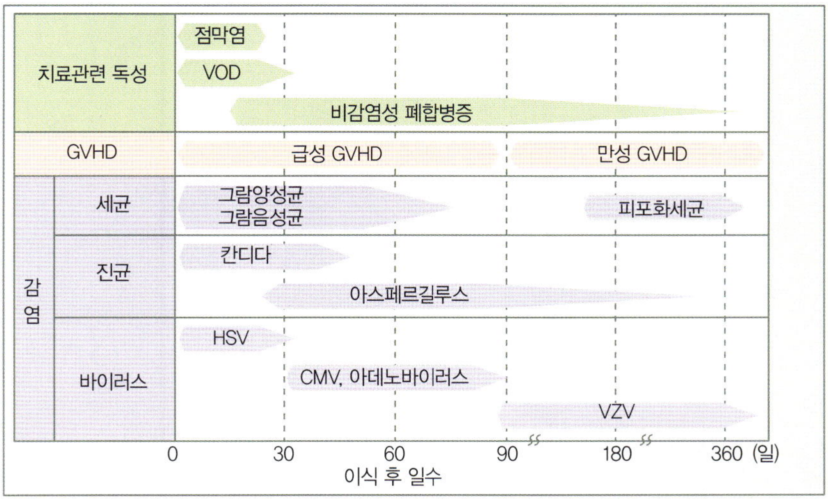

VOD : veno-occlusive disease(정맥폐쇄병)
CMV : cytomegalovirus(거대세포바이러스)
HSV : herpes simplex virus(단순헤르페스 바이러스)
VZV : varicella zoster virus(수두대상포진 바이러스)

[그림 11-1] 이식 후의 주요 합병증과 그 호발시기

찾아보기

ㄱ

가용성 IL−2 수용체 ············ 169
거대비장 ············ 143
거대적혈모구빈혈 ············ 29
고심박출성 심부전 ············ 20
골수 ············ 6
골수계 종양 ············ 105, 123
골수섬유증 ············ 138
골수증식성 질환 ············ 130
골수형성이상 ············ 127, 142
골수형성이상증후군 ············ 124
골형성부전증 ············ 210
과립구 ············ 61, 62
광범위B형대세포림프종 ············ 171
괴혈병 ············ 210
구형적혈구 ············ 13, 41
글로빈 ············ 17
급성골수성백혈병 ··· 99, 106, 114
급성림프모구백혈병 ············ 99, 118
급성백혈병 ············ 114
급성전골수성백혈병 ············ 112

ㄴ

낫적혈구 ············ 49
낫적혈구병 ············ 49
내인자 ············ 31
눈물방울적혈구 ············ 139

ㄷ

다계열형성이상
　불응성혈구감소증 ············ 126
다발성 골수종 ············ 172
단핵구 ············ 61, 79
대과립림프모구백혈병 ············ 171
동종조혈모세포이식 ············ 240

ㄹ

레티노인산(retinoic acid)
　증후군 ············ 117
루푸스항응고물질 ············ 221
림프구 ············ 61, 81
림프구감소증 ············ 82
림프구증가증 ············ 82
림프모구림프종 ············ 171
림프여포 ············ 85
림프절 ············ 85
림프형질세포성 림프종 ············ 165

ㅁ

만성골수성백혈병 ············ 131
만성림프모구백혈병 ············ 160
만성육아종증 ············ 66
말초혈액조혈모세포이식 ············ 240
망상적혈구 ············ 26
면역글로불린 ············ 96, 172
면역글로불린제제 ············ 234
면역용혈빈혈 ············ 48
모세포증가 불응성빈혈 ············ 126
무과립구증 ············ 73
무효조혈 ············ 28, 124
미세혈관병용혈빈혈 ············ 47

ㅂ

발작야간혈색소뇨증 ············ 43
발작한랭혈색소뇨증 ············ 39
백일해 ············ 82
백적혈모구증 ············ 91, 139, 141
백혈구 ············ 3, 61
백혈구증가증 ············ 90
백혈병 유사반응 ············ 90
백혈병세포단절 ············ 108
버킷림프종 ············ 164
버킷세포백혈병 ············ 119
분열적혈구 ············ 216
불응성빈혈 ············ 126
비장 ············ 14, 87
비장기능항진증 ············ 74
비타민 K 결핍증 ············ 204
비호지킨림프종 ············ 154
빈혈 ············ 19

ㅅ

선천성 protein C 결핍증 ············ 212
섬유소용해 ············ 187
성인T세포백혈병/림프종 ············ 165
세척적혈구 ············ 45
소적혈구성저색소성빈혈 ··· 22, 27
수혈 ············ 225
수혈 부작용 ············ 231
수혈감염증 ············ 235
순적혈구무형성증 ············ 34
스포츠빈혈 ············ 46
신선동결혈장 ············ 233

ㅇ

아스피린 ············ 185
악성빈혈 ············ 31
알레르기자색반병 ············ 208

알부민제제 234
에스터라제 68
여포성 림프종 171
오슬러병 209
온난성자가면역용혈빈혈 39
외투세포림프종 171
용혈 16
용혈빈혈 36
용혈요독증후군 217
원발성 마크로글로불린혈증 172
유전구형적혈구증 41
응고 186
응고반응 186
응고인자 181, 186
응고인자 이상 199
응고인자제제 234
이마티니브 136
이식편대숙주병 231, 240
이식편대숙주질환 236
이차성 적혈구증가증 57

ㅈ

자가면역용혈빈혈 38
자가수혈 238
자가조혈모세포 240
재생불량빈혈 32
저장철 23
저장풀질환 193
적혈구 3, 11
적혈구제제 225
적혈구증가증 54
적혈구파괴증후군 46
적혈구효소이상증 46
적혈모구 139
전염성단핵구증 82
점막관련림프조직 87
점막관련림프조직림프종 171
정맥동(정맥굴) 6
정적혈구성정색소성빈혈 37
제대혈이식 241
조직구증 80
조직철 23
조혈 5
조혈계 종양 99
조혈모세포이식 239
종양용해증후군 156
중쇄병 172
지중해빈혈 50
진성고혈소판증 136
진성적혈구증가증 55, 136

ㅊ

철결핍성 빈혈 22
철적혈모구빈혈 26
체액면역 161
출혈시간 196

ㅌ

털세포백혈병 164
특발성혈소판감소성자색반병 194

ㅍ

파종혈관내응고 198
폐색전증 212
표적적혈구 51
피부T세포림프종 170
피브린 181

ㅎ

한랭응집소병 39
항백혈병제 112
항인지질항체 221
항인지질항체증후군 221
행군혈색소뇨증 46
헤마토크릿 11
헴 17
혈관내용혈 16
혈관면역모세포성 T세포림프종 170
혈관외용혈 16
혈구 3
혈색소 17
혈색소병증 49
혈색소이상증 49
혈소판 4, 179
혈소판기능이상증 190
혈소판무력증 190
혈소판제제 234
혈소판증가증 137
혈액예치식 자가수혈 238
혈액제제의 종류 234
혈액형 226
혈우병 199
혈우병 A 201
혈장 3
혈장제제 234
혈전성 질환 211
혈전저혈소판혈증자색반병 213
혈청 4
혈청 ferritin 23
혈청철 23
형질세포 172
형질세포골수종 172
호산구 61, 74
호산구증가증 75
호염기구 61, 78
호중구 61, 65
호중구감소증 73
호중구증가증 72
호지킨림프종 146
호지킨세포 146
회수식 자가수혈 238
흉선종 34
희석식 자가수혈 238

A

ABO식 혈액형 ········ 226
acute lymphoid leukemia ········ 101
acute myeloid leukemia ········ 101, 105, 114
Acute promyelocytic leukemia ··· 116
Adult T cell leukemia/lymphoma ········ 165
agranulocytosis ········ 73
AIHA ········ 38
AILD ········ 170
ALL ········ 118
allo-BMT ········ 240
Allogenic bone marrow transplantation ········ 240
AML ········ 114
anemia ········ 19
Angioimmunoblastic T cell lymphoma ········ 170
anti-A Ab ········ 226
anti-B Ab ········ 226
Antiphospholipid antibody ······ 221
Antiphospholipid antibody syndrome ········ 212, 221
Antithrombin III 결핍증 ········ 212
APL ········ 112, 116
Aplastic anemia ········ 32
APS ········ 221
aPTT ········ 207
aspirin ········ 185
ATLL ········ 165
auto-HSCT ········ 240
Autoimmune hemolytic anemia ········ 38
Autologous hematopoietic stem cell transplantation ······ 240
Autologous transfusion ········ 238

B

B cell ········ 104
B symptom ········ 147
basophil ········ 61, 78
Bence Jones protein ········ 173, 220
Bernard-Soulier증후군 ········ 192
BJP ········ 173
Blastic crisis ········ 134, 135
Bleeding time ········ 196
BMT ········ 239
bone marrow transplantation ··· 239
Burkitt lymphoma ········ 164
B세포종양 ········ 104

C

CAD ········ 39
CD25 ········ 169
Chédiak-Higashi 증후군 ········ 66
Chronic granulomatous disease ········ 66
Chronic lymphocytic leukemia ········ 160
Chronic myelogenous leukemia ········ 131
CLL ········ 160
CML ········ 131
Coagulation ········ 186
coagulation factor ········ 181
cold agglutinin disease ········ 39
Coombs 검사 ········ 40
CTCL ········ 170
Cutaneous T cell lymphoma ··· 170

D

Diamond-Blackfan증후군 ······ 34
DIC ········ 198
Diffuse large B-cell lymphoma ········ 171
direct bilirubin ········ 18
Disseminated intravascular coagulation ········ 47, 198
DLBL ········ 171

E

Ehlers-Danlos증후군 ······ 183, 210
eosinophil ········ 61, 74
eosinophilia ········ 75
EPO ········ 25
erythrocyte ········ 4
Erythropoietin ········ 25
Essential thrombocythemia ······ 136
Esterase ········ 68
ET ········ 136
Evans 증후군 ········ 39, 195
extravascular hemolysis ········ 16

F

FAB 분류 ········ 116
Fanconi's anemia ········ 32
FDG - PET ········ 154
FFP ········ 233
fibrin ········ 181
Fibrinolysis ········ 187
Follicular lymphoma ········ 171
fresh frozen plasma ········ 233

G

G-6-PD 결핍증 ········ 46
Glanzmann병 ········ 190
Globin ········ 17
Glucose-6-phosphate dehydrogenase 결핍증 ········ 46
graft versus host disease ········ 226, 236, 240
granulocyte ········ 61, 62
GVHD ········ 226, 236, 240
GVL 효과 ········ 240

H

Hairy cell leukemia ········ 164
Ham test ········ 44
Hb ········ 17

HbA ··· 51
HbF ··· 51
HCL ··· 164
Hct ··· 11
heavy chain disease ··· 165
helper T세포 ··· 86
hematocrit ··· 11
Heme ··· 17
hemocyte ··· 3
Hemoglobin ··· 17
hemoglobinopathy ··· 49
hemolysis ··· 16
Hemolytic anemia ··· 36
Hemolytic uremic syndrome ··· 217
Hemophilia ··· 199
Henoch–Schönlein purpura ··· 208
Heparin ··· 78
Hereditary spherocytosis ··· 41
high output cardiac failure ··· 20
Histiocytosis ··· 80
HLA ··· 232
Hodgkin's disease ··· 146
HS ··· 41
HSP ··· 208
Human Leukocyte Antigen ··· 232
HUS ··· 217
Hypersplenism ··· 74
IDA ··· 22

I

Idiopathic thrombocytopenic purpura ··· 194
IF ··· 31
IFN–α ··· 134
imatinib ··· 136
Immune hemolytic anemia ··· 48
infectious mononucleosis ··· 82
intravascular hemolysis ··· 16
intrinic factor ··· 31
Iron deficiency anemia ··· 22
ITP ··· 194
IVIG ··· 197

L

LAC ··· 221
Langerhans cell ··· 79
Langerhans cell histiocytosis ··· 80
LAP ··· 45
Large granular lymphocyte leukemia ··· 171
LDH ··· 120, 133
leukemic hiatus ··· 108
leukemoid reaction ··· 90
leukocyte ··· 4, 61
Leukocyte alkalinephosphatase 68
leukocytosis ··· 90
leukoerythroblastosis ··· 91, 139, 141
LGLL ··· 171
lupus anticoagulant ··· 221
Lymphoblastic lymphoma ··· 171
lymphocyte ··· 61, 81
lymphocytopenia ··· 82
lymphocytosis ··· 82
Lymphoplasmacytic lymphoma ··· 165
Lysozyme ··· 69

M

MAHA ··· 47
MALT ··· 171
Mantle cell lymphoma ··· 171
march hemoglobinuria ··· 46
Marfan증후군 ··· 183, 210
MDS ··· 124
Megaloblastic anemia ··· 29
megalosplenia ··· 143
MF ··· 138
microangiopathic hemolytic anemia ··· 47
monocyte ··· 61, 79
MPD ··· 130
MPO ··· 68
Mucosa–associated lymphoid tissue ··· 171
multiple myeloma ··· 172
Myelodysplastic syndrome ··· 105
Myelofibrosis ··· 138
myeloperoxidase ··· 68
Myeloproliferative disorder ··· 130

N

NADPH ··· 66
neutropenia ··· 73
neutrophil ··· 61, 65
neutrophilia ··· 72
NHL ··· 154
Non–Hodgkin Lymphoma ··· 154

O

Osler's disease ··· 209
osteogenesis imperfecta ··· 209, 210

P

paroxysmal cold hemoglobinuria ··· 39
Paroxysmal nocturnal hemoglobinuria ··· 43
PBSCT ··· 239, 240
PCH ··· 39
Peripheral blood stem cell transplantion ··· 240
pertussis ··· 82
philadelphia chromosome ··· 131
Philadelphia 염색체 ··· 131
PIDT1/2 ··· 25
PK 결핍증 ··· 46
plasma ··· 3
platelet ··· 4, 179
Plummer–Vinson 증후군 ··· 24
PNH ··· 43

Polycythemia ··· 54
polycythemia vera ··· 55, 136
PRCA ··· 34
primary hemostasi ··· 181
Protein C ··· 204
protein S ··· 204
Prothrombin time ··· 201
PT ··· 201
pulmonary embolism ··· 212
Pure red cell aplasia ··· 34
PV ··· 55, 136
pyrubinic acid kinase 결핍증 ··· 46

R

RA ··· 126
RA with excess of blasts ··· 126
RBC ··· 4
red blood cell ··· 4
Red cell fragmentation syndrome ··· 46
Reed-Sternberg세포 ··· 146
Refractory anemia ··· 126
Refractory cytopenia with multilineage dysplasia ··· 126
Rh식 혈액형 ··· 230
RS cell ··· 146

S

Schilling 검사 ··· 53
Schistocyte ··· 46, 216
scurvy ··· 210
secondary hemostasis ··· 181
serum ··· 4
sickle cell ··· 49
Sickle cell disease ··· 49
Sideroblastic anemia ··· 26
SLL ··· 160
spleen ··· 87
stercobilin ··· 18
Storage pool disease ··· 181, 193
Sugar-water test ··· 44

T

T cell ··· 104
T 림프구 ··· 165
tear drop cell ··· 139
Thalassemia ··· 50
thrombocyte ··· 4
thrombopoietin ··· 180
thymoma ··· 34
TIBC ··· 25
Total cell kill ··· 112
TPO ··· 180
TRALI ··· 231
Transferrin ··· 23
TTP ··· 191, 213
tumor lysis syndrome ··· 156
T세포 ··· 104
T세포종양 ··· 104

U

UCBT ··· 241
Umibilical cord blood transplantation ··· 241

V

von Willebrand 인자 ··· 192, 206
von Willebrand's factor ··· 182, 201
von Willebrand병 ··· 201, 206
vWD ··· 206
vWF ··· 182
Warfarin ··· 205
warm AIHA ··· 39
Washed RBC ··· 45
WBC ··· 4, 61
white blood cell ··· 4, 61
Wiskott-Aldrich증후군 ··· 198

기호

%RCU ··· 25
1차응집 ··· 193
1차지혈 ··· 181
2차응집 ··· 193
2차지혈 ··· 181, 183
5q 증후군 ··· 125
γ-글로불린 대량요법 ··· 197